夢みるあなたへ

西芳実

夢みるインドネシア映画の挑戦

西 芳実 著

英明企画編集

※本文中の⬇に続く頁数は、関連する情報がその頁以降にあることを示しています。

※本書に掲載している画像は、各作品について権利を有する企業・団体・個人からご提供いただきました。記して感謝申し上げます。権利者およびコピーライトについては画像上もしくはキャプションに示しています。

※本書に掲載の映画のタイトルのうち日本未公開のものは著者による訳です。

※映画については初出時に制作年を記しています。

夢みるインドネシア映画の挑戦

目　次

37『金の卵』
38『シンピン島の黄昏』
39『ルトゥン・カサルン』
40『月の光』
41『茶房館』
42『追跡』
43『エジプトに上る月』
44『血と祈り』
45『外出禁止令のあとで』
46『ロドリゴ・デ・フィラ』
47『三人姉妹』
48『アクト・オブ・キリング』
49『ルック・オブ・サイレンス』
50『プラハからの手紙』
51『ジャカ・スンブン』
52『トゥトゥル・ティヌラル：竜華剣』
53『黄色いヤシの葉』
54『夜明けの攻撃』
55『インドネシア共産党の九月三〇日運動の裏切り』
56『ジャカルタ1966』
57『ブタウィの子ドゥル』
58『ママッド氏』

59『無神論者』
60『欲望の奴隷』
61『18歳』
62『蚊帳の中』
63『1828年11月』
64『ベアトリスの戦争』
65『枕の上の葉』
66『シェリナの大冒険』
67『夢追いかけて』
68『アリサン！』
69『分かち合う愛』
70『窓』
71『ジョグジャカルタの６時間』
72『三つの祈り、三つの愛』
73『カリファーの決断』
74『魔の11分』
75『モルッカの光』
76『超新星』
77『紙の舟』
78『ベンとジョディ〜珈琲哲学第二章〜』
79『妊娠検査』
80『チュマラの家族』
81『モダンの子ドゥル』

82『ドゥル』
83『ドゥル２』
84『ドゥル――愛の物語の結末』
85『愛の逸脱』
86『我は使徒』
87『光照らす人』
88『カアバ神殿の守護のもとで』
89『欧州に輝く九九の光』
90『望まれざる天国』
91『ガレージ』
92『欧州に輝く九九の光２』
93『アメリカの空に浮かぶ割れた月』
94『アサラムアライクム北京』
95『望まれざる天国２』
96『ターバンを巻いた女』
97『愛が祝福されるとき』
98『カルティニ』
99『ジルバブ・トラベラー』
100『ミフラブのなかの愛』
101『愛が祝福されるとき２』
102『カルティニへのラブレター』
103『6.9秒』
104『デニアス、雲の上の歌声』
105『宇宙が支えてくれる』
106『娘』
107『日曜日にビクトリア公園で』
108『耳のない国』
109『ジンガ』
110『スンデルボロン』

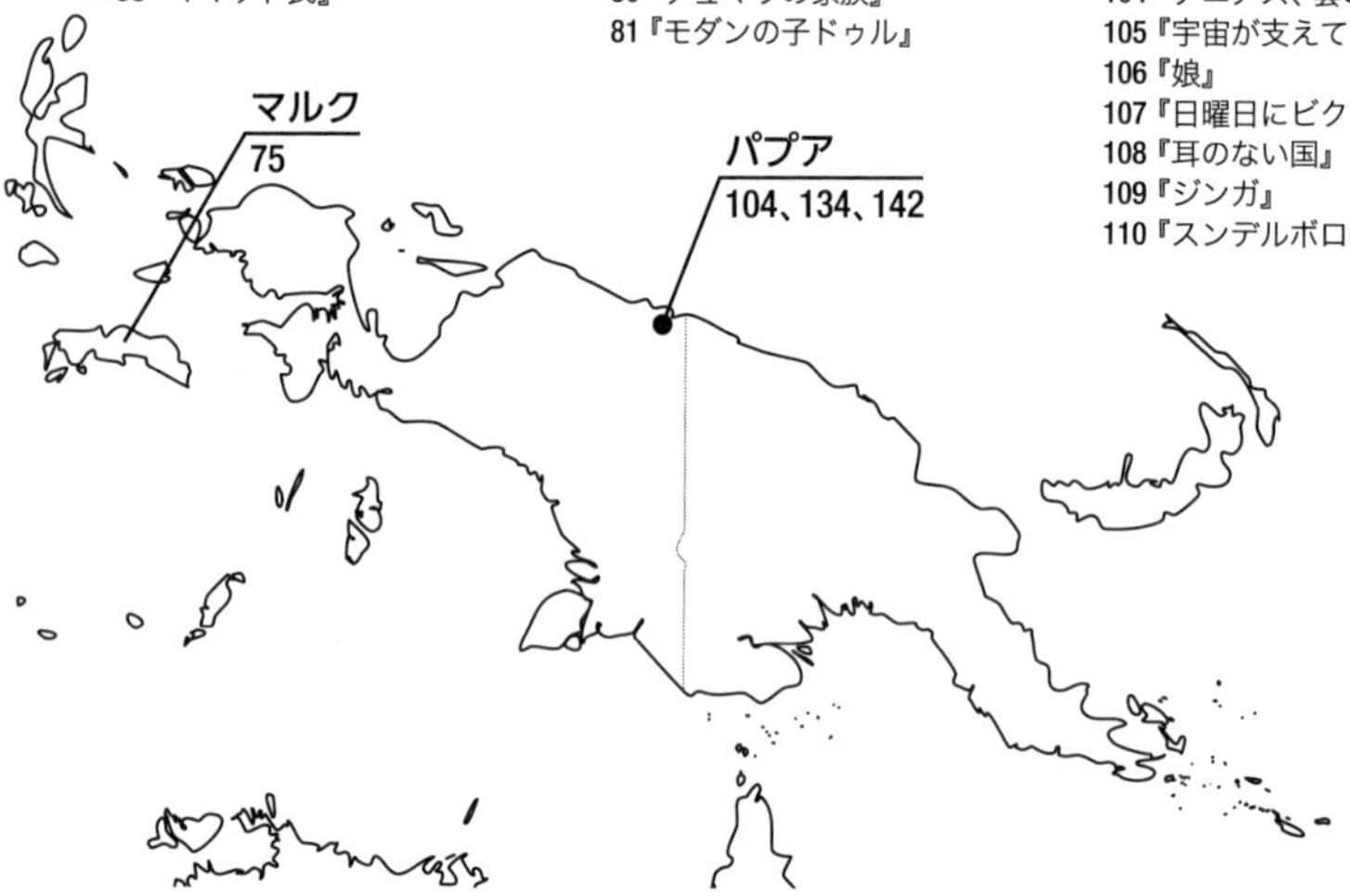

111『救急車のお化け』
112『泥の中で息をする』
113『スンデルボロンの伝説』
114『フィクション。』
115『聖なる踊り子』
116『紅いランタン』
117『フォックストロット・シックス』
118『ソロの孤独』
119『サイエンス・オブ・フィクションズ』
120『デリサのお祈り』
121『バスは夜を走る』
122『クマラ』
123『武士道スピリット』
124『フロンテイラ』
125『サガルマータ』
126『青が空に戻る』

127『戻ってきたね』
128『私の祖国』
129『アタンブア39℃』
130『アイシャ――私たちを姉妹に』
131『ノカス』
132『メモリア』
133『紅白の家』
134『ママの土』
135『マダム X』
136『ブラウニーズ』
137『卒業日記』
138『結婚する！』
139『愛を語るときに、語らないこと』
140『一切れのパンの愛』
141『ある詩人』
142『君に一度だけ口づけしたい』

143『30日で愛を探す』
144『うちのおバカ社長』
145『うちのおバカ社長２』
146『ジョニの約束』
147『時』
148『グンダラ ライズ・オブ・ヒーロー』
149『呪われた地の女』
150『ひとりじめ』
151『紫の絹の霧』
152『欲望の奴隷』
153『オペラ・ジャカルタ』
154『ある男の顔』
155『初恋』
156『母』
157『汽車に乗り遅れた恋人』
158『ボイの日記』

※西ティモールはティモール島のインドネシア領。州としては東ヌサトゥンガラ州に属する。

本書に登場する映画の舞台①〈インドネシア、東ティモール〉

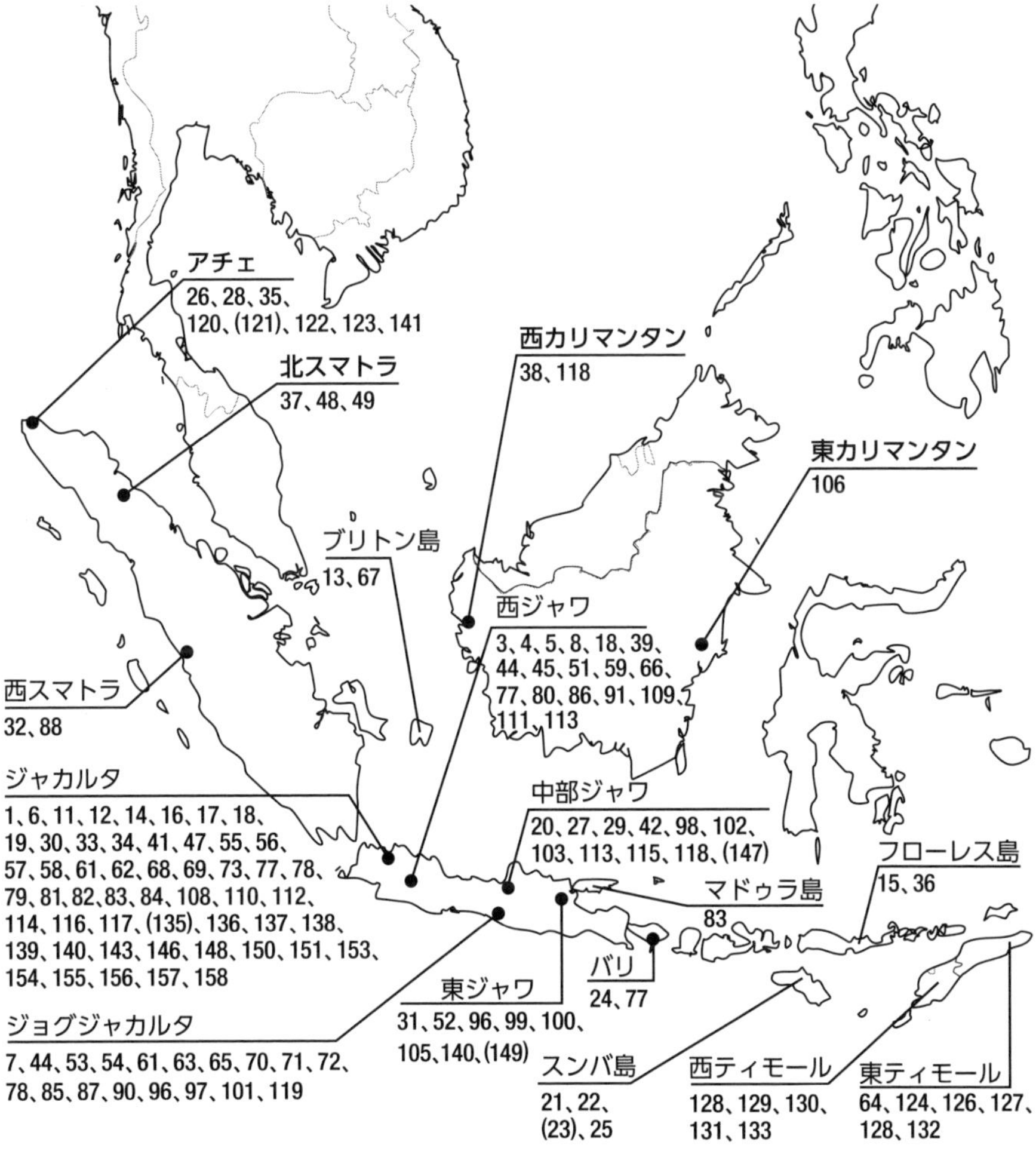

1『ワルコップDKI再生』
2『ワルコップDKI再生２』
3『ディラン1990』
4『ディラン1991』
5『ミレア：ディランの声』
6『ビューティフル・デイズ』
7『再会の時
～ビューティフル・デイズ２』
8『スザンナ──墓の中で息をする』
9『愛の章』
10『ハビビとアイヌン』
11『悪魔の奴隷』
12『GIE』
13『虹の兵士たち』
14『クルドサック』
15『三人姉妹（2016年版）』
16『いつか今日の日のことを話そう』
17『ラブリー・マン』
18『君こそ唯一の人』
19『ヒジャーブ』
20『ＭＡＲＳ──我が子の夢は
宇宙を手にする』
21『マルリナの明日』
22『天使への手紙』
23『ゴールデン・アームズ
導かれし者』
24『楽園への長き道』
25『フンバ・ドリーム』
26『チュッ・ニャッ・ディン』
27『他者の言葉の物語』
28『海を駆ける』
29『Ｒ．Ａ．カルティニ』
30『珈琲哲學～恋と人生の味わい方』
31『空を飛びたい盲目のブタ』
32『私をチナと呼ばないで』
33『最後の獅子舞』
34『牌九』
35『ウンパン・ブルエ』
36『ソンボとランド』

※主な舞台となっている州または島を示した。州は州都で代表させている。
※（　）に入れた作品は、明確には示されていないものの、そこが舞台だと考えられる作品。

63『1828年11月』
64『ベアトリスの戦争』
65『枕の上の葉』
66『シェリナの大冒険』
67『夢追いかけて』
68『アリサン！』
69『分かち合う愛』
70『窓』
71『ジョグジャカルタの６時間』
72『三つの祈り、三つの愛』
73『カリファーの決断』
74『魔の11分』
75『モルッカの光』
76『超新星』
77『紙の舟』
78『ベンとジョディ
～珈琲哲学第二章～』
79『妊娠検査』
80『チュマラの家族』
81『モダンの子ドゥル』
82『ドゥル』
83『ドゥル２』
84『ドゥル──愛の物語の結末』
85『愛の逸脱』
86『我は使徒』
87『光照らす人』
88『カアバ神殿の守護のもとで』
89『欧州に輝く九九の光』
90『望まれざる天国』
91『ガレージ』
92『欧州に輝く九九の光２』
93『アメリカの空に浮かぶ割れた月』
94『アサラムアライクム北京』
95『望まれざる天国２』
96『ターバンを巻いた女』
97『愛が祝福されるとき』
98『カルティニ』
99『ジルバブ・トラベラー』
100『ミフラブのなかの愛』
101『愛が祝福されるとき２』
102『カルティニへのラブレター』
103『6.9秒』
104『デニアス、雲の上の歌声』
105『宇宙が支えてくれる』
106『娘』
107『日曜日にビクトリア公園で』
108『耳のない国』
109『ジンガ』
110『スンデルボロン』
111『救急車のお化け』
112『泥の中で息をする』
113『スンデルボロンの伝説』
114『フィクション。』
115『聖なる踊り子』
116『紅いランタン』
117『フォックストロット・シックス』
118『ソロの孤独』
119『サイエンス・オブ・フィクションズ』
120『デリサのお祈り』
121『バスは夜を走る』
122『クマラ』
123『武士道スピリット』
124『フロンテイラ』
125『サガルマータ』
126『青が空に戻る』
127『戻ってきたね』
128『私の祖国』
129『アタンブア39℃』
130『アイシャ──私たちを姉妹に』
131『ノカス』
132『メモリア』
133『紅白の家』
134『ママの土』
135『マダムＸ』
136『ブラウニーズ』
137『卒業日記』
138『結婚する！』
139『愛を語るときに、語らないこと』
140『一切れのパンの愛』
141『ある詩人』
142『君に一度だけ口づけしたい』
143『30日で愛を探す』
144『うちのおバカ社長』
145『うちのおバカ社長２』
146『ジョニの約束』
147『時』
148『グンダラ ライズ・オブ・
ヒーロー』
149『呪われた地の女』
150『ひとりじめ』
151『紫の絹の霧』
152『欲望の奴隷』
153『オペラ・ジャカルタ』
154『ある男の顔』
155『初恋』
156『母』
157『汽車に乗り遅れた恋人』
158『ボイの日記』

本書に登場する映画の舞台②〈世界〉

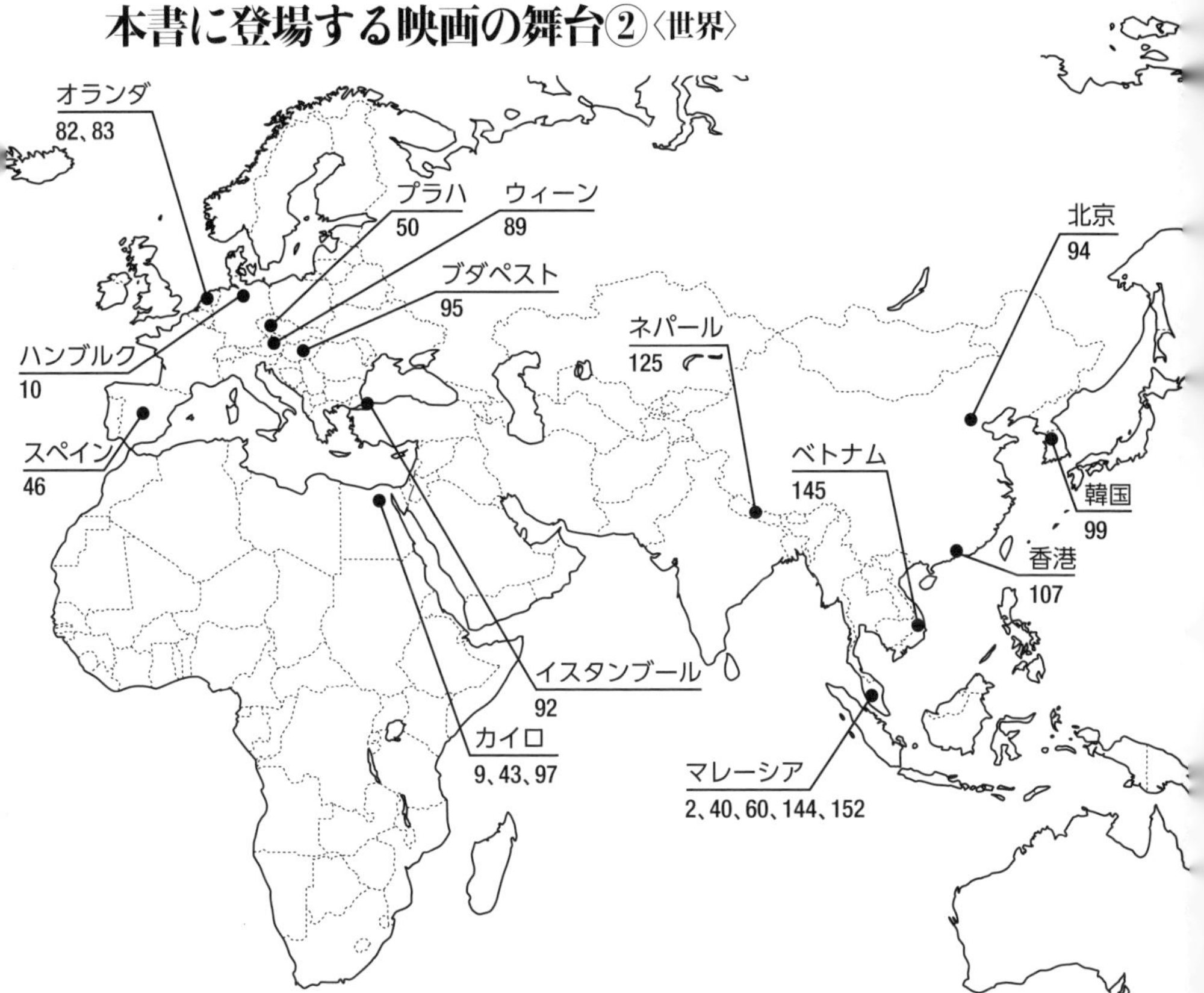

1『ワルコップ DKI再生』
2『ワルコップ DKI再生２』
3『ディラン1990』
4『ディラン1991』
5『ミレア：ディランの声』
6『ビューティフル・デイズ』
7『再会の時
　～ビューティフル・デイズ２』
8『スザンナ――墓の中で息をする』
9『愛の章』
10『ハビビとアイヌン』
11『悪魔の奴隷』
12『GIE』
13『虹の兵士たち』
14『クルドサック』
15『三人姉妹（2016年版）』
16『いつか今日の日のことを話そう』
17『ラブリー・マン』
18『君こそ唯一の人』
19『ヒジャーブ』
20『ＭＡＲＳ――我が子の夢は
　宇宙を手にする』
21『マルリナの明日』
22『天使への手紙』
23『ゴールデン・アームズ
　導かれし者』
24『楽園への長き道』
25『フンバ・ドリーム』
26『チュッ・ニャッ・ディン』
27『他者の言葉の物語』
28『海を駆ける』
29『Ｒ．Ａ．カルティニ』
30『珈琲哲學～恋と人生の味わい方』
31『空を飛びたい盲目のブタ』
32『私をチナと呼ばないで』
33『最後の獅子舞』
34『牌九』
35『ウンパン・ブルエ』
36『ソンボとランド』
37『金の卵』
38『シンピン島の黄昏』
39『ルトゥン・カサルン』
40『月の光』
41『茶房館』
42『追跡』
43『エジプトに上る月』
44『血と祈り』
45『外出禁止令のあとで』
46『ロドリゴ・デ・フィラ』
47『三人姉妹』
48『アクト・オブ・キリング』
49『ルック・オブ・サイレンス』
50『プラハからの手紙』
51『ジャカ・スンブン』
52『トゥトゥル・ティヌラル：竜華剣』
53『黄色いヤシの葉』
54『夜明けの攻撃』
55『インドネシア共産党の
　九月三〇日運動の裏切り』
56『ジャカルタ1966』
57『ブタウィの子ドゥル』
58『ママッド氏』
59『無神論者』
60『欲望の奴隷』
61『18歳』
62『蚊帳の中』

※主な舞台となっている都市名を示した。都市名が明示されていない場合は国名。

第1部　序論

インドネシアの夢と願いを映画にみる

——一九九八年政変以降を中心に

インドネシアは映画大国である。週末の都市部のショッピングモールでは、家族で食事と買い物を楽しんだ後にシネマコンプレックス（複合映画館）に入る姿がよく見られる。人気が高いのはハリウッド映画や日本のアニメ映画などの外国映画だが、国産映画も毎年一〇〇本ほどつくられて毎週数本の新作が封切られ、そのうち年に十数本が一〇〇万人を超える観客[1]を集めるヒット作になる。テレビが十分に普及していなかった一九七〇年代から一九八〇年代にかけて、ホラー、コメディ、お色気から文芸、歴史、社会派まで多様なジャンルが一挙に花開き、今日では国民的アイドルの青春映画や人気コメディアンのコメディ映画もつくられ、人気小説の映画化も頻繁に行われている。

現在隆盛を誇るインドネシアの国産映画産業は、一九九〇年代末には斜陽化し、年間制作本数が一〇本を切るほどの壊滅的な状況に陥っていた。しかし三〇年以上にわたって強権的な統治を行ってきたスハルト大統領が一九九八年に退陣し、社会の民主化と自由化が進むのと軌を一にして、インドネシア映画は復活を遂げて今日に至る。民主化や自由化と歩調を揃えて発展してきた新時代のインドネシア映画には、新しいインドネシアへの希望と夢が託されている。

▶1　観客動員数は主要劇場の観客数をもとにfilmindonesia.or.idが算出したもの。

理想と現実が同居し、希望と若さがあふれる国の映画

歴代のインドネシア映画の観客動員数ランキングを見ると、上位に入っているのはすべてこの二〇年間に制作・公開されたものである。そのヒットの様子を見ると、映画の内容だけではなく、映画を見た人々が映画についてどのように語り、どのように行動したかを含めて話題になり、映画がスクリーンの外と繋がって現実社会に影響を及ぼしていることがわかる。上位一〇位までの映画を簡単に紹介しよう。

往年の人気コメディアン・グループの映画シリーズ[2]をリメイクした『ワルコップDKI再生』（二〇一六年、第一位）は約六八五万人を動員する空前のヒットとなり[3]、貸し切りバスを仕立てて村中の人が街にこの映画を鑑賞しに行くツアーが企画されたほどだった。

高校生の甘酢っぱく切ない恋愛を描いた『ディラン一九九〇』[4]（二〇一八年、第二位）は、主人公の男子高生ディランの機転のきいた甘いセリフの数々がインスタグラムやツイッターで繰り返し引用された。

インドネシア版『二十四の瞳』とも呼ばれる『虹の兵士たち』［➡2部1章79頁］（二〇〇八年、第四位）は、舞台となったブリトン島の美しい景色に観客の目が釘付けになり、撮影地を訪ねる観光ブームが起こってジャカルタからブリトン島への直行便が増便された。

▶2　ワルコップという1973年結成の5人組のコメディアン・グループ。メンバーはいずれも名門大学の学生で高学歴コメディアンとして知られ、5人がジャワ人、ミナンカバウ人、バタック人、ブタウィ人、華人に扮したラジオの会話劇が人気を集めた。1979年から毎年の断食月明けと年末に主演映画が制作され、1994年までに34作品を数えた。1980年代からメンバーが3人になってワルコップDKIを名乗るようになった。1995年に活動の場をテレビに移し、ほかのメンバーの死後も最年少メンバーのインドロが「最後のワルコップ」として活動を続けている。

▶3　後編の『ワルコップDKI再生2』(Warkop DKI Reborn: Jangkrik Boss! Part 2、Anggy Umbara監督、2017年) は観客動員数が第7位。

▶4　原題は『Dilan 1990』(Fajar Bustomi & Pidi Baiq監督、2018年)。三部作で、続編の『ディラン1991』(Dilan 1991、2019年) は第3位、同じ物語を別の視点から語り直した『ミレア：ディランの声』(Milea: Suara dari Dilan、2020年) は第11位。

ハビビ第三代大統領の夫婦愛を描いた『ハビビとアイヌン』▶5（二〇一二年、第五位）では、女性トップシンガーのブンガ・チンタ・レスタリが演じたアイヌンの夫に対する献身的な愛の物語に人々が涙した。ハビビは政治家としては大して人気がなかったが、この映画によって誠実で愛される人柄が再評価されて二つの続編が制作された。

人気ホラー映画をリメイクした『悪魔の奴隷』▶6（二〇一七年、第六位）と、怪奇映画のスター女優へのオマージュ『よみがえったスザンナ』（二〇一八年、第一〇位）〔⬇3部4章224頁〕は、登場人物のキャラクターがテレビ番組で真似されて話題になり、新聞や雑誌の映画批評でホラー映画が取り上げられる機会を増やした。

エジプトを舞台にした恋愛映画『愛の章』（二〇〇八年、第八位）〔⬇3部2章180頁〕は、内容に感激したスシロ・バンバン・ユドヨノ大統領が中東諸国の大使を招いて上映会を開いたほどで、この映画とともに小説や映画でイスラム恋愛ものが大ブームになった。

『再会の時～ビューティフル・デイズ2』（二〇一六年、第九位）〔⬇2部3章118頁〕は、高校生の恋愛映画『ビューティフル・デイ

ジャカルタのシネマコンプレックスで『ワルコップ DKI再生』の公開時に記念写真を撮る子どもたち〈2017年筆者撮影〉

▶5　原題は『Habibie dan Ainun』(Faozan Rizal 監督、2012年)。

▶6　原題は『Pengabdi Setan』(Joko Anwar 監督、2017年)。元のホラー映画は『Pengabdi Setan』(Sisworo Gautama 監督、1980年)。

ズ』（二〇〇一年）〔➡2部1章73頁〕の一四年後を描いた続編で、登場人物たちと同じ歳月を過ごした観客が家族連れで映画館に足を運び、登場人物たちの現在の姿を見るとともに、自分たちの現在の姿をスクリーン越しに登場人物たちに披露した。

インドネシアでは、人気映画のスクリーンの中で繰り広げられる人間模様は、現実ではないとわかっていても、「もしかしたら自身にも起こるかもしれないこと」や「自分が知らないだけで実在するかもしれないこと」であり、生活の延長上のこととして受け止められている。だからインドネシアの人々は、映画の登場人物について、人生の手本としてであれ茶化す対象としてであれ、盛んに人物像を評価したり場面やセリフを真似したりする。また、過去の作品のリメイクが盛んに行われているのは、そうして映画を通じて共有された人物像や物語についての記憶を人々が持ち続けているためである。

つまりインドネシアにおいて、映画作品と現実社会は相互に乗り入れて影響を及ぼし合っていると言える。それはインドネシアが夢みる社会であることの表れだ。インドネシアの人々は夢や理想を好んで語る。理想的なものを見聞きすると

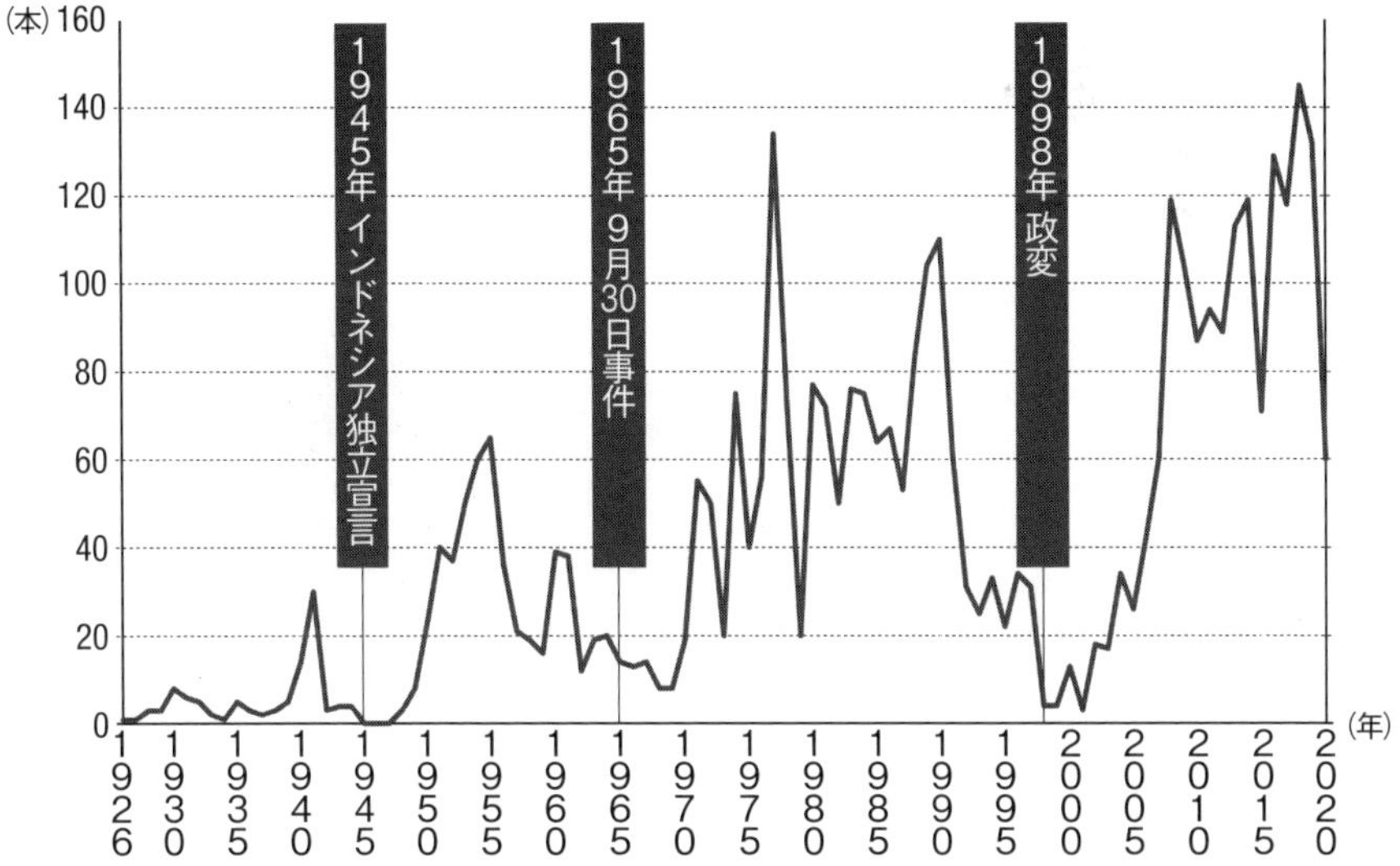

図　インドネシア映画の制作本数の推移
http://filmindonesia.or.idより著者作成

「それを実現させたい」と願い、社会のあるべき姿についての原理や原則を知ると「それに従おう」とする気持ちが働くようだ。

インドネシアの建国の経験にも、その特徴を見ることができる。オランダの植民地支配と日本の軍政を経験するなかで、インドネシア[7]の人々は自分たちの独立した国を持とうと考えた。そのためには、武器を手に取って戦うだけでは不十分で、国際社会に独立を認めてもらう必要があった。国際社会にはそれぞれの民族が自分の国を持つべきという考え方がある。しかしインドネシアには三〇〇とも四〇〇とも言われる民族がおり、それらが別々の国として独立するのは現実的ではないと思われた。そこで、それらの民族を一括りにして「インドネシア民族」という一つの民族を名乗り[8]、民族間の共通語だったマレー語をもとにインドネシア民族の言葉をつくり、それを「インドネシア語」と呼んだ。つまり、実際には多民族のまま全体でインドネシア民族であることを人々が受け入れることで、各民族がそれぞれ自分の国を持つべきという原理原則を満たし、これによって「インドネシア語」という国語を持つ「インドネシア民族」の国として国際社会から独立が認められた。

インドネシアは1945年8月17日に独立を宣言した。毎年8月17日には全国各地で式典が行われる〈2011年筆者撮影〉

▶7　植民地期には「東インド」と呼ばれていたが、本書では植民地期を含めてインドネシアと呼ぶ。

▶8　本書で「民族」とはジャワ人やバリ人やアチェ人などのインドネシア国内の言語集団を指し、「民族語」とは各民族の母語を指す。これと別に、それらの民族がまとまった「インドネシア国家の主人」の意味で「インドネシア民族」を使う。

ただし、インドネシアの人々がそれまで使っていた個別の民族語を捨ててインドネシア語しか話さなくなったわけではない。学校や役所やマスメディアではインドネシア語を使い、家庭や地域社会では引き続きそれぞれの民族語が使われた。このようにインドネシアは、①「言語や文化が異なる多様な多民族から成る」と同時に、②「すべての国民がインドネシア語を話すインドネシア民族である」という二段構えの社会になっている。独立するには民族語を持つ一つの民族でなければならないという原理原則を真面目に追求する一方で、家族や地域の言葉を捨てることはできないという現実も受け入れている。

　原理原則を実現するために真面目に努力すると、ときには行き過ぎをもたらすこともある。スカルノ大統領が一九六五年のクーデター未遂事件をきっかけに失脚すると、後を継いだスハルト政権は、「クーデター未遂事件の背後には共産主義者による国家転覆の陰謀がある」と主張して、「共産主義者を一掃する必要がある」と国民に訴えた。「多少の犠牲を払ってでも自分たちの手でよりよい社会をつくるべき」と信じた人々の「善意」によって、共産党員やその関係者と疑われただけで多数の人々

1965年政変の前後のインドネシアを舞台にした『GIE』では、政府に抗議活動を行う学生たちに治安部隊が発砲する場面が描かれた〈Courtesy of Miles Films〉

が殺害され、あるいは逮捕・投獄されて政治的権利が奪われた。

「国全体の政治の安定や経済発展のためには個人の権利が制限されてもやむを得ない」という考え方に支えられて、スハルト大統領による権威主義的な統治が長期に及んだ。国民を安全かつ豊かにするという名目で中央集権的な意思決定と強権的な手法がとられ、社会の不満が国政に反映されず、社会運動が制限された。しかし、その政権の長期化に伴って大学生をはじめとする若者たちが政府を公然と批判するようになり、やがてそれが若者以外にも広がり、一九九八年のスハルト大統領辞任へと繋がった。

この一九九八年政変を経て、インドネシアの人々は自分たちの手で民主的で自由な社会をつくり直すという課題に取り組んだ。まず、スハルトが軍と結びついて大統領に再選され続ける仕組みがつくられていたことへの反省のもと、国民による大統領の直接選挙が導入された。現在でも、有権者が州ごとに選んだ選挙人が大統領を選ぶというアメリカのような間接選挙ではなく、一億九〇〇〇万を超える有権者が投票用紙に自分の意志を託して投票するという世界最大規模の民主的選挙が行われている。インドネシア語の「投票」という言葉の原義は「声を託す」である。国民一人ひとりが自分の声を託し、より多くの声を託された人が大統領に選ばれるという仕組みは、民主的選挙の原理原則に従おうとしたものである。

このように、インドネシアは理想主義と現実主義が同居する若く希望にあふれた社会である。原理原則に照らして価値があることを実現しようと追求する生真面目さと、現実にはいろいろなことがあって必ずしも理想通りにいかないことを受け入れるいい加減さとがあり、両方を矛盾したまま受け入れる柔軟さがある。その柔軟さが失敗を恐れずに挑戦する余地を生み、常に新しいものに取り組む若々しさをインドネシア社会に与えている。そうした社会の特徴がインドネシア映画にも反映されており、また映画によってその特徴がより強化されている面もある。

現実と虚構、異なる場を越境するメディアとしての映画

一九九八年政変以降のインドネシアでは、新生インドネシアをつくるために様々な分野の人々がアイディアを持ち寄ることとなった。そうした多数の人々の考えを集約する仕組みの一つとして、選挙で選ばれた議員が国民の代表として国会や地方議会で議論する方法がある。一九九八年政変後のインドネシアでは、政党結成の条件の緩和や、大統領や地方首長の選挙方法の見直しが進められ、議会に声を届けやすくなった。ただし、議会で取り上げられれば政策に反映されやすいとはいえ、国民一人ひとりの意見が政策に十分に反映されるとは限らない。

その一方で、人々は街角のコーヒーショップや市場やモスクなどで、

1970年代の地方の小学校を舞台にした『虹の兵士たち』の一場面。テレビやインターネットが普及する前、新聞はインドネシアの地方の人々が世界の出来事を知るための重要な手段だった〈Courtesy of Miles Films〉

悩みごとを相談しあったり意見を交換したりしてきた。直接会って話をすることで一人ひとりの意見を十分に伝えることができるものの、街角の意見は国や地方自治体で実施される政策には直接結びつきにくい。

議会と街角とを結びつける役割を担うのがマスメディアである。現場ごとの状況や課題を取材して記事にして報じることで社会の関心を集め、国民の間で意見を交換することができる。ただし、新聞・雑誌やテレビ・ラジオといったマスメディアの情報は形式が定まっており、その形式にうまく収まらない現状や意見は報道されにくい。

このような状況にあったインドネシアで、映画は社会の現状と意見を汲み取って共有するメディアとして目覚ましい発展を見せた。広大な領域に多様な人々が暮らすインドネシアにおいて、映画はインドネシア語でつくられて全国で流通する数少ないメディアだったため、娯楽、啓蒙、宣伝、教育などの多様な目的を託して制作され、産業として発展してきた。一九九〇年代末の低迷を経て再び開花し、現在ではインドネシアの主要な国民的メディアの地位を得ている。

社会の多様な現場の様子と意見を伝えるメディアのなかでも、映画は新聞や雑誌、テレビやラジオと比べて表現の形式や内容の幅が広い。制作・公開にあたって特定の形式に従う必要があることはほかのメディアと同じだが、映画では既存の形式を壊すことも形式の一つとして認められているために表現の柔軟性が高いと言える。映画では事実に即していない事柄や現実に存在しない事柄を表現することも可能である。

表現の自由度の高さゆえに、一九九八年政変後の自由な雰囲気のなかで、映画は社会の様々な意見を人々に示すメディアとして歓迎された。映画は、現場を訪れて自分の目と耳で見聞きすることが難しい事柄を臨場感あふれる形で示してくれる。現実世界で引き合わせることができない異なるリアリティを持つ人々をスクリーン上で対話させることができる。口に出して伝えると角が立つ事柄や試行錯誤をするなかで生まれる妄想を含めて、頭の中で想像していることを映像にすることで他人と共有することもできる。

映像は現実と虚構の境界を撹乱するメディアであるとともに、メディアごとに紐づけられる場の属性を撹乱するメディアでもある。身内で楽しむためにつくられたホームビデオが全国の映画館で公開され、テレビで放送され、仮設のコミュニティ・シネマ[9]で上映され、インターネットの動画共有サービスで公開されて携帯端末で閲覧されるなど、今日では私的な映像を様々な場で見ることが可能になっている。勉強部屋や寝室のような私的空間、市場

『クルドサック』の一場面。路上で音楽に興じる若者たちの後ろにスハルト政権の高官たちのポスターが見える。スハルト大統領は国民を後ろから見守り導く父として自らを位置づけていた〈Courtesy of Kuldesak Movements〉

▶9　インドネシアには、屋外に布で仮設スクリーンを設置して行われるラヤール・タンチャップと呼ばれる上映会がある。『東南アジアのポピュラーカルチャー――アイデンティティ・国家・グローバル化』（福岡まどか・福岡正太編著、スタイルノート、2018年）所収の「「ラヤール・タンチャップ」の現在――変容するインドネシア野外映画上映の「場」」（竹下愛）に詳しい。

やコーヒーショップなどの顔見知りのコミュニティ、テレビや議会のような国民的な公共空間、インターネットを通じたグローバル・コミュニティの別を問わず、映像では見る場と見せる場が互いに越境しあう。

一九九八年以降に映画の制作・上映・流通の自由度が高まると、それまで映画制作の機会が与えられてこなかった若者たちは、公に語られてこなかった様々な現場の物語や自分たちの関心や思いを映画にした。一九九八年政変後の映画制作は、インドネシア社会を見直して新しくつくり直そうとするプロジェクトでもあった。

本書では、一九九八年政変から二〇年余りの間に人々が新生インドネシアをどのように構想して何を創り出してきたのかを、この時期に制作・公開された映画の内容およびその語られ方をもとに探ってみたい。この時期のインドネシア映画の歩みが何に対するどのような挑戦であるかを理解するため、次章では広大で多様なインドネシアの様子を概観することにしよう。

第1章 多彩なインドネシアを構成する民族と言語、風土と社会

インドネシアは隠れた大国である。人口は二億七〇〇〇万を超え(二〇二〇年推計)、中国、インド、アメリカに次ぐ世界第四位の規模を持つ。国土面積は一九一万平方キロメートル(日本の約五・五倍)で、世界では第一五位だが、大小あわせて一万七〇〇〇もの島々から成るインドネシアの範囲は海洋部分を含めると東西約五二〇〇キロメートル、南北約二〇〇〇キロメートルに及び、アメリカ合衆国の国土に匹敵する。

広大な国土の豊富な天然資源と世界第四位の人口に支えられ、インドネシアは高い経済成長を維持してきた。二〇一九年に再選されたジョコ・ウィドド大統領は、独立から一〇〇年目にあたる二〇四五

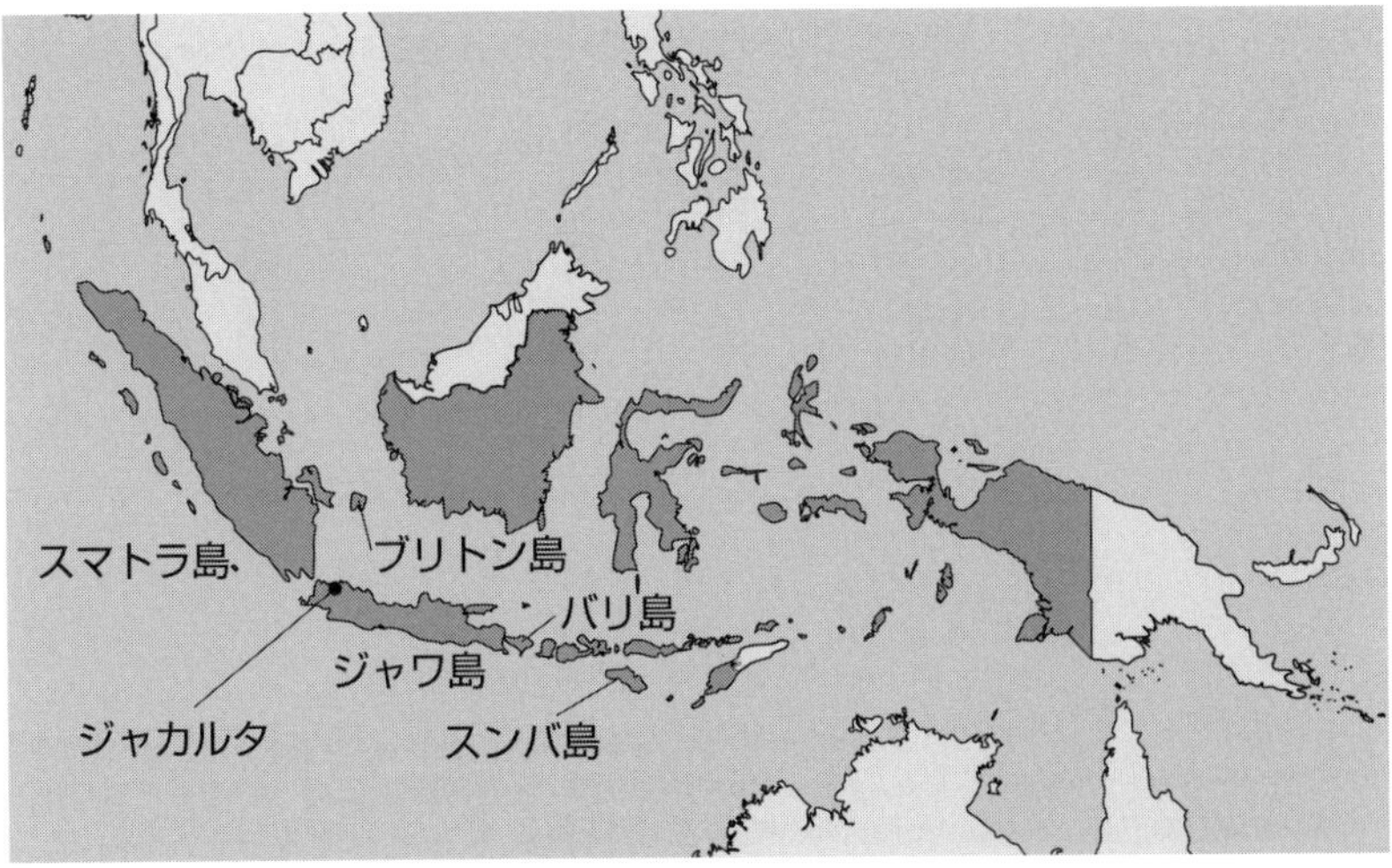

年にインドネシアを世界トップ5の経済大国にすると宣言した。

インドネシアは言語文化の面でも大きな存在感を持つ。先述したように、国語のインドネシア語はマレー語をもとにした言語で、マレー語を国語や公用語にしているマレーシア、シンガポール、ブルネイでもほぼそのまま通じる。東ティモールやタイ南部などの近隣地域を含めると、インドネシア語が話せれば約二億八〇〇〇万人と会話することができる。インドネシア語は、中国語、英語、スペイン語、ヒンディー語、アラビア語に次いで、話者人口が世界第六位である。

インドネシアの強みと魅力は人々の多様性にある。広大な領域に点在する島々から成るインドネシアでは、民族、言語、宗教のいずれをとっても多様な人々が共存して暮らしている。

言語使用に目を向けると、インドネシアのほとんどの人は国語（インドネシア語）と自分の民族語の二つを使いこなしている。[10] インドネシアで話されている最大の民族語はジャワ語（国民の約三二％）で、ほかにスンダ語（約一五％）、マドゥラ語（約三・六％）など、民族ごとに固有の言語がある。これらの三〇〇とも四〇〇とも言われる民族語が話されるとともに、国語としてインドネシア語が使われてきた。

インドネシア語は多くのインドネシア人にとって、母語ではなく学校で学んで身につける言葉である。標準の発音と文法を持つ言葉として整備されており、何が「正しい」インドネシア語かという基準がある。学校や会社などの公の場や新聞やテレビなどのマスメディアでは、インドネシア語が使われる。国内のどの地方でもインドネシア語が通じるが、地方や

▶10　インドネシアでは、ほとんどの民族はそれぞれ国内の特定の地方（州）と結びついており、民族語は地方語とも呼ばれる。インドネシアの言語状況は『多言語社会インドネシア――変わりゆく国語、地方語、外国語の諸相』（森山幹弘・塩原朝子編著、めこん、2009年）に詳しい。

民族によって発音や抑揚に特徴があり、インドネシア語の会話を聞くだけでその人の出身地が想像されることもある。

　民族語は家庭や地域社会で使われている。すべての州と民族とが一対一で対応しているわけではないが、州ごとに主な民族がいて、その民族の文化がその州の地方文化の中心となっている。国内に多くの民族語があることはインドネシアの文化的豊かさの象徴で、インドネシア語の普及が進んでも民族語がなくなることはないと考えられている。

　インドネシアは三四の州から成り、どの州も一つの国になっていてもおかしくないほどの規模と文化的独自性を持っている。その意味で、インドネシアは三四の国が集まった一つの世界と捉えた方がわかりやすいかもしれない。ただしアメリカの連邦制のように州ごとに法律が異なるということはなく、インドネシアは一つの国として運営されてきた。一九四五年の独立以来、国全体を巻き込む政治的事件が何回か起こり、国が分裂するのではないかと心配されたこともあるが、それらの危機を乗り越えて一つの国としてのまとまりを維持してきた。

インドネシアは地方や民族によって日常的に使う言葉が異なるが、学校ではみなインドネシア語で学ぶ〈2006年筆者撮影〉

ジャカルタ、ジャワ、地方――三地域の特徴と世界観

これほどまでに多様な人々が暮らす広大なインドネシアを一掴みで捉えるのは簡単ではない。もっとも、インドネシアの人々もインドネシアを隅々まで知っているわけではなく、自分の出身州と首都ジャカルタ以外はよく知らないという人も珍しくない。それでは、インドネシアの人々はどのようにして自分の国のことをイメージしているのだろうか。

インドネシアの子どもたちは学校で出身州について勉強し、州の代表的な民族の衣装や伝統的な家屋などによって各州の特徴を捉える。また、インドネシアには国家の独立や発展に貢献した人物を国家英雄[11]とする制度があり、地元の国家英雄を通じて出身州の特徴を理解する。大人になるにつれて勉強や仕事で他州の出身者に出会う機会が増え、学校や職場で聞く話や、雑誌や書籍の記事、テレビや映画の映像などを通じてそれぞれのインドネシアのイメージを積み重ねていく。

インドネシアの人々は、自分たちが他州の人からどのように見られているかを日頃から意識している。実際にどうである

インドネシアでは州ごとに伝統的な家屋の形が異なる。写真は西スマトラ州のミナンカバウの伝統的な家屋〈2002年筆者撮影〉

▶11『「国家英雄」が映すインドネシア』(山口裕子・金子正徳・津田浩司編著、木犀社、2017年)では、インドネシアが今も国家英雄を生み出し続けていることの意味が論じられている。

かとは別に、どのように見られているか、どのように見ているかという視線が交錯する。雑誌・書籍やテレビ・映画などの虚構を含むイメージと現実とを照らし合わせながら、それぞれが抱くインドネシアのイメージがバージョンアップされていく。インドネシアの人々によるインドネシアのイメージを掴むため、以下では、ジャカルタ、ジャワ、それ以外の地方の三つの地域に分けてインドネシアの特徴を捉えてみたい。

(1)ジャカルタ——期待と不安を胸に多様な人が暮らす首都

首都ジャカルタはインドネシアの行政とビジネスの中心として発展してきた。ジャカルタ[12]と近隣地域のボゴール、デポック、タンゲラン、ブカシを含めたジャカルタ首都圏[13]は各地名の一部を繋げてジャボデタベックとも呼ばれ、東京と横浜を合わせた東京都市圏に次いで世界第二位の人口規模を持つメガシティである。

インドネシアの空の玄関口であるスカルノ・ハッタ国際空港はジャカルタの西の郊外に位置する。空港から市内への移動手段はバスかタクシーしかなかったが、二〇一八年にレールリンク（空港鉄道）が開通して便利になった。

一九七〇年代に始まる経済成長に伴ってジャカルタの都市化が進み、空港から市の中心部までの車窓からは、高層のアパートメントやオフィスビルや大型ショッピングモールが林立する様子を見ることができる。ショッピングモールは日本や欧米のデパートと同じような店構えで、世界のハイブランド商品が並んでいる。

▶12　面積665.6km^2、人口1,017万8,000(2015年)。

▶13　面積6,343km^2、人口3,160万(2015年)。

経済発展に伴って自家用車で移動する人が増え、市街地は交通渋滞に悩まされている。[14] 渋滞緩和のためにバス専用レーンをつくるなど、いろいろな手が考えられている。[15] 渋滞解消のために待望されていた都市高速鉄道[16]（MRT）は二〇一九年に開設された。

かつては外国人の目に映る範囲では宗教は目立たなかった。アパートメントとオフィスビルとショッピングモールの間を車で移動して暮らしている人々は、服装や振る舞いの点で日本や欧米と大きな違いがなく、そのためジャカルタの人々は宗教にあまり関係なく暮らしているように見えるかもしれない。しかし最近では、ベールを被ったムスリム女性[17]のように見た目でわかるイスラム的な要素が増え[18]、ショッピングモールの商品もイスラム的な商品で活況を呈している。[19]

海外留学から帰国してジャカルタで仕事をしている人たちのあいだでは、職場で外国人と日常的に接するなかで、インドネシア人どうしでも英語まじりのインドネシア語で会話する人たちも増えている。

ジャカルタは他州と比べて物価も賃金も高く、地方から上京してきた多くの人が暮らしている。出身州ごとに伝統的な生活様式が異なり、同郷会のような集まりもあるが、ジャカルタでは出身地や民族が異なる様々な人が互いに隣り合わせで暮らしている。

地方から上京する人にとっては、喧噪激しいジャカルタには複雑な思いがある。

▶14 『三人姉妹（2016年版）』［➡2部2章90頁］は、渋滞があまりにもひどいために三人姉妹が車を降りて歩き出すシーンから始まる。

▶15 平日の朝と夕方の通勤時間帯に3人以上乗っていない車両の中心部への入域を規制する「スリー・イン・ワン」の制度があったが、規制エリアの手前の路上で人を拾ってエリア外で降ろす乗車アルバイトを増やしただけで渋滞は解消されなかった。現在は車両の登録ナンバーが偶数か奇数かで中心部への入域規制をかけているが、富裕層は偶数ナンバーと奇数ナンバーの車を２台持つようになったのでかえって渋滞が増えたという冗談のような話も聞かれる。

▶16 『いつか今日の日のことを話そう』（Nanti Kita Cerita tentang Hari Ini、Angga Dwimas Sasongko監督、2020年）では、末娘がMRTで通勤できるようになったことが物語の発端になる。

▶17 本書ではイスラム教徒のことを男性・女性にかかわらず「ムスリム」と呼ぶ。

▶18 インドネシアのムスリム女性がベールを着用するようになった経緯やその意味については『インドネシアのムスリムファッション――なぜイスラームの女性たちのヴェールはカラフルになったのか』（野中葉、福村出版、2015年）に詳しい。

▶19 『ヒジャーブ』（Hijab、Hanung Bramantyo監督、2015年）では、妻たちがムスリム女性用の衣料品ビジネスを始めて夫からの自立をはかる。

仕事がたくさんあって努力しだいで成功できるという期待や、快適で洗練された先進国並みの暮らしを垣間見るショウウインドウへの憧れを抱く一方で、田舎者の自分は騙されて所持金を失ったり危険な目に遭ったりするのではないかという不安もある。勉強や仕事で身を立てるためと言ってジャカルタに出て、実家と音信不通になる人も少なくない。[20] 上京物語はインドネシアでも小説や映画の定番の物語である。

(2)ジャワ――温和で協調性の高い人が暮らす「うるわしの地」

インドネシアを知る人は、インドネシアの原風景と聞くと、山を遠景に水牛がいる青々とした水田とヤシやガジュマルの木を配した風景画を思い浮かべる人も多いだろう。この「うるわしのインドネシア」はジャワの田園風景のイメージで、[21] インドネシアの美しい風景の原型として流通してインドネシアの人々の頭の中に刻まれてきた。稲穂が揺れる水田で談笑する農民たちの姿は、助け合いと話し合いを重んじ、温和で協調性の高いインドネシア人像を象徴してきた。

ジャワ島は、ボルネオ島、スマトラ島、ニューギニア島、スラウェシ島に次いで国内で五番目に大きな島である。[22] ジャカルタもジャワ島西部に位置するが、インドネシアで「ジャワ」といえばジャワ島中部の古都ジョグジャカルタを中心とするジョグジャカルタ特別州およびその近隣地域を指し、それ以外の地域はジャワ島でもジャワではないと言う人もいる。

ジョグジャカルタ特別州は、世界遺産のボロブドゥール寺院遺跡群[23]やプランバナン寺院

▶20『ラブリー・マン』(Lovely Man、Teddy Soeriaatmadja 監督、2011年) では、ジャカルタに行ったきり音信不通になった父親を探して娘がジャカルタを訪れる。『君こそ唯一の人』(Kamulah Satu-satunya、Hanung Bramantyo 監督、2007年) では主人公の女子高生がジャカルタで迷子になり、騙されたり助けられたりしながら憧れの音楽バンドのコンサート会場にたどりつく。

▶21『カルティニの風景』(土屋健治、めこん、1991年) は植民地期にジャワの風景が「うるわしのインドネシア」という心の風景となる過程を考察している。

▶22 ボルネオ島(カリマンタン島)とニューギニア島についてはインドネシア領のみの広さ。

▶23 世界最大の仏教寺院の石造遺跡で「ボロブドゥール寺院遺跡群」として世界遺産登録されている。

インドネシアの原風景と聞くと山を遠景に青々とした水田と甲斐甲斐しく働く農民の姿を思い浮かべる人が多い〈2008年筆者撮影〉

インドネシアを代表する伝統工芸品であるバティック（ろうけつ染め）の工房〈2006年筆者撮影〉

群[24]で知られる。インドネシアは独立前に各地にあった旧王国のスルタンを廃位にしたが、ジョグジャカルタ特別州だけはスルタンが存続され、スルタンがジョグジャカルタ特別州の州知事を務めてきた。王宮を中心とする古都ジョグジャカルタはジャワ文化の中心で、市内各地でバティック（ろうけつ染め）づくりやワヤン[25]（影絵芝居）の上演を見ることができる。ジョグジャカルタは名門大学のガジャマダ大学をはじめ多くの大学がある学問の街でもあり、ジャワのみならずインドネシア各地から学生が集まる。多様な文化・芸能サークルが活動しており、伝統芸能だけでなく現代アートも見られる芸術の街としても知られる。

　王宮の外には農村が広がっており、ジャワといえば田園風景がイメージされることが多いが、慢性的な水不足のためにコメのかわりにイモを栽培しており、家族の誰かがジャカルタや外国に出稼ぎしないと暮らせない地域もある。[26]

　ジャワ人の多くはイスラム教を信仰しているが、「ジャ

慢性的な水不足のためコメが作れない地域で、自宅の芋畑でキャッサバ芋を収穫する女性
〈2006年筆者撮影〉

▶24 ヒンドゥー教寺院と仏教寺院からなる遺跡群。

▶25『ジャワの芸能ワヤン――その物語世界』（福岡まどか、スタイルノート、2016年）ではワヤンの登場人物とその意味が紹介されている。

▶26『MARS――我が子の夢は宇宙を手にする』［➡3部3章216頁］は、ジャワのやせた土地の村に生まれた娘が苦学の末に海外の大学院で天文学を修める。

ワ人の信仰はイスラム教と地元の慣習が混交したジャワ独特のイスラム教だ」と言われることがあるように、ジャワには独自の習慣や世界観がある。[27] イスラム寄宿塾では、高名なイスラム教指導者である塾長のもと、主として男子生徒が集団生活を営み、宗教を学びながら社会生活のスキルを身につけている。[28]

⑶地方——独自色でインドネシアの多彩さを象徴する地方

ジャカルタとジャワを抜きにしてインドネシアを語ることはできないが、ジャカルタとジャワだけでインドネシアの多様性を捉えることもできない。ジャカルタとジャワではないインドネシアを本書では「地方」と呼ぶことにする。

インドネシアの地方は多彩である。植生と景観を見ても、鬱蒼とした熱帯雨林、マングローブが生い茂る湿地帯、草原が広がるサバンナ地帯と様々で、ジャワの田園風景を見慣れた目に異国情緒を感じさせる。

バリ島の東に広がる島々はサバンナ気候下にあり、なかでもスンバ島は草原の丘陵地が広がり、馬をはじめとする牧畜が盛んで、今も巨石文化が息づく地域として知られる。インドネシア映画でもしばしば撮影地に選ばれてきた。[29]

地方は天然資源の宝庫として開発の対象となってきた。古くは金に始まり、スズ、石油・石炭、天然ガスなどの鉱物資源や、竜脳、胡椒、木材といった林産資源、さらにタバコやアブラヤシのような農園作物もあり、こうした地方の豊かさがインドネシアを経済的に支えてき

▶27 ジャワの文化や社会については多くの研究がある。イスラム教信仰と社会の関係について『ジャワの宗教と社会——スハルト体制下インドネシアの民族誌的メモワール』(福島真人、ひつじ書房、2002年)、言語と権力について『言葉と権力——インドネシアの政治文化探求』(ベネディクト・アンダーソン著、中島成久訳、日本エディタースクール出版部、1995年)などがある。

▶28 イスラム寄宿塾については第3部1章[➡166頁]と3章[➡198頁]で関連する映画を取り上げる。

▶29『マルリナの明日』[➡3部4章235頁]では、夫の遺体を家に残したマルリナが馬に乗って草原の道を一人で進む。日本の映画祭等で紹介されたインドネシア映画には、『天使への手紙』(Surat untuk Bidadari、ガリン・ヌグロホ監督、1992年)、『ゴールデン・アームズ　導かれし者』(Pendekar Tongkat Emas、イファ・イスファンシャ監督、2014年)、『フンバ・ドリーム』(Humba Dreams、リリ・リザ監督、2019年)のようにスンバ島を舞台にしたものが多く見られる。

た。地方によっては外国であるシンガポール、マレーシア、フィリピンの方がジャカルタよりも近く、テレビやラジオで隣国の放送を見聞きすることもでき、文化的にも外国と近接性が高いところもある。

すべての地方を紹介することはできないため、以下では、ヒンドゥー教徒の住民が多数を占めるバリと、インドネシアで最も早くイスラム教を受容したアチェを紹介したい。いずれも、ジャカルタやジャワと異なる際立った特徴を持ち、地方の独自色を維持したり強めたりすることがインドネシアへの貢献を支えていると自任してきた地方である。

まず、観光地として世界的に知られているバリは、ムスリムが多数派を占めるインドネシアにあって、ヒンドゥー教を信仰する人々が住民の九割を占める。島の各所にヒンドゥー寺院があり、毎日の供花をはじめ、日常的に儀礼が行われている。

海沿いにはビーチリゾートが点在し、バーやディスコなどの歓楽街、スパやマッサージなどのリラクゼーション施設、サーフィンやダイビングなどのマリンスポーツを楽しめるビーチ・エリアなどの充実した観光設備が整っており、地上の楽園を楽しもうとする観光客が世界中から押し寄せる[30]。

草原の丘陵地が広がるスンバ島を舞台にした『マルリナの明日』のように、インドネシアにはジャワの田園風景とは異なる景観が各地に広がっている〈© Cinesurya, Kaninga Pictures〉

▶30『楽園への長き道』［➡3部1章158頁］では、バリを訪れていたアメリカ人観光客が元恋人から贈られたものと同じ首飾りに出逢う。

内陸部にはユネスコ文化遺産になった棚田[31]や渓谷などの豊かな自然が広がり、陶芸や工芸の芸術家たちの拠点になっている。神秘的なケチャや優美なレゴンのようなバリ舞踊などの文化・芸能でも知られている。

豊かな自然、様々なサービスを得られるリゾート、島のあちこちで感じられる信仰、そして伝統的な芸能・工芸からモダンアートまで楽しめるバリは、インドネシアのほかの地方の人々にとっても非日常を体験できる場所である。[32]

一方、スマトラ島の北西端のアチェはインドネシアで最も西に位置する州で、インド洋世界と東南アジアを繋ぐ位置にある。アチェは海を通じて世界と繋がり、海はアチェに豊かさを届けてきたが、ときに海は災いももたらしてきた。[33]

アチェは古くは東西の海上交易の拠点として栄え、アラブ、中国、インド、ヨーロッパなど各地の商人を集めてきた。アチェには東南アジアで最も早くイスラム王国がつくられ、イスラム教の信仰の篤さで知られる。イスラム世界の新しい思想は中東からアチェにもたらされ、東南アジアの人々にわかるように翻訳や解釈がなされてから東南アジア各地に伝えられた。アチェはイスラム世界と東南アジアを繋ぐ知の拠点だった。

オランダがインドネシア各地に植民地支配を拡大しようとしたとき、アチェは三〇年にわたって抵抗戦争を戦い、アチェの人々はよそものによる支配に屈しない人々として知られた。[34]第二次世界大戦後に、インドネシアの再占領を目指すオランダに対して各地で抵抗運動が行われた。強大な兵力を持つオランダはしだいに支配領域を拡大していった。アチェは最後

▶31 「バリ州の文化的景観」として2012年に文化遺産に認定された。

▶32 なぜバリがヒンドゥー教の島となっているかについては『バリ・宗教・国家――ヒンドゥーの制度化をたどる』（永渕康之、青土社、2007年）に詳しい。

▶33 日本・インドネシア・フランスの合作映画『海を駆ける』（深田晃司監督、2018年）では、海から現れた不思議な男が異なる時間どうし、異なる場所どうしを結びつける。

▶34 オランダへの抵抗戦争を率いるアチェ人の女性指導者の不屈の闘いを描いた映画に『チュッ・ニャッ・ディン』がある。

までオランダに抵抗するとともに、アチェの人々の寄付で購入した飛行機は独立のための外交交渉を支え、アチェはインドネシア独立に大きく貢献した。[35]

　しかしインドネシアが独立すると、スカルノ大統領は独立への貢献に見合った待遇をアチェに与えなかったため、「スカルノ大統領がつくろうとしているインドネシアはアチェの犠牲のもとで勝ち取ったインドネシアではない」として、アチェは中央政府に反乱を起こした。

　反乱はいったん治まるが、アチェはジャカルタから遠いために開発が遅れがちだったことに加え、天然資源の配分などで中央政府から公正な扱いを受けなかったことなどから、スハルト政権時代にアチェをインドネシアから分離させる独立運動が生まれ、中央政府との間で三〇年に及ぶ内戦が続いた。

　そのアチェは二〇〇四年一二月のスマトラ島沖地震・津波の震源に最も近く、一七万人以上が地震と津波で犠牲になった。その後、州をあげて復興と再建に取り組む過程で内戦が終結して、他州よりも大きな地方自治権が認められ

バンダアチェの大モスク。アチェはイスラム教信仰の篤さで知られ、モスクは市民生活のよりどころになっている。2004年の津波を受けたが倒壊を免れた〈1996年筆者撮影〉

▶35　インドネシアの国産第一号の飛行機はアチェの人々の寄付により購入され、スカルノが外交交渉のため外国に行く際に利用された。インドネシア各州の文化を一か所に集めたジャカルタのテーマ・パーク「ミニチュア版「うるわしのインドネシア」公園」のアチェ館には、独立戦争へのアチェの貢献を記念して、この飛行機の実物が展示されている。またそのレプリカがバンダアチェ市内の公園に展示されている。

た。[36] アチェは州の特色としてイスラム教信仰の篤さを掲げていることから、アチェでは他州よりイスラム教の教義を厳格に適用するべきという意識が働き、教義に反した人への処罰をやや過剰に適用するきらいがある。

民族と言語の独自性が集い織りなすインドネシア

インドネシアの各地方には、「自分たちの社会的・文化的な独自性によって国の発展に貢献してきた」という自負がある。しかし、統治や開発の効率を求めるジャカルタの中央政府や、自分たちの常識を基準に判断する国民の多数派からは、地方の独自性はインドネシア社会の和を乱し、ひいては国の力を弱めるとしばしば理解されてきた。

バリは世界的な観光地となることでインドネシアに貢献しているが、バリの人々には、「観光客がバーやディスコで酒を飲んで露出が大きい服装で踊る姿は、ムスリムが多数派であるインドネシアの風土や慣習にあわない」という思いもある。

夜間の戦闘に巻き込まれて商店が放火され、朝になって焼け残ったものを探している店主たち。このような光景は内戦下のアチェでしばしば見られた〈1999年筆者撮影〉

▶36『災害復興で内戦を乗り越える──スマトラ島沖地震・津波とアチェ紛争』(西芳実、京都大学学術出版会、2014年) では、津波から10年間の復興過程に地元の人々がどのように取り組んできたかを記録している。

また、先述したようにアチェはイスラム教の信仰の敬虔さを誇りにインドネシアの独立に貢献したが、アチェの人々自身は「自分たちが好戦的で頑迷な人と見られて軍事力で制圧する対象として扱われてきた」と感じてきた。

地方の特色を生かしてインドネシア社会のまとまりをつくることはインドネシアの力を強めることであり、それは直接の当事者である地方の人々が取り組むべき問題であるとともに、ジャカルタとジャワの人々も自分たちの問題として取り組むべきことである。一九九八年政変以降の映画では、地方を題材にした映画を全国の映画館で上映することで、ジャカルタやジャワを含むインドネシア全体で共有することも試みられている。

インドネシア語と民族語の二重構造になっているインドネシアでは、国全体に関わる事柄はインドネシア語で語られ、映画でももっぱらインドネシア語が使われてきた。その一方で、地方のものでも国全体にとって価値があるものは、インドネシア語で共有するという考え方もある。そのため、地方を舞台にした映画で地元の人どうしが話している場面でも、セリフはインドネシア語が使われてきた[37]。これに対して、一九九八年以降には地方を舞台に民族語のセリフを用いた映画が増えており、セリフにはインドネシア語の字幕が付けられてほかの地方の観客にも理解できるように工夫されている[38]。

一九九八年以降には、インドネシア社会における華人の位置づけが変わるとともに、映画におけるその言語使用にも変化が見られるようになった。もともとインドネシアには古くから中華系住民（華人）が住み、中国の出身地方ごとに福建語、客家語、広東語などの中国語

▶37 例外は歴史劇で、たとえば植民地時代のジャワ貴族を描いた映画『カルティニ』(1984年)［➡3部3章210頁］ではジャワ語のセリフが使われている。

▶38 映画『他者の言葉の物語』［➡4部2章269頁］は全編ジャワ語が使われている。

ジャカルタのショッピングモールの催事ホール。陰暦正月を前に中華寺院を模した販売ブースが設置されている。華人系ではない店員も中華風の赤い衣装を着てお祝いムードを盛り上げている〈2008年筆者撮影〉

アチェで売られている地元制作の音楽や映画のビデオCD。歌詞やセリフはアチェ語で、おなじみの登場人物によるシリーズもののコメディの人気が高い〈2017年筆者撮影〉

方言を話していた。しかし、植民地時代にインドネシア民族意識が高まったとき、華人はインドネシア民族に含められず、中華文化はインドネシアの地元文化ではないとされた。そのため華人にはインドネシア民族への同化[39]が求められて、家庭や地域社会でも中国語方言を話さない華人が増え、特にジャワでは中国語方言をまったく話さなくなった人も多い[40]。ただし、ジャワ以外には中華文化が維持されている地方もあり、スマトラ島のメダンでは華人どうしが日常的に福建語で話している。

　こうして華人をインドネシア民族から除外してきた歴史は一九九八年政変後の民主化のなかで見直され、華人の正月にあたる陰暦正月(春節)を国民の祝日に加えるなど、中華文化をインドネシアの国民文化の一つに含めるようになった[41]。かつてインドネシア語で華人を「チナ」と呼んでいたが、差別的な状況で使用されてきた言葉であるため、現在では民族名としては「中華」に由来する「ティオンホア」が使われている[42]。こうした動きに伴って、中華文化の獅子舞をテーマにした映画[43]や、箸を使った食事や中華系の廟での礼拝のように中華文化の要素を盛り込んだ映画もつくられるようになった[44]。

　一九九〇年代末以降には、州内のみでの流通を前提にその州で使われている民族語を用いた映画がビデオCDで制作・販売されるようにもなっ

▶39 インドネシア華人に対する同化政策については、『華人のインドネシア現代史——はるかな国民統合への道』(貞好康志、木犀社、2016年)、『「華人性」の民族誌——体制転換期インドネシアの地方都市のフィールドから』(津田浩司、世界思想社、2011年)、『華人と国家——インドネシアの「チナ問題」』(相沢伸広、書籍工房早山、2010年)、『インドネシア　創られゆく華人文化——民主化以降の表象をめぐって』(北村由美、明石書店、2014年)、『インドネシア国家と西カリマンタン華人——「辺境」からのナショナリズム形成』(松村智雄、慶應義塾大学出版会、2017年)などに詳しい。

▶40 『空を飛びたい盲目のブタ』(Babi Buta Yang Ingin Terbang、Edwin 監督、2008年) では、中国語を話さなくなっても華人意識が残り、華人性をどのように継承するかが悩みの種になっている。

▶41 「ミニチュア版「うるわしのインドネシア」公園」[➡39頁注35] には、2010年に孔子廟が、2012年に華人文化公園が設置された。

▶42 華人への差別を描いた映画として『私をチナと呼ばないで』(Jangan Panggil Aku Cina、Doddy Djanas 監督、2002年) がある。

▶43 『最後の獅子舞』(The Last Barongsai、Ario Rubbik 監督、2017年) では、ジャカルタ近郊出身の華人系の若者が獅子舞の伝統を継承しようとする。

▶44 『珈琲哲学』[➡2部3章110頁] では、主人公のカフェ経営者の実家として華人家庭の様子が描かれた。また、『牌九』(Pai Kau、Sidi Saleh 監督、2018年) はジャカルタの華人一族を描く作品で、登場人物の多くは中国語(北京語) で会話する。

た。そのような映画の例として、アチェ州の『ウンパン・ブルエ』シリーズ[45]（二〇〇五年〜）、東ヌサトゥンガラ州の『ソンボとランド』[46]（二〇〇六年）、北スマトラ州メダンの『金の卵』[47]（二〇〇八年）、西カリマンタン州の『シンピン島の黄昏』[48]（二〇一二年）などがある。

二〇〇〇年以降、デジタル映像技術の発展と普及により、国内各地の高校生が身近な題材を映像作品にしてインターネットで配信するなど、広大で多様なインドネシア各地の暮らしぶりを映像で知ることがますます容易になってきている。そうした動きの延長上で、多様なインドネシア社会を多様なままで捉えることも容易になっていくと考えられる。それでも、インドネシア社会を大掴みにするには、ジャカルタ、ジャワ、地方の三つに大きく分けることを念頭に置くとよいだろう。

▶45 原題は『Eumpang Breuh〔コメ袋〕』(Imran Nyak Abeudo 監督)。2005年から毎年制作され、監督が死去する2019年までに13作品が公開された。2020年には新型コロナウイルス感染症対策のための特別編がつくられた。

▶46 原題は『Sombo dan Lando』(Ema Gadi Seda 監督)。リオ語。青木惠理子氏のご教示による。

▶47 原題は『Golden Egg／金蛋』(リウス・スヘンドラ監督、2008年)。セリフはインドネシア語と福建語。山本博之氏のご教示による。

▶48 原題は『Senja di Pulau Simping』(ロ・アビディン監督)。インドネシア語の他に客家語が話される。内容は松村智雄前掲書に紹介されている。

第2章 インドネシア映画史――一九二六年〜一九九八年

本書が主に取り上げるのは、一九九八年以降にインドネシアで制作・公開された長編劇映画である。ただし、インドネシアの映画は何もないところから一九九八年に突然現れたわけではなく、当然それ以前のインドネシア映画史[49]の延長上にある。

インドネシアにおける映画の歴史は植民地時代にさかのぼる。オランダはジャワ島と近隣の島々に支配を拡大していき、一九一〇年代には現在のインドネシアにあたる領域がオランダの植民地になった。植民地政府は現地住民の福祉と教育を推進して自治を拡大する倫理政策を進めた。オランダ語やマレー語を教授用語とする学校がつくられ、近代的な教育を受けた現地住民が鉄道・郵便、新聞・雑誌、医療、土木などの部門で働くようになった。当時のインドネシアはオランダ人、華人、原住民[50]からなる階層社会で、少数のオランダ人が政治・経済を掌握し、それを華人が商業面で、原住民が行政面で支えていた。インドネシアに映

▶49 インドネシア映画史について日本語で書かれたものに、ジャカルタにシネマテーク・インドネシアを設立したミスバ・ユサ・ビラン監督による「インドネシア映画小史」（佐藤忠男編『映画が王様の国』話の特集、1982年所収）や「インドネシア映画の歩み」（佐藤忠男・松岡環ほか『映画で知るアジアのこころ』アジア書房、1991年所収）がある。

▶50 植民地政府は現地住民のうち土着の民族を「原住民」とした。華人は原住民に含められなかった。

画がもたらされると、初期の制作と上映は資金と技術を持つヨーロッパ人と華人とが担った。

インドネシアで制作された最初の長編劇映画は、一九二六年にオランダ人がジャワで制作・公開した無声白黒映画の『ルトゥン・カサルン』[51]で、地元の伝承にもとづくロマンスだった。その二年後には上海から来たウォン三兄弟（王氏兄弟）が活劇と恋愛の要素を盛り込んだ『ジャワのユリ』[52]を制作した。

一九二〇年代後半に高まりを見せたインドネシア民族意識は、映画と結びついた。一九三七年の『月の光』[53]は人気のハリウッド映画[54]に触発されたもので、もともとインドネシアの物語ではなかった。しかしインドネシア人[55]の舞台俳優が主演してインドネシア語の歌が歌われたため[56]、インドネシアの人々は『月の光』を自分たちの映画とし

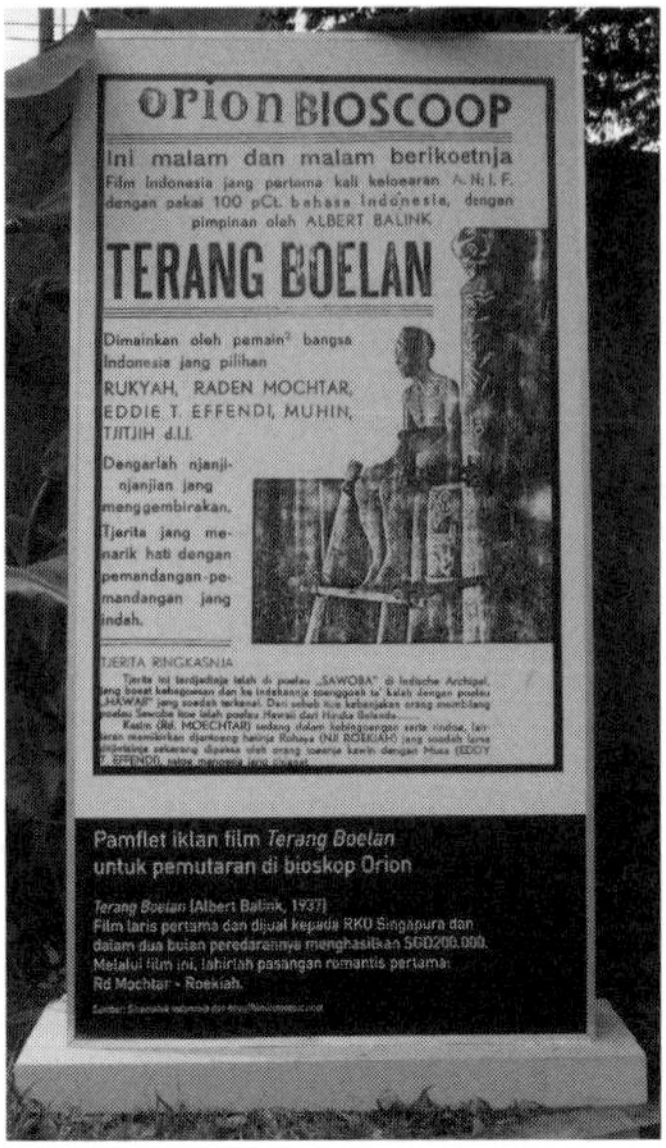

「インドネシア映画の日」のイベントで展示されている『月の光』の公開時の劇場ポスター。『月の光』はインドネシア映画としての位置づけが確立されている〈2017年筆者撮影〉

▶51 原題は『Loetoeng Kasaroeng〔はぐれ猿〕』(L. Heuveldorp 監督、1926年)。『ルトゥン・カサルン』に始まる20世紀前半のインドネシア映画について、詳しくは *Sejarah Film 1900-1950* (Misbah Yusa Biran. Komunitas Bambu. 2009) を参照。

▶52 原題は『Lily van Java』(Nelson Wong 監督、1928年)。

▶53 原題は『Terang Boelan』(Albert Balink 監督、1937年)。日本にも同名の『トラン・ブーラン　月の光』(松林宗恵監督、1954年) がある。

▶54 ドロシー・ラムーア主演の映画『ジャングルの女王』(The Jungle Princess, Wilhelm Thiele 監督、1936年)。マラヤに虎狩りに来たアメリカ人青年がトラとともに育った原住民の娘ウラに恋する。

▶55 ここでは「インドネシア人」とは原住民 (後のインドネシア民族) を指す。

▶56 映画の宣伝チラシでは「インドネシア民族の選りすぐりの役者が出演」と謳われた。島の男女が恋に落ち、娘の父に結婚を反対されて二人でマラヤのマラッカに逃げるが、最終的に結婚を認められる。

て受け止めた。それまで映画館に行ったことがなかった人々も映画館に足を運び、第二次世界大戦以前のインドネシアで最も興行的に成功した国産映画になった。[57]『月の光』のヒットによって、①歌、②美しい風景、③恋愛の三要素がインドネシア映画の定番になった。

　第二次世界大戦中にインドネシアを占領した日本軍は、インドネシア語を公用語とし、インドネシア人に日本語教育や皇民教育を行った。土木労働のためにインドネシア人をロームシャ（労務者）として徴用し、補助兵力としてヘイホ（兵補）を募って、軍事訓練を行ってインドネシア人から成る防衛義勇軍を組織した。[58]

　日本軍は地元の映画スタジオを一つ引き継ぎ、それ以外の映画スタジオをすべて閉鎖した。映画制作の現場からヨーロッパ人と華人は排除され、インドネシア人が日本人の監督下で日本の占領政策を推進する映像制作を補佐した。[59]ハリウッドや上海の映画は上映されなくなり、日本のニュース映画と劇映画、そして日本の後援によってインドネシアで制作された映画[60]が上映された。日本占領下のインドネシアで、映画は恋愛や活劇を描く娯楽から社会的・政治的メッセージを伝えるメディアへと役割を変えた。広報・宣伝の側面が強くなり、セリフは自然な会話よりも標準的なインドネシア語を使うことが意識された。

　一九四五年八月一五日に日本が降伏すると、その二日後の八月一七日、民族運動の指導者であるスカルノとハッタがインドネシアの独立を宣言した。しかし植民地統治

▶57 国外でもシンガポールやマラヤで人気を博した。

▶58 プラムディヤ・アナンタ・トゥールの小説を映画化した『追跡』(Perburuan、Richard Oh 監督、2019年) では、防衛義勇軍による日本軍への反乱に失敗した主人公の逃亡劇が描かれる。『茶房館』［➡2部2章86頁］では、富裕な商人の第二夫人となった主人公の女性が日本軍占領下の混乱のなかで日本人向けの慰安所に売られる。

▶59 朝鮮出身の映画監督の日夏英太郎は日本軍に従軍してインドネシアで映画制作を担当し、日本の敗戦後はジャワに残って『天と地の間に』(1950年) などの革命期の映画制作に貢献した。日夏英太郎については『シネアスト許泳の「昭和」』(内海愛子・村井吉敬、凱風社、1987年) および『越境の映画監督　日夏英太郎』(日夏もえ子、文芸社、2011年) に詳しい。

▶60 ニュース映画の『ジャワの天長節』、劇映画の『南の願望』、文化映画の『隣組』、人形劇の『おしゃべりクロモおじさん』などがある。「日本軍政下のジャワにおける映画工作」(倉沢愛子、『東南アジア　歴史と文化』18号、41-69頁、1989年所収) を参照。

の復活をはかるオランダがインドネシアの独立を認めなかったため、オランダに対する独立戦争が始まった。五年に及ぶ武力闘争と外交交渉[61]の末、一九四九年にインドネシアの主権が認められた。

独立後——国民映画の制作開始とスカルノによる未完の革命

一九四九年以降、インドネシアの映画人たちは、インドネシア社会に新しい文化と精神を吹き込む映画制作に取り組んだ。この時期のインドネシア映画界を牽引した二人の「父」によって、独立を迎えたインドネシアの人々の新しい自意識と精神が描かれた。

インドネシア国民映画社[62]（プルフィニ）を設立したウスマル・イスマイル［➡324頁］は、一九五〇年代から一九六〇年代にかけてインドネシア映画に大きな影響を与え、「インドネシア国民映画の父」と称される。また、インドネシア映像芸術家映画社[63]（プルサリ・フィルム）を設立したジャマルディン・マリクは、大衆受けのよいインド映画のリメイクやフィリピンとの合作によるカラー映画制作[64]などを通じて商業映画を盛り立て、「インドネシア映画産業の父」と呼ばれる。ウスマルはインドネシア独立後の最初の国産映画である『血と祈り』[65]［➡324頁］（一九五〇年）を制作し、撮影を開始した日にちなんだ三月三〇日は「国民映画の日」とされている。ウスマルは『血と祈り』や『外出禁止令のあとで』[66]（一九五四年）で、独立戦争に参加した若者たちの苦

▶61『エジプトに上る月』(Moonrise over Egypt、Pandu Adi Putra 監督、2018年) でエジプトでの外交活動が描かれている。

▶62 PERFINI (Perfilman Nasional Indonesia)。

▶63 PERSARI (Persatuan Artis Indonesia) Film。

▶64『ロドリゴ・デ・フィラ』(Rodrigo de Villa、Rempo Urip 監督、Gregorio Fernandez 監督、1952年)。

▶65 原題は『Darah dan Doa』。

▶66 原題は『Lewat Djam Malam』(Usmar Ismail 監督)。

悩と葛藤を描いた。これらの作品において若者たちは、インドネシアの独立を手放しに喜ぶのではなく、独立戦争中に友人に銃を向けた自分の行いや独立後の社会に復員兵の居場所がない状況に疑問を持つ。

ウスマルはまた、ハリウッド映画を参考にしてミュージカル映画『三人姉妹』（一九五六年）［➡2部2章90頁］を制作した。『三人姉妹』は庶民から富裕層まで幅広い層に好まれ、ミュージカル映画がインドネシア映画の人気ジャンルとなった。

二つの映画社の設立によって国産映画に大きな期待が寄せられたが、映画館で上映されるのは外国映画が圧倒的に多く[67]、国産映画は興行的には厳しい状況にさらされていた。ウスマルとジャマルディンは国産映画振興のために一九五四年にインドネシア映画制作者協会[68]を結成したが、制作本数は減少した。

当時のインドネシアの人々は独立という大きな目標の実現のために力をあわせて戦ったが、いざ独立が現実のものとなると、立場や利害の違いがあらわになった。スカルノ初代大統領は、制度の上で独立しただけでは独立革命は未完であるとして、国家建設に主体的に関わるように国民の政治的動員を強め、国

ミュージカル映画『三人姉妹』の一場面。『三人姉妹』は毎年の「インドネシア映画の日」や祝日にテレビで放映されてきた〈Sinematek Indonesia〉

▶67 1950年には国産映画が54本制作されたのに対して863本の外国映画が輸入された。輸入された映画のうち660本はアメリカからの輸入だった。

▶68 PPFI (Persatuan Perusahaan Film Indonesia)。

際社会では反帝国主義の立場を進めたため、結果としてインドネシアは国際社会での孤立が強まった。憲法前文に示された建国五原則[69]（パンチャシラ）を民族主義、イスラム教、共産主義よりも上位に位置づけることで国民の分裂を防ごうとしたが、国内の対立が深まり、外国資本や華人系企業を排斥したことで国内経済は不安定化した。

一九六四年三月、国産映画保護のためにアメリカをはじめとする外国映画の輸入禁止措置がとられ、この措置はスカルノ大統領が失脚するまで続いた。外国映画の輸入禁止は映画産業に深刻なダメージを与え、映画館は一九六〇年の八九〇館から一九六六年の三五〇館に減少した。

スハルト時代――映画産業の発展と国産映画の危機

一九六五年一〇月一日未明に、国軍兵士によるクーデター未遂事件が起こった（九月三〇日事件）。この事件の背後には共産主義者による国家転覆の陰謀があるとされ、共産党員とその支持者と目された人々への大弾圧が始まった[70]［➡4部1章246頁］。弾圧には軍だけでなく一般の人も加わり[71]、顔見知りどうしで密告や殺し合いが行われたことで、互いに対する強い不信感が社会に生まれた[72]。この弾圧で殺害された人は五〇万人とも一〇〇万人とも言われる。逮捕されて長期にわたって拘留され、釈放後も元政治犯として扱われて政治参加などの権利

▶69 唯一神への信仰、公平で文化的な人道主義、インドネシアの統一、協議と代議制において英知によって導かれる民主主義、インドネシア全人民に対する社会正義。

▶70 9月30日事件の経緯や犠牲者たちの経験、国際社会の反応などについては倉沢愛子による『インドネシア大虐殺――二つのクーデターと史上最大級の惨劇』（中央公論新社、2020年）、『楽園の島と忘れられたジェノサイド――バリに眠る狂気の記憶をめぐって』（千倉書房、2020年）、『9・30 世界を震撼させた日――インドネシア政変の真相と波紋』（岩波書店、2014年）に詳しい。

▶71『アクト・オブ・キリング』（The Act of Killing、Joshua Oppenheimer 監督、2012年）では、一般の人々による加害の実態が可視化されている［➡4部1章252頁］。

▶72『ルック・オブ・サイレンス』（The Look of Silence、Joshua Oppenheimer 監督、2014年）では、被害者の視点から9月30日事件が描かれている［➡4部1章255頁］。

が制限されたままの人もいる。[73] 政治犯の家族として差別を受けるのを防ぐために、泣く泣く親子の縁を切って孤独に暮らす人もいた。スカルノ政権のもとで留学や仕事のために外国に派遣され、政権が変わったために帰国できないままになった人もいた。[74]

九月三〇日事件後の混乱をおさめて一九六八年に第二代大統領に就任したスハルトは、国内治安の回復を進めるとともに、軍と連携して中央集権的な統治機構を敷き、西側諸国からの投資や援助を積極的に受け入れて国民経済の立て直しをはかった。ちょうどそのタイミングで起こった一九七〇年代の石油ブームによって外貨収入が増え、都市部を中心にインフラ整備や工業化が進められた。

スハルト時代には、映画産業の振興と国民への娯楽の提供のために外国映画の輸入制限が解除されたが、国産映画の制作本数は減少し続けた。政府は国産映画の制作・流通・上映の制度化を進め、モスクワで映画制作を学んだシュマン・ジャヤ（一九三四―一九八五年）を情報省映画局局長に任命して、一九六八年に国立映画制作評議会[75]を設立した。一九七〇年開設のジャカルタ芸術学院には映画学部が置かれ、映画の専門人材の育成が始められた。

一九七〇年代から一九八〇年代にかけて国産の商業映画が多数つくられ、最盛期の一九七七年には年間一二〇本が制作された。ブタウィ[76]歌手でコメディアンのベンヤミン・スエブによるブタウィ・コメディ[77]、ダンドゥット[78]歌手ロマ・イラマによる

▶73 短編ドキュメンタリー『私たちは歌で語る』(Through Songs, We Share Stories、Dony Putro Herwanto監督、2018年)では、元政治犯とその子どもたちが合唱を通して祖国への思いを吐露する。

▶74『プラハからの手紙』[➡4部2章265頁]では、政変のために留学先のチェコスロバキアから帰国できなくなった青年とインドネシアで帰りを待つ恋人が互いの安全を慮って連絡をとれないまま何十年も別々に暮らす。

▶75 Dewan Produksi Film Nasional。

▶76 ブタウィとはジャカルタの旧名バタヴィアに由来し、ジャカルタで形成された地元文化をブタウィ文化と呼ぶ。

▶77『棘のある宝石』(Intan Berduri、Turino Djunaidy監督、1972年)などが知られる。

▶78 1970年代初めに歌手のロマ・イラマが創始した大衆音楽。マレー半島からスマトラにかけての伝統音楽にロック的なビートを加え、エレキギターなどの電子音と太鼓や笛などの伝統楽器で演奏するダンス音楽としてジャワの都市部を中心に急速に普及した。ダンドゥットの歴史については『インドネシアのポピュラー音楽　ダンドゥットの歴史――模倣から創造へ』(田子内進、福村出版、2012年)に詳しい。

ダンドゥット映画[79]、スザンナによる「南海の女王」ホラー［⬇3部4章225頁］といったように人気スターを中心とするインドネシア独自のジャンルが花開いた。伝統武術のシラットを用いたアクション時代劇[80]、十代の若者のラブロマンス、植民地時代やそれ以前の時代を題材にした歴史映画も定番の人気ジャンルだった。

　政府も映画の力を利用しようとした。九月三〇日事件とその後の暴力と恐怖の経験を通じて成立した政権の正統性を示す必要があったスハルト政権は、軍と政府が共産主義の脅威から国民を守り、治安維持と経済開発を進めていると宣伝し、それを国民に示すために多くの映画をつくった。『黄色いヤシの葉』[81]（一九七九年、アラム・スラウィジャヤ監督）や『夜明けの攻撃』[82]（一九八一年、アリフィン・C・ヌル監督）では、独立戦争期のスハルトの活躍が描かれた。また、九月三〇日事件で収容されていた政治犯の多くが一九八〇年代初めまでに釈放されて社会に戻るなかで、九月三〇日事件の危機と治安回復を描いた『インドネシア共産党の九月三〇日運動の裏切り』[83]（一九八二年、アリフィン・C・ヌル監督、以下『裏切り』）と『ジャカルタ一九六六』[84]（一九八二年、アリフィン・C・ヌル監督）が制作され、共産主義者との戦いを進めてきたスハルト政権の「正史」として国民に提示された。[85]

　『裏切り』は上映時間が二七一分に及び、インドネシア共産党が人々を欺いて残虐なクーデターを計画し、それをスハルトが鎮圧した様子が描かれる。物語は、九月三〇日事件で殺害された国軍将校と士官を革命英雄として称えるパンチャシラ・サクティ

▶79 『ダンドゥット王』(Raja Dangdut、Maman Firmansjah 監督、1978年) などがある。

▶80 19世紀のオランダ植民地統治下の西ジャワを舞台にした『ジャカ・スンブン』(Jaka Sembung Sang Penakluk、Sisworo Gautama Putra 監督、1981年) のシリーズや、13世紀のシンガサリ王国統治下の東ジャワを舞台にした『トゥトゥル・ティヌラル：竜華剣』(Tutur Tinular: Pedang Naga Puspa、Nurhadie Irawan 監督、1989年) のシリーズがある。

▶81 原題は『Janur Kuning』。

▶82 原題は『Serangan Fajar』。

▶83 原題は『Pengkhianatan G30S/PKI』。

▶84 原題は『Djakarta 1966』。

▶85 これ以前に制作された9月30日事件に関する映画に陸軍のイスラム精神センターの資金で制作された『X作戦』(1968年) がある。陸軍中尉が共産党の地下組織に潜入し、恋人を誘拐されるなどの妨害を受けつつも、地下組織を殲滅して恋人の救出に成功する。

のモニュメントの場面で始まり、六名の葬礼が行われ、国民歌「花落ちる」[86]の合唱とともに革命英雄のモニュメントが再び映されて終わる。脚本にはインドネシア国軍歴史センター長であるヌグロホ・ノトスサントが参加し、ヌグロホが一九六八年に発表した国軍公認の報告書『インドネシアにおける九月三〇日運動というクーデターの試み』[87]を底本とするドキュメンタリー・ドラマとして制作された。

『裏切り』は公開された一九八四年だけで約七〇万人の観客を動員した。その後、全国の学校で繰り返し上映会が行われ、毎年九月三〇日にはテレビで放映された。インドネシアの主要週刊誌『テンポ』が二〇〇〇年に行った調査によれば、「九月三〇日事件についてどこで学んだか」という質問に対して回答者の九〇%が「映画」と答え、その九七%が『裏切り』を挙げた。また、『裏切り』を見た人の三人に一人は「三回以上見た」と回答した。

『ジャカルタ一九六六』は、スカルノからスハルトへの権限委譲の正当性を示すドキュメンタリー・ドラマである。スカルノ役とスハルト役に『裏切り』と同じ役者が起用され、『裏切り』と同じ監督によって制作された『ジャカルタ一九六六』は、『裏切り』の続編に位置づけられる。九月三〇日事件の後、社会の混乱の原因はスカルノにあるといって学生たちがスカルノの責任を問うと、スカルノはそれを、独立革命を遂行した年長者である自分に対する非礼と受け止める。かつてスカルノがオランダの植民地支配を否定したことを支持する学生たちは、「政府の誤りを批判する自分たちはスカルノと同じだ」と自負しながらも、自分たちが敵対しているのがほかでもないスカルノであることに悩む。学生どうしの抗争で学

▶86「Gugur Bunga」(イスマイル・マルズキ作)。
▶87 Nugroho Notosusanto & Ismail Saleh. 1968. *The Coup Attempt of the September 30 Movement in Indonesia*. Pembimbing Masa.

生が命を落としたこともシニカルに描写される。これらの描写を重ねることで、スハルトがスカルノから権限委譲を受けたことはスハルトにとって国と国民を守るための苦渋の選択であり、権力欲のためではないことが強調される。

映画は政権のプロパガンダに利用され、政権が認める正史以外の表現は長らく制限されてきた。九月三〇日事件を直接扱っていない映画でも、乱れた秩序は必ず平定され、公権力は混乱の収拾をサポートするという物語が繰り返し描かれた。[88]

強権的統治の進展と映画による挑戦の萌芽——一九七〇～一九九〇年代

一九七〇年代から一九八〇年代半ばにかけては、強権的な国家運営が制度化された。軍による統治がインドネシアの隅々にいきわたるようになり、一部では国境を越えて近隣地域にも及んだ。東ティモールが一九七五年にポルトガルからの独立を宣言すると、インドネシア軍が東ティモール全土を制圧してインドネシアへの併合を宣言した。[89]

スハルト政権では軍が行政を担った。軍の本来の役割は外敵から国民を守る国防と治安だが、イデオロギー、政治、経済、社会、文化の開発にも責任を持つという考えのもと、軍が行政に加わった。閣僚、政府・省庁の高官、州知事・県知事などの地方自治体の首長に現役や退役の軍人が就いた。議会では任命制の軍人による議席が割り当てられ、スハルトが大統

▶88 スハルト政権下のインドネシア映画が政権にとって望ましい社会秩序観を映し出す役割を担わされていたことについては *Indonesian Cinema: Framing the New Order* (Krishna Sen. Zed Books. 1994) を参照。

▶89 ポルトガル、日本、インドネシアによる侵略と支配の歴史を経て東ティモールが独立するまでの過程やその後の課題については、『東ティモール独立史』(松野明久、早稲田大学出版部、2002年) や『東ティモールを知るための50章』(山田満編著、明石書店、2006年) に詳しい。

領に再選され続ける仕組みがつくられた。

シュマン・ジャヤ［➡324頁］やトゥグ・カルヤ[90]（一九三七—二〇〇一年）［➡325頁］などの若手の映画人たちは、政府による映画産業の制度化を受け入れつつ、映画産業の興隆のなかで、文学作品の翻案、歴史映画、若者を主人公にした映画を通じて政治や社会に対する批判性を持つ挑戦的な映画を制作した。

シュマン・ジャヤは、国内外の文学作品をもとに風刺のきいた映画を多様なテイストで制作した。初の長編映画の『真夜中を過ぎて』[91]、ロシア文学[92]を翻案した『ママッド氏』[93]、国民文学を映画化した『無神論者』[94]、ジャワ貴族の娘でインドネシアの女性解放主義者の伝記映画『R・A・カルティニ』[95]、庶民の子の成長物語『ブタウィの子ドゥル』[96]、日本軍に占領された英領マラヤで慰安婦にされたインドネシア人女性を描いた『欲望の奴隷』[97]などがある。

トゥグ・カルヤは、親の死を乗り越えて再起する十代の若者を描いた『一八歳』[98]や若い夫婦の親からの自立を描いた『蚊帳の中』[99]のような若者映画から、オランダの植民地支配に抵抗するジャワの民衆を描いた歴史映画『一八二八年一一月』[100]まで幅広い映画を制作した。『一八二八年一一月』はロンドン映画祭とベルリン映画祭で上映され、ヨーロッパで広く知られた最初のインドネシア映画となった。

映画音楽の担当を通じて一九七〇年代半ばから映画制作に関わったエロス・

▶90 西ジャワ生まれの華人で、本名はスティーブ・リム・チュアンホック（Steve Liem Tjoan Hok）。

▶91 原題は『Lewat Tengah Malam』（Sjuman Djaya 監督、1971年）。

▶92 アントン・チェーホフの「役人の死」。インドネシアでは「ある公務員の死」（Matinya Seorang Pegawai Negeri）というタイトルで知られる。

▶93 原題は『Si Mamad』（Sjuman Djaya 監督、1973年）。原作はアフディアト・カルタ・ミハルジャが1949年に発表した同名の小説。

▶94 原題は『Atheis』（Sjuman Djaya 監督、1974年）。

▶95 原題は『R.A. Kartini』（Sjuman Djaya 監督、1982年）。

▶96 原題は『Si Doel Anak Betawi』（Sjuman Djaya 監督、1973年）［➡2部4章133頁］。

▶97 原題は『Budak Nafsu』（Sjuman Djaya 監督、1983年）。

▶98 原題は『Usia 18』（Teguh Karya 監督、1980年）。

▶99 原題は『Di Balik Kelambu』（Teguh Karya 監督、1982年）。

▶100 原題は『November 1828』（Teguh Karya 監督、1978年）。

東ティモール最初の長編映画『ベアトリスの戦争』の一場面。東ティモール映画はインドネシアによる東ティモールの受難とそれを乗り越えようとする物語で幕を開けた〈© FairTrade Films〉

『天使への手紙』は、地方語が使われてインドネシア語がセリフの半分以下しかなく、公開当時は異色の映画だった。海外の映画祭で高い評価を得たが、国内では商業公開されなかった〈©@GarinWorkshop〉

ジャロットは、一九八八年に『チュッ・ニャッ・ディン』[101]（一九八八年）の脚本・監督を担当した。イスラム教の信仰が強いアチェで二〇世紀初頭にオランダの植民地支配に抵抗したゲリラの女性指導者チュッ・ニャッ・ディンをスター女優のクリスティン・ハキムが演じ、インドネシア映画としては初めてカンヌ国際映画祭に招待された。

一九八〇年代末には、民放テレビが導入されてテレビ放送網が急速に拡大したことや、映画館の経営を独占していた企業グループがハリウッド映画や香港映画を好んで国産映画の上映に消極的だったことなどから、国産映画の制作が急激に減少した。インドネシア映画の制作者たちは、シネトロンと呼ばれる民放テレビ局の連続ドラマの制作へと畑を替え、あるいは芸術作品として国際映画祭への出品を目指した[102]。

この時期の国産映画で特筆される監督はガリン・ヌグロホ［➡321頁］である。スンバ島の少年の視点からインドネシア国家の相対化をはかる『天使への手紙』[103]や、ジョグジャカルタのストリート・チルドレンを描いた『枕の上の葉』[104]のように、インドネシアにおける社会的疎外の様々な側面を描き、国際的に高い評価を得た。

▶101 原題は『Tjoet Nja' Dhien』(Eros Djarot 監督、1986年)。

▶102 この時期に日本ではASEAN設立25周年を記念する「東南アジア祭'92」の一環としてインドネシア映画祭が催され、シュマン・ジャヤやトゥグ・カルヤの作品が日本語字幕つきで多数上映された。あわせて、『サザン・ウィンズ　アジア映画の熱い風』(凱風社編、凱風社、1992年)や『インドネシア映画祭』(石坂健治編、国際交流基金アジア文化センター、1993年)が刊行され、これらによってインドネシア映画が日本に紹介された。映画を含めた1980年代から1990年代にかけてのインドネシアの文化状況については『インドネシアのポピュラー・カルチャー』(松野明久編、めこん、1995年)所収の各論考で紹介されている。

▶103 原題は『Surat untuk Bidadari』(Garin Nugroho 監督、1992年)。

▶104 原題は『Daun di atas Bantal』(Garin Nugroho 監督、1997年)。

第3章
新生インドネシアの三つの挑戦を映画にみる

一九九八年の政変以降、インドネシア社会は民主化と自由化を進めて新しい社会をつくろうと取り組んできた。その過程では、過去に蓄積されてきた矛盾や弱さが露呈するのを受け止め、それをインドネシア社会全体のなかに位置づけ直して前に進むことも必要だった。こうして新生インドネシアを構想するにあたっては、考えなければならない三つの大きな課題があった。

権威に頼らず社会をまとめる——政府(父)―国民(子)関係の再構築

広大な国土に多様な民族が暮らすインドネシアでは、大統領が強い指導力を持って国をまとめてきた。とりわけ、一九六七年から一九九八年まで三二年にわたる長期政権を担ったスハルト大統領の統治は家族主義の特徴が強い。[105] 大統領であるスハルトを「父」、国民を「子」として、大統領は父のように国民を教え導き、国民は子のように大統領に従うことで豊かさと安全が守られるという考え方である。[106]

父とは、家族を優しく守るとともに厳しくしつける存在でもある。大統領を父に重ねて見ることで、スハルトは国民のことなら何でも知っていて、国民がいちいち要望を言わなくても国民のために最善のものを与えてくれるし、国民が間違っていれば厳しく叱って導いてくれると理解される。ここから、「国民が政府に要望を伝えることは政府を信用していないのに等しく、成熟した国民ならば政府に従うものだ」という考え方が生まれる。スハルト政権が長期化することで、国民の父であるスハルトと各家庭の父親たちの姿が重ねられて、何でも知っていて教え導く優しさと厳しさを兼ね備えた父親像が強められていった。

一九九〇年代に入ると、長期化するスハルト政権のもとで、政府に異議を唱えることすら認められないことへの窮屈さを感じる人が増えた。また、軍人出身のスハルトは国軍と密接に結びついており、スハルトは包容力のある優しい父として統治する裏で、政府に批判的な勢力を迫害し、ときには軍や警察などの治安当局を使って暴力的に排除することで秩序を維持する存在であり、そのことに対する批判が社会に蓄積されていった。

一九九八年にスハルトの大統領七選に対して国民の不満が高まり、ジャカルタの学生による反政府デモが始まった。デモは一般市民も巻き込んで地方都市に広がり、その一部が暴徒

▶105 インドネシアの家族主義の起源とスハルト政権期までの展開については、白石さやによる「国民統合と家族イメージ——国民文化としての家族の構築」（田中真砂子ほか編著『国民国家と家族・個人』早稲田大学出版部、2005年所収）および *Young Heroes: The Indonesian Family in Politics*（Cornell University Press. 1997）を参照。

▶106 本書では家庭内の親子関係を示すときは「父親」、「母親」、「子ども」と書き、家庭外の人間関係を親子関係に例えるときは「父」、「母」、「子」と書く。カッコ内に入れてセリフを示す場合はその限りではない。

化し、豊かさと安全な暮らしの象徴であるショッピングモールや商店街が襲われて一般市民に犠牲者が出たことで、混乱の責任を取る形でスハルトが大統領を辞任した。三二年間続いたスハルト体制を終わらせた一九九八年政変は、インドネシアにとって権威主義体制が終わりを告げて民主化への第一歩を踏み出した画期となった。[107] この政変は、治安当局による活動家の誘拐や学生デモへの発砲、そしてジャカルタ暴動の記憶を通じて、子を守り導くはずの父が子に暴力をふるい、豊かで安全だったはずの暮らしが誰の目にも明らかな形で損なわれた経験として人々の記憶に残り、長編・短編、フィクションとノンフィクションとを問わずに映画でも繰り返し取り上げられることとなった。

スハルト退陣後には様々な政治改革が進められた。一九九八年政変は、スハルト大統領を辞任させただけではなく、何でも知っている父親が子を教え導くように大統領が国を統治するという考え方も否定した。スハルト的なものを否定したインドネシアで、人々は国家からの暴力と抑圧から解放されて民主的な政治を手に入れたのと同時に、庇護し庇護されるという政府と国民の関係をつくり直すという課題に直面した。

世界、国内、個人の三層でいかに多様な信仰を実践するか

インドネシアは世界最大のムスリム人口を抱え、ムスリムを多数派とする国であるが、イ

▶107『スハルト体制のインドネシア――個人支配の変容と一九九八年政変』(増原綾子、東京大学出版会、2010年)は、スハルト大統領による32年間の統治が1998年政変で終わりを告げたことの意味を考察している。

スラム教の発祥の地である中東から遠く離れ、イスラム世界の周縁に位置づけられてきた。インドネシアのイスラム教は、「本場」である中東のイスラム教に照らして、土着の慣習や伝統の影響を受けた「混じりもの」あるいは「まがいもの」と見られることもある。

　インドネシア国内でもイスラム教の信仰実践は一様ではなく、イスラム教の社会における位置づけも地域によって異なる。そのため、「純粋」で「正しい」イスラム教の信仰実践を過剰に追求することは、インドネシア国内の多様なイスラム教の信仰実践を否定し、結果としてインドネシアの統合を損ねるものとして忌避される傾向もある。このように、「本場」を基準にして「正しい」信仰実践を追求すると自分たちが暮らしている社会を壊すと批判され、自分たちが暮らしている社会に合わせると「本物ではない」と批判されるのではないかというジレンマを抱えている。

　二〇〇一年九月にアメリカで同時多発テロが起こると、遠く離れたインドネシアにもその影響が大きく及んだ。欧米諸国はイスラム教に対する敵意をむき出しにして、イスラム教とテロリズムを同一視した「テロとの戦い」を始めた。「テロとの戦い」は、それに同調してイスラム教を敵視する風潮を世界各地に生むとともに、その逆に、「欧米諸国はイスラム教を抑圧しており、それを解決するための実力行使には理がある」という考え方を後押しした。

　インドネシアでの大方の反応は、市民の生命や生活を脅かすテロリズムに反対であるとともに、欧米諸国によるイスラム教への抑圧に対しても反対だった。テロは犯罪であって信仰によって正当化されることはないという立場や、テロは外国の出来事であってインドネシアとは無縁であるという立場もあった。しかし、国際社会がイスラム教とテロリズムを同一視し、どちらの側につくか立場を示すよう求める圧力が高まることで、国内に多数のムスリムを抱えるインドネシア社会は困難な状況に置かれることになった。

その後、二〇〇二年一〇月にバリ島で爆弾テロ事件が起こったことで、インドネシアにも信仰を掲げた暴力を容認する考え方が存在することがあらためて明らかになり、多宗教社会における信仰のあり方、とりわけ多数派であるムスリムの信仰実践に関心が向けられた。[108] 中東や欧米のような文明的権威からもたらされる規範に従おうとする強い意識と、現実に即して目の前の事態に柔軟に対応したいという態度とをどう両立させるかという課題を抱えることになった。この課題は、①宗教が混在するインドネシアの立場を国際社会においてどう示すか、②インドネシア国内で様々な信仰が共生する社会をどう維持するか、そして③規範が家庭に持ち込まれたときに個人の生き方とどう折り合いをつけるかという三つのレベルで問われることになった。

国難の犠牲者を忘却から掘り起こし、国民として共有する

革命や政変では、社会が大きな危機に直面して正規の手続きで解決できないとき、平時の体制では認められない手段、たとえば暴力の行使が緊急避難的に使われる。その過程で命を

▶108 インドネシアにおけるイスラム教の信仰実践については、イスラム法の解釈と適用の歴史的変遷をたどった『インドネシア　展開するイスラーム』(小林寧子、名古屋大学出版会、2008年)や、民主化や中間層の市場の拡大に注目することでイスラム主義運動の展開を展望する『新興大国インドネシアの宗教市場と政治』(見市建、NTT出版、2014年)などがある。

落としたり財産を失ったりする人が出ても、革命や政変で勝った側から見ればやむを得ない犠牲とされる。

勝った側は、緊急避難的に権力を握ったため、自分たちが国民の代表であることの正統性、すなわち自分たちがいかにして国民の代表になり、なぜ現在も国民の代表であるのかを国民に説明しなければならない。そのため、負けた側を「国民の敵」と規定して、その敵は残虐であり、そしてその脅威が現在も続いていることが説明される。犯罪とは異なり、「国民の敵」は何年かかけて償えばその罪が消えるというわけではない。したがって、「国民の敵」にされた人たちは、理不尽な扱いを受けていたとしても、そのことについて異議申し立てをすることができない。

インドネシアは、国全体の仕組みががらりと変わる革命と政変をこれまで三回経験してきた。一九四五年の独立革命、一九六五年の九月三〇日事件、一九九八年のスハルト大統領退陣である。その度に社会のなかに勝者と敗者が生まれ、敗者が排斥や弾圧を受けてきた。

オランダの植民地だったインドネシアは、第二次世界大戦中の日本軍による占領を経て一九四五年に独立を宣言した。独立革命の中心人物だったスカルノが大統領になり、共産主義勢力、イスラム教勢力、国軍の間の危ういバランスをとりながら建国初期の二一年間を統治した。オランダ植民地時代や日本軍占領期に支配者側についていた人々は対オランダ協力者や対日協力者として裏切り者扱いされ、植民地政府の下請けを担った華人が排斥の対象になった。

一九六五年にクーデター未遂事件の鎮圧の指揮を執ったスハルトが大統領になり、スハルトのもとで国軍が政府を掌握する体制が始まった。スハルト政権はクーデター計画の背後には共産党勢力がいたとして、共産党員やその関係者と疑われた人々を弾圧した。

三二年に及ぶスハルト政権時代が終わると、様々な分野で民主化が進められた。政治犯の釈放、政党設立と活動の自由化、言論・集会の自由化が進められ、敗者をつくることなく新しいインドネシア社会をつくる取り組みが進められた。

ただし、新しいインドネシアをつくるには、これまで語られず忘れられてきた犠牲者や被害者の物語を掘り起こし、犠牲者や被害者の側から語り直すことで、過去の革命や政変を勝者側だけでなく国民全体に関わる出来事として受け止め直すことも必要である。[109] 加害者と被害者の遺族や関係者がともに暮らす社会で、国民の物語をどのように語り直し共有するかが問われることになった。

文学や映画などのフィクションは、現実社会では語れないことを表現することができる。とりわけ映画は、映像やセリフや音楽を複層的に重ねることで複数のメッセージを同時に発することができ、検閲を避ける工夫によって、表面上の物語とは別に文脈がわかる人にだけ伝わるメッセージを込めることもできる。また、文学作品では読者が自分の知識や経験をもとに情景を想像するのに対し、映画は観客が自分の知識や経験の範囲を超えた事柄を映像でほかの人と共有できる。一九九八年以降のインドネシアでは、映画のこのような特性を活

▶109　9月30日事件後の虐殺について、スハルト政権下で何が語られ何が語られなかったのか、また、犠牲者側からの語りが1998年の民主化後にどのように収集されていったのかについては、『インドネシア九・三〇事件と民衆の記憶』（ローサ，ジョンほか編、明石書店、2009年）の「日本語版のための序章」に記されている。

用して、権威に頼らず社会をまとめてその一員になること、インドネシアにおける信仰が持つ危うさと強さを見つめ直し、現状の規範を踏まえた上で自己実現をはかること、国難の犠牲者を忘却から掘り起こして語り直し、国民的悲劇として社会で共有し乗り越える方策を探ることという、困難ではあるが切実な課題の実現を夢みて試行錯誤が重ねられている。

夢をみることは現実を変えることの第一歩であり、それをスクリーンに映し出すことには、夢を共有することで現実をよりよく変えていこうという思いが込められている。インドネシアの夢みる物語世界の分析から、インドネシアが何を目指し、何を恐れ、何を悲しみ、何に希望を見出して国として歩んできたのか、以下に詳しく検討してみたい。

BERGUNA DAN
SIA NASIONAL

第2部

父をめぐる国民の物語の模索

――映画にみるインドネシアの家族像

第1章

父という厄介者を描く
——一九九八年スハルト退陣とリリ・リザ監督

『クルドサック』、『ビューティフル・デイズ』、『GIE』、『虹の兵士たち』

三〇年に及ぶスハルト政権は、大統領を父、国民を父に守り導かれる子と見て、インドネシアを一つの家族としてまとめるという家族主義の考え方によって支えられてきた。国民による批判の高まりを受けてスハルトが退陣したこと、そしてその過程で国民を守るはずの国家が国民に銃を向けたことで、一九九八年政変を経たインドネシアは理想の父親像を見失った。父が子を守り導くことを前提にできず、子が父を頼れないとなったとき、インドネシア映画は父と子の関係をどのように描いたのか。

一九九八年以後のインドネシア映画の再興を牽引したのは、スハルト政権末期の一九九〇年代後半に映像制作の経験を積んだ若い映画人たちだった。その代表的な人物であるリリ・リザ［↓317頁］は、日本の映画祭でも毎年のように新作が紹介され、今日のインドネシア映画を代表する監督・プロデューサーである。一九七〇年にスラウェシ島のマカッサルで生まれたリリ・リザは、ジャカルタ芸術学院を卒業してロンドン大学で脚本学の修士号を取得した後、マイルズ映画社[1]に参加した。二〇二〇年までに監督した長編映画は一四作品に上る。

　リリ・リザが監督の一人として関わった『クルドサック』[2]（一九九七年）は、インドネシアにおける自主制作映画の先駆けとなった。リリ・リザの最初の長編監督作品『シェリナの大冒険』[3]（一九九九年）は一二五万人、続いてプロデュースした『ビューティフル・デイズ』[4]（二〇〇一年）は二七〇万人の観客を動員して、一九九〇年代末に低迷していたインドネシア映画界を復活させるきっかけとなった。さらに、『虹の兵士たち』[5]（二〇〇八年）は観客動員数四六〇万人の記録を打ち立て、メガヒットを連発している。そのためリリ・リザは娯楽映画をつくっている印象が強いものの、一九六〇年代の学生活動家を描いた『ＧＩＥ』[6]や、息子を治安当局に拉致された母親を取材したドキュメンタリー短編『トゥティ・コト――勇敢な女性』[7]のような硬派の映画もつくっている。

　リリ・リザがつくってきた映画は、父に助けを求めることができない子の物語、あるいは子に災いをなす父の物語が多い。リリ・リザが監督またはプロデュースした映画のなかから、『クルドサック』、『ビューティフル・デイズ』、『ＧＩＥ』、『虹の兵士たち』の四つの作品を見てみよう。

▶1　Miles Films。1995年にミラ・レスマナ［➡2部1章70頁］が設立した。
▶2　原題は『Kuldesak』。
▶3　原題は『Petualangan Sherina』。
▶4　原題は『Ada Apa dengan Cinta?』(Rudi Soedjarwo 監督)。
▶5　原題は『Laskar Pelangi』。
▶6　原題は『Gie』。
▶7　原題は『Tuti Koto: A Brave Woman』。

頼りにならない父親たち――『クルドサック』(一九九七年)

『クルドサック』は、スハルト体制末期の一九九七年に制作許可を受けずにつくられ[8]、政変後に劇場公開されて商業的に成功した画期的な映画である。インドネシア映画に前衛的な要素と現代的な若者文化を盛り込んで新世代の若者に人気を博し、停滞していたインドネシア映画界[➡1部2章50頁]に新風を巻き起こした。ミラ・レスマナ、リリ・リザ、ナン・アハナス、リザル・マントファニの四人の監督による四つの短編を組み合わせたオムニバス映画で、一九九〇年代末のジャカルタを舞台に四組の若者たちの一晩を描いた。個人の心象が描かれていることが特徴で、公開時には従来のインドネシア映画の歴史から解放された作風を持つニューウェーブと評された[9]。

『クルドサック』は、ほとんどの場面が夜か室内で撮影されている。英語で袋小路を意味する「クル・ドゥ・サック[10](cul-de-sac)」に由来するタイトルに象徴されるように、作品全体のテーマは閉塞感である。若者の目で若者を描いた映画で、年長の世代には理解されないとまで言われた。

『クルドサック』の四つのエピソードは、いずれも「父が子に害をなす」様子や「父が守り導く役割を果たしていない」様子を示しており、父の機能不全の四つの類型が示されている。その機能不全を埋め合わせるのが、音楽やテレビや映画といったポピュラー・カルチャーへの執着である。

▶8 スハルト体制期には、映画の制作許可は監督の資格を持つ人のみに与えられた。監督の資格を得るには助監督として複数回にわたり映画制作にかかわることが条件とされた。スハルト体制末期には映画の制作本数が減っていたため、若手の映画人が監督の資格を得る道は事実上閉ざされていた。

▶9 スハルト体制期の若者映画の特徴およびそれと比較したときの『クルドサック』の画期性については、「ポスト・スハルト体制期のインドネシア映画における家族主義」(西芳実、『インターカルチュラル』19、2021年、pp.119-133)も参照。

▶10 フランス語で「袋の底」を意味する単語をもとに、イギリスで袋小路状の道路形式を指す言葉として使われるようになった。

作品の舞台は、一九九〇年代のインドネシアである。ジャカルタで暮らすアンドレ、アクサン、ディナ、リナの四人の若者たちは、いずれも自分の夢を持っているが、それを実現するためには非現実的で革命的な選択をせざるをえない。

リリ・リザが担当したエピソードで描かれるアンドレは、アメリカのロックバンド「ニルヴァーナ」のギタリスト兼ボーカリストでロックの神様と呼ばれるカート・コバーン[▶11]に憧れている。アンドレの家庭は裕福で、両親はアンドレに何不自由ない暮らしを与えるが、海外出張で忙しく、息子とのやりとりは電話だけで姿が見えない。大きな家で一人住まいの鬱屈した日々を過ごすなか、対話する相手を欠いたアンドレの心を唯一受け止めていたのは異国のロックバンドだった。その後そのボーカリストの自殺の報にショックを受け、銃を手にしたアンドレは自殺に向かう。

別のエピソードの登場人物アクサンの夢は映画制作だが、毎晩のように映画のフィルムや機材に襲われる悪夢をみる。映画制作という夢の実現には資金が必要だが、外国映画のレーザーディスクのレンタルショップを経営して裕福な父

『クルドサック』で、テレビ司会者とデートする夢を見るディナ（右）と、同性の恋人とよりを戻したい隣人のブディは、背中合わせで座り、夢がかなわないという思いを共有する
〈Courtesy of Kuldesak Movement〉

▶11 1967年生まれのアメリカのミュージシャン。ロックバンド「ニルヴァーナ」のボーカリスト兼ギタリスト。1994年に自宅でショットガンで頭を撃ち抜いた状態で発見され、警察は自殺と断定した。

親はアクサンが映画監督になることを望まず、アクサンの夢は父親に阻まれている。金があれば映画をつくれると友人にけしかけられたアクサンは、狂言強盗をかたって父親の店の金を盗もうとする。

ディナは映画館でチケット売りをしている。一人住まいの下宿での唯一の楽しみはテレビで、人気者のテレビ司会者に夢中になっている。夢想のなかでは司会者と親しくしているが、そのうち現実と夢の区別がつかなくなってしまう。

広告会社に勤めるリナは、上司から急ぎの仕事を求められて残業していた社内で襲われ、強姦される。警察に通報しようとするが上司に監禁され、他の同僚女性たちも監禁されて男たちの慰みものになっていたことを知る。自力で逃げ出たリナは男たちに追われるが、銃を奪って上司とその部下を撃ち殺す。

それぞれのエピソードに登場する四人の若者たちの親は、みな声や影だけの登場で姿を見せない。リナのエピソードでは親にかわる庇護者として会社の上司と恋人が登場するが、上司はリナの不幸を仕組んだ黒幕であり、恋人はリナを上司から救い出そうとするが上司に捕らえられて役に立たない。

『クルドサック』の物語には、経済的に不自由なく暮らすジャカルタの若者たちが自分なりの夢や生き方を求めつつ、それを実現する術を探しあぐねて自分を持て余している様子が見てとれる。父母は自分たちに関心を持ってくれず、夢への理解も示さず、経済的には豊かでも不自由で苦しい。向かうべき道を父母が示し導いてくれず、夢があったとしても応援してくれないなかで、アンドレ、アクサン、ディナが心の支えとしているのが、アメリカのロックバンド、映画、テレビの人気司会者といったポピュラー・カルチャーから示されるフィクションである。しかしそれらが示す指針に従う方策は現実には存在せず、指針に従おうとすれば生身の自分を破滅に向かわせる。

一九九八年政変以降のインドネシア映画の幕開けを象徴する存在となった『クルドサック』制作の背景には、一九九〇年代後半のインドネシア映画業界の閉塞感があった。『クルドサック』の成功を契機にインディペンデント映画の制作・上映が活気づくとともに、『クルドサック』の制作者たちが職業映画人として本格的な映画制作に取り組むようになった。◀12

父のふるまいがもたらす別れ——『ビューティフル・デイズ』(二〇〇一年)

『ビューティフル・デイズ』(二〇〇一年)は、一九九〇年代のジャカルタを舞台に、女子高校生チンタ(インドネシア語で「愛」の意味)と男子高校生ランガとのみずみずしい純愛を描き、若い観客から圧倒的な支持を受けて、インドネシア映画史上最大のヒット作(当時)となった。

高校の学内の詩作コンテストで毎年優勝していたチンタは、同じ高校に通うランガの詩にコンテストで負けたことをきっかけにランガと交際するが、チンタの親友の自殺未遂をきっかけにランガと疎遠になる。ランガがアメリカに転校することになり、チンタはランガに愛

▶12『クルドサック』は日本では2015年にアジアフォーカス・福岡国際映画祭で公開された。

を告白する。ランガはアメリカに旅立ち、いつか再会するとの決意を表明しながらも二人は離れ離れになる。

二人の恋物語は、ランガからチンタへの恋の詩が読み上げられてチンタとランガの再会の予感が示されたことでハッピーエンドを迎える。ただし、ランガに目を向ければ、ランガは父親が原因で愛するチンタとも愛する母親とも引き裂かれ、父は子に災いをなす要因として描かれている。

ランガの母親が不在であるのは、スハルト体制を批判して職を失った夫（=ランガの父）が共産主義者呼ばわりされる生活に耐えかねてランガの兄や姉[13]を連れて家を出たためで、ランガは母親の家出に深く傷ついていた。ランガがチンタを置いてアメリカに旅立たなければならなかったのも、父親の差配によるものだった。政府に異を唱えた父親に非はなく、アメリカに行くという父親の選択はランガを守るためのものだったが、その結果、ランガは恋人と母親との二つの愛をあきらめざるをえなかった。[14]

『ビューティフル・デイズ』はランガの決意の詩で終わる。チンタとランガは互いを慕う自分の気持ちを認めて心を通

『ビューティフル・デイズ』で、インドネシア独立革命世代の詩人ハイリル・アンワルの代表作である群れから離れた孤独を綴った詩がランガとチンタを結びつける
〈Courtesy of Miles Films〉

▶13 日本語 DVD の字幕では「弟や妹」と書かれているが、セリフでは「兄や姉」と言っている。

▶14 ランガの父親とは別の人物だが、本作には父親による家庭内暴力に苦しむ女子高生のエピソードも含まれる。

じ合わせるが、それはランガがニューヨークに旅立つ日のことだった。「行かないで」とすがるチンタにランガはノートを託し、ジャカルタを発つ飛行機の機内へと姿を消す。帰りの車中でチンタはノートに記されたランガの詩を読む。

チンタ（愛）という名で現れた彼女／愛に苦しみ遠く去った母
あまりにつらい思い出／その顔は胸に宿る月
暗い壁の奥で凍えている
何も感じない[15]**／心を捨て去った者には**
けれど天使が僕に奇跡を運んできた
再び愛を信じよう
だから月が満ちる時　僕は帰ろう
そして彼女の前に立とう／何よりも僕自身のために
なぜなら君を求めているから／すべてを賭けて[16]

チンタは「僕は帰ろう」のくだりを読むや顔をほころばせる。チンタ（愛）という名前を持つ彼女にとって、この詩はランガが自分のもとに帰る決意を伝える詩である。こうして『ビューティフル・デイズ』はハッピーエンドとなっている。しかし、「チンタ」を愛と読むならば、最初の三行に示されているように、ランガにとって愛について語ることは母親を語る

▶15　直訳は「それがなんだというのか」。「それ」は愛ともチンタとも母親ともとれる。
▶16　劇場公開版（日本国内販売 DVD 版）の日本語字幕（訳：松浦美奈）より。

ことである。ランガの母親はチンタがランガに出会う前にランガと父親のもとを去っていた。この詩は、母親の出奔に苦しみ、そのため愛を信じられなくなったランガが、チンタとの出会いによって再び愛を信ずるようになった道のりを示す詩でもある。ランガにとってインドネシアを離れることは、チンタとの距離が離れることだけでなく、自分たちのもとを去った母親との距離が離れることも意味していた。

『ビューティフル・デイズ』では、一九四〇年代の建国期のインドネシアで活躍した国民的詩人ハイリル・アンワルの詩がチンタとランガを結びつける重要な役割を果たしている。ハイリル・アンワルの詩は古い価値観を否定して孤高を恐れず自我の確立を目指すもので、映画の公開後、若者たちの間でハイリル・アンワルの詩やその人生がにわかに脚光を浴びた。『クルドサック』で一九九〇年代の若者たちが映画やテレビを通じてインドネシアに流入してきた海外のポピュラー・カルチャーに救いを求めるように夢中になりながらも閉塞状況に苦しんでいたのに対し、『ビューティフル・デイズ』は悩み苦闘する若者の心に寄り添い指針を与えるものがインドネシアの国民文化のなかにあることを若者に示した。

成長しても父になれない——『ＧＩＥ』（二〇〇四年）

一九九八年以降のインドネシア映画では、父は不在であるか登場しても機能不全に陥っている状態で、父が父としてうまく描かれていない。父をうまく描けないということは、成長して大人になった子が父になる姿を描けないということでもある。また、一九九八年政変を経験したインドネシアでは、政変前の世代と政変後の世代とをどう繋ぐかも課題だった。この時期につくられた若者の成長物語として代表的な『ＧＩＥ』（二〇〇四年）は、一九六五年政変前後の学生運動の渦中にあった中華系インドネシア人スー・ホックギー（ギー）に焦点を当て、若者の目から見た社会史を描いた。[17] ギーは、正しさを追求して主流から外れてしまうものの主流との全面対決を選ばず、ただ自分が正しいと思う活動を実践する人物として描かれる。ギーを通して時代の流れを追うことで、『ＧＩＥ』はインドネシア社会が直面したいくつかの断絶を繋ぎ直そうとした。

その一つは、一九六五年政変と一九九八年政変を経て断絶した時代の繋ぎ直しである。一九六五年政変時の学生運動の

『GIE』で、政府批判を続けるギーは同世代の中で孤立を深めるが、アルベルト・カミュの『反抗的人間』などの書物を通じて時代や地域を越えた思想に支えられる
〈Courtesy of Miles Films〉

▶17『GIE』は2005年のインドネシア映画祭作品賞を受賞した。

渦中にあった若者のギーを描くことは、一九九八年政変で政権交代を支えた大人世代と改革運動を支えた学生たちの心情を繋ぐものだと理解でき、また一九九八年以後のインドネシアがそれ以前から目指されていた公正や美を求める営みの延長上にあると示すことである。

もう一つは、個人の歴史と社会の歴史の繋ぎ直しである。そのカギを握るギーが中華系インドネシア人であることは意義深い。一九六五年政変と一九九八年政変に関連した社会騒乱では、中華系インドネシア人が暴動のターゲットとなって多数の犠牲者を出した。他方で、政変を支えた学生運動の担い手にとって、中華系インドネシア人はいつも仲間として存在した。『ＧＩＥ』では、インドネシアの歴史を動かした政変において、中華系インドネシア人がインドネシアをよりよい国にしようと心を砕いていた様子を描く手法がとられている。

『ＧＩＥ』では、一九六五年政変前後の断絶を繋ぎ直すことを通じて一九九八年政変前後の断絶を繋ぎ直すことが試みられている。ただし、その結末では、一九九八年政変前の精神を継承しようとした若者が成長して家族をつくるという形で大人になることはできない。清く正しくあろうとしたギーは運動の主流から離れ、一九六五年政変後の社会で居場所を見失っていった。ギーの才能に目をつけた富裕な家庭の女性との恋愛にも積極的になれなかった。ギーはギーに恋慕の情を寄せていた登山クラブの女性を自分も愛していたことに気づき、彼女に愛を告白しようとするが、その言葉が彼女に届いたのはギーが山中で命を落とした後のことだった。社会をよりよくしようと理想に燃えたギーは、政変後の社会で自分の居場所を見つけることなく、自分を慕う女性と思いを交わしあうこともなく、家族をつくらないまま、父になれずに一人で死んでいった。

父なしで逞しく育ち、夢を追う——『虹の兵士たち』(二〇〇八年)

『虹の兵士たち』はアンドレア・ヒラタ[18]が二〇〇五年に発表した同名の長編小説の映画化である。観客動員数は四六〇万人で歴代首位となり、二〇〇八年の興行収入は八〇億ルピア(約八六〇〇万円)だった。二〇〇九年インドネシア映画祭の作品賞や主演女優賞をはじめ、国内外の映画祭で数々の賞に輝いた。スマトラ島東海岸に浮かぶブリトン島でロケを行い、子役の多くはブリトン島出身者を使った。ブリトン島の美しい景色は人々の関心をひき、この映画をきっかけに映画のロケ地観光が行われるようになった。

舞台は一九七〇年代のブリトン島。新学期に児童が一〇人集まらなければ廃校になる小学校で、貧しいながら教育を受けようとする一〇人の児童と教師との交流が描かれる。オープニングには、インドネシア憲法の国民が教育を受ける権利に注意を喚起するメッセージが記されている。『虹の兵士たち』は学校の休暇に合わせて公開され、子どもも大人も楽しめる教育映画として売り出された。ユドヨノ大統領がストリート・チルドレンを招待して上映会を行ったように、政府の国民教育への関心の高さを示すためにも利用された。

物語は、青年イカルが自分の生まれ育ったブリトン島に里帰りし、小学校時代を回想する

▶18　1982年、ブリトン島生まれ。『虹の兵士たち』は世界22か国で翻訳・出版された。日本語訳は『虹の少年たち』(加藤ひろあき・福武慎太郎訳、サンマーク出版、2013年)。

ところから始まる。一九七〇年代のブリトン島では、オランダ植民地時代に開発されたコプラ油（ココヤシの実から採れる油脂）の生産とスズ鉱業が主な産業だった。鉱山を含むスズ鉱採掘企業の入り口にはオランダ語とインドネシア語で「関係者以外立ち入り禁止」の看板が掛けられており、独立後も世の中は誰でも出入りできる場所と特定の人しか出入りできない場所とに分かれていることを示している。

　裕福な家庭の子弟はスズ鉱採掘企業内につくられた公立小学校に通っていた。公立小学校は制服代をはじめ様々な費用がかかる。貧しい家庭の子弟は公立小学校に通う経済的余裕がなく、家計を助けるために漁師となるか、コプラ農園やスズ鉱山の労働者となるしかない。そうした家庭の子弟を受け入れてきたのが、ムハマディヤ[19]が運営して学費がかからないムハマディヤ小学校だった。

　映画のなかでの「インドネシアで最も豊かな島の最も貧しい小学校」という言い回しに表れているように、児童数が多く設備も恵まれている公立小学校と、イカルたちが通うムハマディヤ小学校の貧しさが繰り返し対比される。公立小学校では児童一人ひとりに電卓が配られるが、ムハマディヤ小学校の児童は木の棒を使って計算を練習する。ムハマディヤ小学校には古びた世界地図と黒板があるだけで、椅子や机も修理しながら使っており、チョークを買うのもままならない。

　ムハマディヤ小学校には、ハルファン校長先生、若手のバクリ先生、そしてハルファン先生の元同僚の娘で新米教師のムスリマ先生の三人の教員がいる。イスラム教の教養で子ど

▶19　オランダ植民地時代の1912年にジョグジャカルタで設立されたムスリムの社会団体。ムスリムの教育の近代化に力を入れ、1930年代末には全国に支部を広げた。幼稚園から大学に至る独自の学校網をつくり、全国最大の私学組織となっているほか、診療所、病院、孤児院を設立・運営し、インドネシアで最大規模のイスラム組織の一つである。

もたちを教え導くハルファン先生はたくさんの物語を知っており、その物語を通じて子どもたちは人生や日々の暮らしの知恵を学んでいる。児童を厳しくしつけるのではなく、児童が関心を持つ話をすることで教育している。

ハルファン先生は「人は豊かになればなるほど豊かさを自分の家族にしか分け与えられなくなる」、「ムハマディヤ学校が教えるのは物質的な幸せではなく精神的な豊かさだ」と言い、ムハマディヤ小学校を必要としている人がいる限り学校を守ろうとする。この学校においてハルファン先生は児童にとっての父の役割を担っている。

ただし、映画においてハルファン先生の教えは唯一の教えとして描かれているわけではない。児童は学校で先生から教わる以外に、新聞やラジオ、ポスターや映画、路上の観察など様々なところから情報を入手して世界の様子を学んでいる。子どもたちは人生の指針を得るうえで必ずしも父という存在に頼る必要はなく、父がいなかったとしてもメディアやその他の経験を通じて知識や情報を得ることができ、それが子どもたちの成長を助けている。

『虹の兵士たち』で、簡素な教室でムスリマ先生に学ぶ10人の生徒たち。主題歌は「夢こそ鍵」という言葉で始まり、世界をつかむ夢を実現するまであきらめず走り続けろと歌っている〈Courtesy of Miles Films〉

物語が進むにつれ、ムハマディヤ小学校では庇護者となるべき人が次々と失われていき、母と子だけの家庭のようになる。給与の支払いが滞ったためにバクリ先生が別の小学校に転勤し、ハルファン校長先生も老齢のために亡くなる。残された一〇人の児童とムスリマ先生は、貧しいながらも様々な工夫をして自信をつけていく。独立記念日を祝うカーニバルの出し物で賞をとったり、学校対抗頭脳コンテストで優勝したりすることで、資金も設備も児童数でも公立学校に劣るムハマディヤ小学校が創意工夫によって公立学校を凌ぐ成績を上げ、学校の名を揚げることに成功する。

しかし、頭脳コンテストでムハマディヤ小学校を勝利に導いた児童の一人リンタンは、漁師の父親が海に出たまま帰らぬ人となり、妹たちの面倒を見るために小学校をやめる。学ぶことに最も意欲的で、教育を受ければ必ず大きな成果を上げたと思われるリンタンが学校をやめたことに、ムスリマ先生と児童たちは言葉を失う。

回想が終わり、冒頭の場面でイカルがブリトン島に帰ってきたのはスハルトが退陣した翌年の一九九九年で、フランスのソルボンヌ大学に留学が決まったことを報告するための里帰りだったことがわかる。リンタンはブリトン島で成長し、教育を受けるという夢を娘に託している。映画の観客は、貧困や庇護者の喪失という障害を乗り越えて子どもたちが子ども時代の夢をそれぞれの形で実現させていることに安堵する。この作品でイスラム教は、政府による公的な庇護や豊かさによっては守られない子たちの成長を助け、時代の変化を越えて人々の精神を支えるものと位置付けられている。

一〇人の「虹の兵士たち」が高校に進学した後を描いた続編の『夢追いかけて』[20](二〇〇九年)でも、経済的困難を克服しながら夢に向かって進む姿が描かれる。ここでも教師はよき導き手であり、児童たちはインドネシアの内外の人々の生きざまによって励まされる。

リリ・リザがつくる映画の多くは、『虹の兵士たち』に代表されるように子どもを中心とした物語に特徴がある。スハルト政権末期にも子どもを主人公にした映画はつくられたが、その多くの作品で子どもたちは、政府批判になりかねないために公然と語りにくい社会問題を子どもの視点から描くという役割を担っていた。ただし、ストリート・チルドレンを題材にした『枕の上の葉』(一九九七年、ガリン・ヌグロホ監督)に象徴されるように、そこで描かれる子どもたちは、観客の自画像というより、観客が助けたり保護したりしてあげるべきかわいそうな存在だった。

一九九八年政変から一〇年を経たインドネシア映画は、リリ・リザたちの手によって、父の機能不全によって子の成長が阻まれて社会全体が閉塞感に包まれている状況から、父がいなくても子が育って夢を追う姿を描くまでになった。

ただし、『虹の兵士たち』は一九七〇年代を回想した物語で、これはスハルト政権が喧伝する家族主義[⬇1部3章59頁]が行き詰まりを迎えるよりも前の時期を舞台としている。長期化したスハルト政権はこの後の時期に、国民を守り導く役割を失っていった。スハルト退陣後のインドネシアが直面した父子関係をめぐる問い、すなわち父が子の意向をくみ取らず、

▶20 原題は『Sang Pemimpi』。

さらには子に害をなすときにどうすればよいのか、成長した子は父とどのような関係をつくればよいのか、そして子はどのようにして父になるのかという問いは未解決のまま残された。

第2章

家族から父を消してみる
——ニア・ディナタ監督の女家長による家づくり

『分かち合う愛』、『三人姉妹（二〇一六年版）』、『窓』

家庭内の父・夫や職場の上司のように強い指導者が存在すると、まわりの人々は指導者の高評価を得ようとして競い合うという考え方がある。競い合うことで全体の生産性は高まるが、それぞれの人は指導者から嫌われると立場を失うのではないかという恐れを抱いた不安定な状態に置かれる。

これに対して、スキルはあるけれど父・夫や上司に依存しなければ居場所が得られないと思って競い合ってきた人たちは、互いに手を結んで家や会社をつくることで父・夫や上司の束縛から逃れて居場所を得ることができる。女性は父・夫や上司がいないと生きていけないというのは根拠がない思い込みであり、生きていくスキルを身につければ彼らに依存しなくてもよくなる。女性が支えるのをやめれば父・夫や上司は倒れるのだから、彼らを無力化するには女性どうしで連帯して追い出すか、女性が彼らをうまくコントロールして家や職場を乗っ取るかすればよい。

映画を通じてこのような考え方を発信し続けているニア・ディナタ[21]は、女性の活躍がめざましい一九九八年政変後のインドネシア映画界で、その初期から活躍してきた女性の監督・プロデューサーである。最初の長編『茶房館』(二〇〇一年)では華人、続く『アリサン!』(二〇〇三年)ではゲイ、『分かち合う愛』(二〇〇六年)では一夫多妻婚と、インドネシアでセンシティブな問題を正面から取り上げて世に問うてきた。それまで扱われてこなかったテーマや題材を世に問う映画を他の人に先駆けてつくり続けている開拓者であり、一九九八年政変後のインドネシア映画のテーマの多様性を広げる役割を担ってきた。

ニア・ディナタの作品を家づくりの観点から見るならば、父を家長とする家族制度を批判し、父を抜きにした家族づくりに挑戦してきたと言える。ここでは、ジャカルタの都会的な社会を舞台に一夫多妻婚を描いた『分かち合う愛』と、東インドネシアの開放的な島を舞台にした『三人姉妹(二〇一六年版)』、そして比較のためヌルマン・ハキム監督による伝統を重んじるジャワの農村を舞台にした『窓』を通じて、インドネシアにおける父抜きの家庭づくりの試みと、その難しさについて考えてみたい。

▶21 本名はヌルクルニアティ・アイシャ・デウィ(Nurkurniati Aisyah Dewi)[➡317頁]。

父をめぐる競合から抜ける――『分かち合う愛』（二〇〇六年）

『分かち合う愛』は、三人の女性の物語が同時に進行するオムニバス形式の作品である。いずれも一人の夫と二人以上の妻という一夫多妻の状況が描かれるが、妻たちは夫を奪い合わず、夫の意向と無関係に妻たちの物語が展開し、最終的に夫抜きの家づくりに至る。夫に権威はなく、夫のもとにある力や豊かさは争いの種にならない。サルマ、シティ、ミンの三人の女性の物語を順に見ていこう。

サルマは政治家である夫に第二夫人と第三夫人がいたことを知るが、産婦人科医として高い社会的地位を得ており動揺しない。やがて夫は心臓発作で倒れ、息子に「妻は一人で十分だ」と言い残して死ぬが、夫の葬式に第四夫人が現れると、呆れた息子は津波被災者支援のボランティアのためアチェに旅立つ。

ジャワの田舎からジャカルタに出てきたシティは、生活の世話をしてくれた男の第三夫人になる。運転手で生計を立てる男の生活はぎりぎりで、シティは第二夫人の子どもたちの世話に掛かりきりになり、ジャカルタで美容の勉強をする夢は叶えられない。アチェで津

『分かち合う愛』で、都会で頼れる人がいないシティは遠縁の親戚の第三夫人になるしかない。結婚は好きな人とするものと思っていたシティは結婚式で涙を流し、第一夫人に慰められる
〈Property of Kalyana Shira Films and Nia Dinata〉

波が起こり、夫がアチェの津波被災地に長期出張中、シティは第二夫人と親密になる。第一夫人が夫から性病をうつされたことを知り、さらに夫が人道支援だと言ってアチェから第四夫人を連れてくるに及び、シティは第二夫人とその子たちとともに家から出奔する。

女優志望のミンはジャカルタの中華食堂でアルバイトをしている。ミンの愛嬌が評判を呼んで店は繁盛し、中華系である雇い主は妻に内緒でミンに自動車や住まいを与えて愛人にする。やがて二人の関係は妻の知るところとなり、雇い主は妻の差配によって一家でアメリカに移住する。手切れ金を得たミンは、その金で新しい住まいを借りて女優の道を目指す。

シティが診療のために第一夫人を連れて行ったのはサルマの医院である。サルマ一家はミンが働く中華食堂を利用する。ミンが新たに借りた家はシティの夫が住む家と並びにある。三人の登場人物は少しずつ関わりあい、三つのエピソードはジャカルタで同時期に起こっていた出来事として描かれる。

いずれの物語でも、二〇〇四年インド洋津波（スマトラ島沖地震・津波）が発生して、ボランティア活動のために現地入りするエピソードが挿入されている。インド洋津波はインドネシアのボランティア元年の幕開けを促し、国に頼らずに国民が各自の生活圏を越えて助け合う可能性を示すものだった。『分かち合う愛』の津波被災地支援のエピソードは、いずれもそれまでの秩序の担い手である父・夫に依存しない世界に向けて登場人物たちが新しい一歩を踏み出すきっかけとして使われている。

一夫多妻を描いた『分かち合う愛』はインドネシア内外で話題になった。インドネシアは一夫一婦を基本としているが、妻の承諾を得たうえで、妻たちを平等に扱い扶助する義務などの条件を満たせば、ムスリム男性は四人まで妻を持つことが法的に認められている。また、政府には登録しないが、宗教上の婚姻儀礼や人前結婚式を行うことで社会的に夫婦として扱われる「内々の結婚」(ニカ・シリ)と呼ばれる結婚もある。[22]

イスラム教の考えでは、一夫多妻は寡婦や身寄りのない女性を保護するという観点から正当化される。「内々の結婚」は、宗教が異なる二人が結婚する場合の方便や、既婚の男性が一夫多妻婚の基準を満たせないまま新たに妻を娶る手段として使われてきた。

スハルト体制期には、一組の夫婦に二人の子どもがいて夫唱婦随で営まれるのが理想の家庭であるとされていたが、実際には非合法の一夫多妻婚が後を絶たず、政府高官や企業家の愛人問題がスキャンダルとして報じられることも少なくなかった。ニア・ディナタの父親にも二人の妻がいたことが知られている。ニア・ディナタの父親は若くして銀行家として名をあげ、インドネシア政府の肝いりで設立された民間銀行の経営陣に迎え入れられた。その際に銀行に出資した政府機関の高官の娘を二人目の妻にしている。

一九九八年政変後のインドネシアではスハルト体制期につくられた法律の見直しが進められ、一夫多妻婚の是非も議論された。[23] 一夫多妻婚を認める婚姻法は女性の地位を貶めているとして女性の法的地位と権利の向上の観点から法律の見直しを求める立場と、一夫多妻婚を神が認めたものとして積極的に擁護する立場があった。『分かち合う愛』はこのような状況で制作・公開された。

▶22 インドネシアにおける結婚・離婚の概要は「インドネシアにおける結婚——一夫多妻婚、秘密婚、異教徒間の婚姻」(大形里美、長澤栄治監修『結婚と離婚』明石書店、2019年、pp.176-198)に記されている。

▶23 映画における一夫多妻については3部2章[➡179頁]でも紹介する。

日本語タイトルの「分かち合う愛」は英語タイトルからの翻訳で、インドネシア語の原題は文字通り訳せば「夫を分かち合う」となる。一夫多妻状況は夫から見れば一人の夫が複数の妻を所有していることになるが、原題はこの状況を妻の視点から見て、複数の妻が一人の夫を共同で所有している状態を示すものである。ニア・ディナタは、『分かち合う愛』で女性が自立する様子をコミカルに描いて女性たちを力づけるとともに、一夫多妻を妻の視点から読み替えることで、「男が女たちを所有すること」から「女たちが男を共有すること」へと転換し、複数の女性が地位や財力のある男性に従属しているというイメージを、一人の夫が複数人の妻に所有されているイメージに逆転させた。さらに妻たちが夫抜きの家族づくりに足を踏み出す様子を描くことで、夫に頼らなければ家族をつくれないという考え方にも挑戦した。

女たちが家をまとめる――『三人姉妹』（二〇一六年）

ニア・ディナタの『三人姉妹（二〇一六年版）』は、古典的名作であるウスマル・イスマイルによる『三人姉妹』（一九五六年）のリメイクである。一九七〇年生まれのニア・ディナタは、九歳のときにテレビでウスマル版『三人姉妹』を見て好きになり、後にウスマルの『三人姉妹』の映像素材が修復されると知って、これを機に自分なりの『三人姉妹』をつくろうと考えたと制作理由を説明している。ただし、アメリカで映画学を学んで映画におけるジェンダーについて考えるようになるとウスマルの『三人姉妹』で姉妹の職業が描かれていないことが気になったとも語っており、ニア・ディナタの『三人姉妹』では従来のインドネシア映画になかった女性像や家族像を描くことに果敢にチャレンジしている。映画制作のキャリアを積んだニア・ディナタが、「インドネシア国民映画の父」と称されるウスマル・イスマイルによる古典的名作『三人姉妹』に胸を借りる形で、女性が家を取り仕切る物語に改変することで女家長が成り立つのかを問う作品である。以下では、ウスマルによる『三人姉妹』を「ウスマル版『三人姉妹』」、ニア・ディナタによる『三人姉妹（二〇一六年版）』を「ニア版『三人姉妹』」と呼ぶことにする。

　ニア版『三人姉妹』では、主題歌「三人姉妹」をはじめ多くのシーンでウスマル版『三人姉妹』の要素を盛り込みつつ、舞台を東インドネシアのフローレス島のリゾート・ホテルにして、三人の姉妹が大胆かつ率直に真情を吐露し、積極的に行動している。特に三女のべべが見せる伸びやかな肢体や開放的な恋愛観は、二〇〇八年以降にイスラム恋愛映画が流行して［➡3部2章180頁『愛の章』］、服装や行動にイスラム的価値をまとった女性の姿を見慣れた目にはまぶしく映る。インドネシアで劇場公開されたときは「女性が積極的すぎる」という理

ニア版『三人姉妹』では、ウスマル版『三人姉妹』になかった姉妹と祖母の４人が一緒に歌って踊る場面が追加された。女たちの世代を越えた絆が強調され、裏方ではなく主人として家を継承していく女の姿が描かれた〈Property of Kalyana Shira Films and Nia Dinata〉

由で二一歳以上限定という制限がついた。ニア版『三人姉妹』を詳しく見る前に、ウスマル版『三人姉妹』を見ておこう。

ウスマル版『三人姉妹』と『天使の花園』

ウスマル版『三人姉妹』は、ウスマルの映画制作のキャリアにおいて画期となった作品である。独立して間もないインドネシアで、映画を通じた近代的な国民精神の涵養を重視したウスマルは、『血と祈り』や『ジョグジャカルタの六時間』[24]（一九五一年）などの芸術性の高い映画を制作した。売れることよりも質の高さを重視したため、ウスマルが立ち上げたインドネシア国民映画社［➡1部2章48頁］は経営危機に瀕していた。政府の資金援助を受け、興行的な成功を至上命令としてつくられた娯楽映画が『三人姉妹』である。[25]ウスマルは娯楽性の高い作品にするために脚本を部分的に修正せざるを得なかったことを不本意に思っていたと伝えられている。

『三人姉妹』は八週間にわたって上映されて興行的成功をおさめ、国民映画社の立て直しに一役買った。当時のインドネシアではキャピトルやメトロポールといった高級な映画館でハリウッド映画が上映され、国産映画はインドやマラヤ（マレーシア）や中華圏の映画とともに大衆向け映画館で上映されていた。『三人姉妹』は国産映画でありながらキャピトルやメトロポールで上映され、公開直後から近代的なインドネシア社会を描いたと高く評価された。

『三人姉妹』はハリウッド映画の翻案だったことが指摘されており、確かに映画のクレジッ

▶24 原題は『Enam Djam di Djogdja』。
▶25 ウスマルは三人姉妹のおじの役で出演した。

トにウスマルは「翻案者」と記されている。どの作品からの翻案かは明らかにされていないが、ヘンリー・コスター監督の『天使の花園』（一九三六年）とその続編の『庭の千草』（一九三九年）であると考えられている。ニューヨークで父母とともに暮らす三人の姉妹の物語で、『天使の花園』は三人の姉妹が父親の再婚を阻み、父母のよりを戻させようと奮闘するミュージカル仕立てのコメディで、末娘のペニーを演じたディアナ・ダービンの出世作となった。『庭の千草』では次女が長女の婚約者を好きになったことからてんやわんやになり、三女が父親と協力して解決する。

一九二一年にインドネシアの西スマトラ州ブキティンギで生まれて同州パダンの中学校で学んだウスマルは、少年時代からパダンの映画館に足繁く通っており、一九三八年頃に人気だった作品の一つが『天使の花園』だったという[26]［↓342頁］。また、ロックフェラー財団の奨学金で一九五二年にアメリカに留学して映画制作を学んだウスマルの作品には、アメリカ映画からの大きな影響がうかがえる。

ウスマルはハリウッド映画の三人姉妹の物語の舞台をニューヨークからジャカルタに移し、長女の婿探しに奔走する祖母のキャラクターを加えてミュージカル仕立ての娯楽作品にした。ウスマル版『三人姉妹』は国産映画としては記録的なヒットとなり、国産映画の地位を高めるのに貢献した。テレビでも繰り返し放映され、世代を超えて知られる古典的名作となった。

『天使の花園』では、離婚した母親とともにスイスで暮らしているジョアン、ケイ、ペニー

▶26 *Sejarah Kecil Petite Histoire Indonesia* (Jilid 2. Rosihan Anwar. Kompas Gramedia. 2014) より。

の三人姉妹が実業家である父親の再婚について知り、再婚を阻止すべくニューヨークにいる父親のもとに乗り込む。やがて父親の再婚相手ドナが金目当てで父親に近づいたと知り、富裕な若い男にドナを誘惑させる。三女ペニーは愛くるしい態度と美しい歌声で父親の心を掴み、父親に再婚を踏み留まらせる。長女ジョアンと次女ケイは再婚阻止の計略の手助けをした二人の男性とそれぞれ恋に落ち、姉妹の母親がスイスからニューヨークに到着して父親と再会したところで物語は幕を閉じる。劇中でペニーは三曲歌う。ミュージカル風の歌って踊るシーンはないが、ヨットを操り、湖で泳ぎ、ボールを投げ、鞍馬や平行棒や吊り輪をする三人姉妹の躍動する身体を見ることができる。

　続編の『庭の千草』では、父親と母親は三人の娘とニューヨークで暮らしている。長女ジョアンはリチャードという男性から求婚されて婚約するが、リチャードに密かに恋する次女ケイは心が晴れない。ケイの思いを知ったペニーは、仕事で忙しい父親に頼ることができず、ケイに音楽仲間のハリーを紹介する。リチャードとジョアンの結婚式の準備が着々と進むなか、ハリーとジョアン、リチャードとケイがそれぞれ互いに心を通わせる。結婚式当日、父親は新婦ジョアンを式場の外にいるハリーに引き渡し、ケイの腕をとって新郎リチャードのもとに誘導する。二人の姉を思うペニーの願いは叶い、ペニーは歌で姉たちの門出を祝福する。

　ウスマル版『三人姉妹』は、母親の死後、父親と祖母と一緒にジャカルタで暮らすヌヌン、ナナ、ネニの三人姉妹の物語である。父親は仕事に忙しく娘たちを放任しており、「このままでは自分が生きている間に長女ヌヌンの結婚が見られない」と心配する祖母がヌヌンの婿探しに奔走する。

次女ナナには恋人のヘルマンがいるが、母親代わりで家事に忙しいヌヌンは外出しないために男性との出会いがない。ナナは祖母に頼まれてヌヌンをダンスパーティーやピクニックに連れ出すが、社交的ではないヌヌンはいつも先に帰ってしまう。そんななか、ナナは新たに知り合ったトトと打ち解けて関係を深める。ナナがトトと婚約する気でいると知った祖母は、「妹が先に結婚したらヌヌンは一生結婚できなくなる」と怒り、ナナは迷信だと反論する。

ヌヌンが西ジャワのバンドンに住むおじのもとに静養に行く。ヌヌンはトトを好きなはずだと考える三女ネニは父親の協力のもとで一計を案じ、ヌヌンから届いた父親宛ての手紙の内容を細工してトトに伝える。[27] 自分のヌヌンへの気持ちに気づいたトトがバンドンに行ってヌヌンへの愛を伝えて二人が結ばれ、ナナとヘルマンもよりを戻す。

『庭の千草』と同様に、三女の積極的な働きとそれに手を貸す父親によって長女と次女のねじれた恋模様が整えられて解決に至る。劇中歌の「三人姉妹」は、仲睦まじく暮らしていた姉妹が思いがけずいっせいに恋に落ちて平常心を失い、悲喜こもごもの騒動が展開するという本作品の内容をリズミカルに歌い上げている。

▶27 ネニはトトにヌヌンの手紙を読んで聞かせる際に、ヌヌンが毎晩ジョニにキスされていると書かれているくだりを選び、あたかもヌヌンがバンドンで他の男性と親密になっているように思わせる。実際にはジョニはバンドンのおじの幼子で、ヌヌンとジョニはいとこどうしの関係にある。

ニア版『三人姉妹』——祖母が仕切り孫娘が支える家

映画は他の映画を参照することで時代や地域の課題を写しとっていく。ウスマルは、建国期のインドネシアにおいて、ハリウッド映画を参考に、舞台をジャカルタに変えることでインドネシアらしい家族像を考えてウスマル版『三人姉妹』を制作した。そしてニア・ディナタは、ウスマル版『三人姉妹』を参考に、二一世紀のインドネシアの家族像を考えてニア版『三人姉妹』をつくった。母系制社会として知られる東インドネシアのフローレス島[28]を舞台にすることで、女家長が取り仕切る家をスクリーン内の話に終わらせずに、現在のインドネシア社会に結びつけている。

ニア版『三人姉妹』も祖母と父親と三人の娘からなる家庭で、娘の結婚に無関心な父親にかわって祖母が長女の婿探しに奔走する。長女グンディス(三二歳)、次女エラ(二八歳)、三女べべ(一九歳)は母親を早くに亡くし、祖母と父親クリスナと暮らしている。父親がフローレス島でリゾート・ホテルを開くことになり、生まれ育ったジャカルタの家を引き払って一家でフローレス島に移り住む。

グンディスは母親譲りの料理の腕を活かしてホテルの料理長になり、社交的なエラは広報・施設担当としてホテル経営を助け、英語が得意で屈託のないべべはホテルの雑用をこなしながら島の小学校で英語の課外授業をしている。エラの幼馴染のビマは広報用の写真撮影の手伝いとして島に来ており、イギリス系インドネシア人でべべの恋人のエリックもホテルに来ている。

▶28 フローレス島は東ヌサトゥンガラ州に属する。長野県とほぼ同じ面積の島に約180万人が暮らし、人口の約8割がカトリックを信仰する。フローレス島の地誌や文化は『生を織りなすポエティクス——インドネシア・フローレス島における詩的語りの人類学』(青木恵理子、世界思想社、2005年)に詳しい。

グンディスは食材を仕入れに出かけた市場でユダに出会う。ハンサムで裕福そうなユダがホテルを訪れるとエラは一目惚れするが、祖母はユダをグンディスの婿候補と見定めて二人を接近させようとする。ユダとグンディスは互いの夢を語り合って意気投合するが、ユダが大手ホテルチェーンの経営者で、リゾート・ホテルの資本をユダと共有する計画を父親から聞かされると、グンディスは自分がホテル買収の道具にされたと怒ってユダのプロポーズを拒絶する。翌朝、ユダがホテルを朝早く発ったと知って動揺したグンディスはべべの助けで波止場に向かい、船に乗りそびれたユダと和解する。

浜辺で結婚披露宴が開催される。グンディスとユダの結婚式かと思わせるが、新郎はクリスナ、新婦はジャカルタの隣人アマンダだった。グンディスとユダ、エラとビマ、べべとエリックがそれぞれ仲睦まじく踊るなか、孫娘の結婚ではなく息子の再婚を祝う羽目になった祖母は浮かない顔をしているが、べべがエリックとの子を妊娠したことを報告すると、ひ孫の顔を見たいという願いが叶いそうだと知った祖母は満足する。

ニア版『三人姉妹』には、ウスマル版『三人姉妹』の主題歌「三人姉妹」が多用されているほか、ウスマル版『三人姉妹』を彷彿とさせる要素がふんだんに盛り込まれている。

ニア版『三人姉妹』では新たに一一曲の歌がつくられた。祖母と三人姉妹が唱和する「マトリアーク」(女家長)は劇中で二度歌われるほか、エンディング曲にも用いられ、ニア版『三人姉妹』の主題歌ともいうべき楽曲である。ニア・ディナタが作詞した「マトリアーク」が「世界が男家長にうんざりしているとき/私たちの目の前にいるのは女家長」と歌っていることに明らかなように、ニア版『三人姉妹』には強い父が家を治める段階の次の世界を描こうとする明確な意図がうかがえる。

父親の影は薄い。『庭の千草』やウスマル版『三人姉妹』では父親と三女の連携が重要な役割を果たしたが、ニア版『三人姉妹』では父親は娘の結婚に無関心であるばかりでなく、成就しかけた長女の恋路はユダが大手ホテルチェーンの経営者であるという父親の不用意な一言でぶちこわしになる。

父親に代わって祖母が家の実務を取り仕切り、孫娘たちに指示を出す。ウスマル版『三人姉妹』で給与所得者だった父親はニア版『三人姉妹』ではホテル経営者となり、家族にとって家は住まいであると同時に職場でもある。仕切り屋の祖母が娘たちに指示を出す台所や居間や玄関は、職場であるホテルの調理場やロビーやフロントでもある。ウスマル版『三人姉妹』で長女が料理をつくるのは家事だったが、ニア版『三人姉妹』では長女はプロの料理人である。そして三人の娘たちはニア版『三人姉妹』では家事ではなくホテル経営に関わって生計を担っている。

長女に結婚を、次女に身を引くことを求める祖母の差配は、孫娘たちには規範の押しつけに思える。長女が歌う「女の子」（ニア・ディナタ作詞）は、「女の子の運命ってこんなもの？」で始まり、

女は男の取引の材料／家族の要請で人生が決まる
いまは二一世紀／独身はタブーなんかじゃない

私は恋愛を信じている／恋愛はおのずと訪れるはず
一人で生きるのが怖いなんて誰がいった
愛する仕事とともに男なしで生きるのよ

と続き、女性が独身のままでいるのはよくないという規範に反発する。

次女は「二番目」（ニア・ディナタ作詞）の歌に載せ、

いつも年上を優先しなくちゃ
だけど年下にも譲らなくちゃ
自分らしくいるのは難しい

と長幼の序の狭間で二番目の子として立場をわきまえることの困難を嘆く。

ただし、祖母と三人の孫娘が「マトリアーク」で、

女家長と呼ばれたって気にしない
みんなにとっての最善を求めるだけ
女家長、女家長、私たちはみんな愛すべき女家長

と歌っているように、結局のところ孫娘たちは女家長である祖母の仕切りを受け入れている。長女は母親の料理の継承者として台所を取り仕切り、いざというときは「母さんならこうした」を決めゼリフに家のことを決めようとする。これに対して次女は父親との距離が近い。ジャカルタの家を引き払う際に行ったガレージ・セールで、長女は父親の大切な古いレコードを売ろうとするが、次女は「ホテルの客も聞きたがるかもしれないから」と言って売

らずに父親に届ける。

長女と次女の恋の騒動については、人の気持ちを見るのに敏い三女が本人たちも自覚していないそれぞれの願いを汲み取って自在に動き、行き違いや勘違いを利用して調整し、適切な組み合わせに整えていく。小学生に英語を教える歌として挿入されているベベの「母音の歌」（ニア・ディナタ作詞）は、Aは英語では「エー」でインドネシア語では「アー」というように、英語とインドネシア語の文字の発音の違いを楽しみながら歌う歌である。言葉の行き違いのために意図がずれて伝わることを前提にしつつ、共有できるものを積極的に探して楽しもうとする三女の生き方を象徴している。

父の影がもたらす「あやうさ」

ニア版『三人姉妹』では、物語の最後に三人の姉妹が伴侶を得ると同時に父親も再婚し、四組のカップルが誕生する。三人姉妹はそれぞれの伴侶に対して主導権を握っている。グンディスとユダについては、リゾート・ホテルの共同経営者で料理長のグンディスよりも大手ホテルチェーンの経営者であるユダのほうが社会的に力を持っているように見えるが、グンディスは自分の主戦場であるキッチンにユダを入れて料理させてみることで自身の優位を確認する。エラの相手のビマは気弱な好青年で、幼い頃からエラに頭が上がらずにエラの言うことを聞いている。ベベの相手のエリックはインドネシア語にやや難があり、ベベからインドネシア語を教わっている。娘たちからいろいろと教わっている様子は、あたかも三人の男たちがこの一家に婿入りしたかのようだ。

父親クリスナはもともと影が薄いが、その再婚は家族に知らされずに極秘裏に準備され、家のこととして扱われない。クリスナは自分の再婚やユダのホテル経営への参画を一人で決めており、娘や祖母は相談や助言を求められるどころか承認を求める相手にもなっておらず、父親と他の家族との間に断絶がある。『天使の花園』で父親が娘たちの要望を聞き入れて態度を改めた様子と比べると、ニア版『三人姉妹』では父親が女たちにとって気を許せない存在であることが際立っている。父親に力を持たせていないのは、父親がホテルの共同経営の決定のように独断でものごとを決めてしまう危険な存在であることの裏返しであり、父親が交渉の余地のない決定権を持っていることが表に現れない形で刻み込まれている。

父親の再婚相手のアマンダが最初に登場するのは一家がジャカルタの家を引き払う際に開かれたガレージ・セールのシーンで、「子どもの頃、みなさんのおうちに招かれたときからこのお皿を狙っていたの」と言って一家の皿セットを購入している。家族全員に食事を出す皿は女主人の象徴であり、したがってこの皿はクリスナの妻の座という意味になる。

近所の噂話から、アマンダが作家としての名声を確立しており、著書が何か国語にも翻訳されていることと未婚であることが知らされる。アマンダがこの皿で食事をしたのはおそらく三人姉妹の母親が生きていた頃のことで、女主人の象徴である皿に目をつけていたことから、クリスナとの再婚はアマンダが主導して進めたことが想像される。父親は再婚によって一家における父としての役割を終えて引退するかのようにも見える。

三人の娘の恋の成就は一家に新たに三人の男が加わることを意味するが、彼らが男家長になる兆しは見えない。ニア・ディナタは、家族の生業を会社勤務からリゾート・ホテル経営に、舞台をジャカルタからフローレス島に移して、男家長のいない世界を描いてみせた。

父を支えるのをやめる——『窓』(二〇一六年)

ニア・ディナタが父抜きで家づくりを進める女たちを描いたのは、豊かさとチャンスに溢れたジャカルタや開放的で自然豊かなフローレス島だった。しかし、インドネシアで女たちが生きる場は、ニアが描いてみせたような明るく前向きな選択肢をいつも与えるとは限らない。ニア・ディナタが女性の自立に前向きな展望を見ようとするのとは対照的に、ヌルマン・ハキム監督［➡318頁］の『窓』(二〇一六年)は、伝統を重んじるジャワの農村で家長からの抑圧を克服しようとする女性たち自身が父権主義を支えていることを冷ややかにあぶり出している。

『窓』は、一九九八年政変のジャカルタ暴動から間もない時期、ジャワの名家の崩壊と再出発をスハルト体制の崩壊に重ね合わせて描いた作品である。『窓』は『三つの祈り、三つの愛』(二〇〇八年)と『カリファーの決断』(二〇一一年)に続くヌルマン・ハキムの長編三作目で、脚本はナン・アハナス[29]との共同による。

ジャカルタで育ちアメリカで映画制作を学んだニア・ディナタと違い、ヌルマン・ハキム

▶29『クルドサック』［➡2部1章70頁］の4人の監督の1人。『カリファーの決断』の脚本も担当した。

はジャワのイスラム寄宿塾〔➡３部１章166頁〕で育ち、ジャカルタ芸術学院で映画制作を学んだ。ニア・ディナタは現代的で西洋的な都会の家族を描き、そこでは経済状況は大きな問題ではなく、慣習に囚われない女性たちが軽やかに描かれる。それに対してヌルマン・ハキムはジャワの農村を舞台にした家族を描く。伝統を重んじるジャワ文化のなかで女性が経済的に自立するのは難しく、生きていくためには家と結びつかざるを得ない。

『窓』で、ジャワ出身の若い女性であるデウィは、一九九八年半ばのジャカルタでマーケティング会社のアルバイトをしながら一人で暮らしている。ジャカルタの場面では一九九八年政変の際の反華人暴動の傷跡があちこちに残っている。ある日デウィが会社から帰ろうとすると、華人の受付嬢から「その格好だと華人に間違われて危ないからムスリムに見えるようにベールを被ったほうがいい」と助言される。デウィの下宿の外壁には「原住民」と大書されている。下宿の住人たちが書いたもので、ここに住んでいるのは華人ではないという意味だ。

ジャワの実家から手紙が届くと、精神障害のある姉ディが相手不明のまま妊娠したことを報じる地方紙の切り抜きが入っていた。一〇年ぶりにデウィが実家に帰ると、妊娠した姉がベッドで寝たきりに

『窓』の一場面。デウィは実家で寝たきりの姉の妊娠を知り、父に疑いの目を向ける
〈Nurman Hakim〉

なっていた。地元の工場で要職にある父親ダルソノは権威主義的で、毎朝母親が淹れる紅茶の甘さ加減に文句を言うことで自分の権威を示している。父親は数か月前に夜市が開かれたときに村外の男が家に忍び込んでディを妊娠させたと疑っているが、母親はディの妊娠を処女懐胎だと言って受け止めようとする。父親はディの精神障害の原因は母方の血筋にあると母親を責めるが、母親は父親の理不尽な責めに反論せずに耐えている。デウィはそのような母親を見て歯がゆくてならない。

デウィは姉を妊娠させた男を突き止めようとし、相手の男が仮面を被っていたことを姉から聞き出す。視覚障害を持つギター弾きの物乞い、村外から来て隣家に間借りする若い絵描きのプリヤント、カウボーイハットを被る風変わりな風体の幼馴染のジョコなど、疑わしい人物はたくさんいる。デウィはプリヤントに惹かれて親密になるが、プリヤントは仮面を被った男に襲われる。

デウィは、自分が家を出てジャカルタに行くことになったのは、父親がデウィに欲情していることに気づいた母親がデウィを守ろうとして父親から引き離したためだったことを知る。デウィは姉を妊娠させたのは父親ではないかと疑う。デウィの母方の祖父はオランダ植民地時代に工場の原住民従業員の取りまとめ役として勤めており、その功績のためにデウィの父親ダルソノが工場で仕事を得たことがわかる。母親は家に代々伝わるバティックの布を大事にしており、バティックの一つひとつの紋様に物語が託されていると言って、寝たきりのディにバティックをかけて紋様にまつわる物語を話して聞かせる。

父親は工場で閑職に追いやられるが、そのことを家族に言わずに毎日出勤し、母親は父親に前と同じように仕え続ける。しかし、父親が閑職に追いやられたのも、その後も工場に通っていられるのも、母親が工場長に掛け合ったためだった。新聞にディの記事が掲載されたのも母親の手配によるもので、デウィをジャカルタから呼び寄せたのも母親だった。

父親はしだいに権威を失っていく。道端でジョコに会っても挨拶されず、家ではデウィから敬意を払われない。居場所を失った父親は、ジャカルタ行きの列車が出る駅に向かって線路の上を一人歩き、列車に轢かれて死ぬ。墓碑には「一九四〇年五月一二日生まれ、一九九八年八月一日没」と記される。母親、ディ、デウィは、父親の葬式が終わると家を畳み、父親が死んだのと同じ線路を歩いて駅に向かい、ジャカルタ行きの列車に乗る。

三人がいなくなった村ではジョコが仮面を持って歩いており、ディを妊娠させてプリヤントを襲ったのはジョコであることが示唆される。誤って池に仮面を落とし、それを拾おうとして池に入ったジョコは水中に沈んでいき、物語が終わる。

『窓』は一九九八年政変前後のジャワを舞台に、父親が抑圧的にふるまう家庭を取り上げ、父権主義が崩壊する過程をシニカルに描いている。父親が母親を長年抑圧していることや娘に欲情していることから父権主義の罪と横暴が描かれる。ただし父親は娘の妊娠を防げず、妊娠した娘を守ることもできないことから、父権主義が機能しなくなっている状況も描かれている。

父親は家庭の内でも外でも権威を失って自殺に至る。そのきっかけをつくったのは長年にわたって父権主義を支えてきた母親だった。父親の娘への仕打ちに耐えられなくなった母親が父親を支えるのを止めた途端に父親の権威が失われる。これはインドネシア国家の「父」であるスハルト大統領が女房役のウィラント副大統領やハルモコ国会議長に引導を渡されて大統領を辞任した過程と重なる。

ただし、ここで終われば抑圧する父権主義に抵抗した女たちの物語となるが、物語はそこで終わらない。ディを妊娠させたのは幼馴染のジョコで、そのことにデウィたちは気づいていない。また、女三人でジャカルタに向かったデウィたち[▶30]に、その先どのような人生があるのかは示されない。さらに、経済状況が厳しいなか、直ちに明るく自由な未来があるとはとても思われない。本当の敵は父ではなかったかもしれないこと、そしてそのことに三人が気づかぬままエンディングを迎えていることは、一九九八年政変でスハルト体制が崩壊して父権主義を否定したことを手放しで喜べない現実の切実さを感じさせる。

ニア・ディナタは、映画制作を通じて家族主義の問題を女性の観点から捉え直してきた。その根底にあるのは、「父が不在でも子は自分で育つことができるが、父の存在が家族に危険を及ぼす場合にはどのように対応すればよいのか」という問いである。

『分かち合う愛』では、生活環境や仕事の機会に恵まれたジャカルタを舞台に、専門性や器量や若さを元手にできる女性たちを主人公にすることで、女性どうしで連帯して夫を追い出すという状況にリアリティを与え、妻たちが夫を見限る様子を軽快に描いた。『三人姉妹』で

▶30 ディは妊娠しており、このあとに出産と子育てが待っている。物語の最後に女たちが夫抜きに子を育てることは『マルリナの明日』［3部4章］と『ベアトリスの戦争』［4部3章］でも繰り返される。

は、舞台をジャカルタやジャワから見て異郷であるフローレス島に移し、父・夫を排除するのではなく手なずけて女性が主導権を握ることで、父・夫が害をなす存在になることを防ごうとした。これに対してヌルマン・ハキムの『窓』では、ジャワの名家を舞台に、家族を抑圧してきた父・夫が妻と娘から排除される。

いずれも、女たちの連帯によって、家族に危機や抑圧をもたらす父・夫から女たちの安全と幸福がはかられる。ただし、『窓』の結末が暗示するように、父・夫より大きく、女たちの連帯によっても太刀打ちできないかもしれない脅威が家の外に存在するとき、家庭内で害をなす父・夫を無力化するだけでは女たちは危機から救われない。この課題に対するインドネシア映画からの応答は、父を支えて家族を盛り立てる〔➡2部4章145頁〕、害をなす男を倒す〔➡3部4章235頁〕、受難に屈せず生き延びる〔➡4部3章304頁〕といった形で行われる。

第3章

父亡きあとに父を受け入れ自立を目指す
——三つの映画にみる父との向き合い方

『珈琲哲學～恋と人生の味わい方』、『再会の時～ビューティフル・デイズ2』、『魔の一一分』

「強い父」を象徴する存在だったスハルト元大統領は、病気療養の末、退陣から一〇年後の二〇〇八年に八六歳で亡くなった。この頃、インドネシアの経済や治安状況がスハルト政権時代と比べて好転しないことから、「スハルト政権時代のほうがよかった」という声も聞かれるようになった。

二〇〇九年の大統領選挙ではスハルトの義理の息子で国軍中将のプラボウォ・スビアントが副大統領候補になり、落選したが二〇一四年には大統領候補として出馬した。◀31 プラボウォはインドネシア国民を守るためであれば暴力も辞さないという姿勢をとり、自身がスハルト政権時代に国軍で行ったこと［➡1部3章59頁］については、「国の命令でテロ容疑者を拘束したのであって人権侵害にはあたらない」と主張した。プラボウォはスハルトの再来をイメージさせ、「子は亡くなった父の業績や負債を受け継ぐべきか」という問いが人々の関心に上った。

▶31 2014年の大統領選挙で落選し、2019年の大統領選挙でも再び大統領に立候補したが落選した。

この頃には、一九九八年政変の頃に学生だった世代がそれぞれの分野で中堅として活躍するようになっていた。かつての若者たちのなかには、成長の過程で父と疎遠になり、悩みを相談したり恨み言をぶつけたりしたくても相手がいないという人も多かった。彼らは仕事や家庭の困難について指針や助言がほしいけれど、父を否定してしまったために父に聞くことができない。自分のことを認めてほしい父から認めてもらえない。父のせいで苦境にあると考え、人生の選択肢が狭められたという恨みを抱いている。さらには、父が家族のことを何でも決めてしまうせいで自分が望んだのと違う道を歩むことになってしまったと思っている人もいる。父の望みに沿った結婚相手や仕事を選んだことに不満はないし、今の人生に意義を見出しているけれど、何か足りないものがあるような、何かを過去に置いてきてしまったような気持ちで日々を過ごしている。

この章では、このような気持ちが共有されている時代につくられた話題作である『珈琲哲學～恋と人生の味わい方[32]』（二〇一五年、以下『珈琲哲学』）、『再会の時～ビューティフル・デイズ2[33]』（二〇一六年、以下『再会の時』）、『魔の一一分[34]』（二〇一七年）の三つの作品を紹介する。『再会の時』と『珈琲哲学』はどちらも「父の不在」が克服される物語であるが、「父の不在」が子にもたらす影響の描き方は対照的である。『魔の一一分』は子を授かって父になることをめぐる問題を扱っている。

インドネシアで男たちは「父になること」に縛られてきた。仕事をして、結婚して、子を授かり、子を育てて父になることで一人前の男になれるという縛りである。そのように言葉で言われなかったとしても、自分の内面にそれを是とする考え方が存在して、「内なる父」の

▶32　原題は『Filosofi Kopi the Movie』。
▶33　原題は『Ada Apa dengan Cinta 2』。
▶34　原題は『Critical Eleven』。

声に縛られることもある。以下では、三つの作品を通じて、男たちが父になるという束縛からどのように解放されるのかを見てみたい。

成長して父の思いを理解し自立する――『珈琲哲學～恋と人生の味わい方』（二〇一五年）

『珈琲哲学』（二〇一五年）は、スハルト体制崩壊後のインドネシア社会が直面した「父の不在」を克服する道を、鮮やかに、しかも希望を持って示している。

『珈琲哲学』はアンガ・ドゥイマス・サソンコ監督（一九八五年生まれ）［➡318頁］の長編第六作である。アンガはインドネシア大学在学中から映画制作を始め、卒業後の二〇〇八年に映画会社[35]を設立した。長編第五作にあたる『モルッカの光』[36]（二〇一四年）はインドネシア映画祭最優秀作品賞に選ばれ、二〇二〇年までに長編一二作品を監督し、そのほかに長編五作品をプロデュースしている。社会問題、恋愛、ホラー、アクションと幅広いジャンルを手掛けてきた。

『珈琲哲学』は、一九七六年生まれのディー・レスタリが二〇歳のときに執筆した同名の短編小説[37]を原作としている。ディー・レスタリは小説家と歌手の二つの顔を持ち、歌手としては本名のデウィ・レスタリを使い、女性三人組のポップ歌手グループのリダ・シタ・デウィの一人として一九九四年にデビューした[38]。小説家として知られるきっかけはサイエンス・ロマン大作の『超新星[39]――騎士と姫と流星』（二〇〇一年）で、シリーズが第六巻まで刊行されて

▶35 Visinema Pictures。

▶36 原題は『Cahaya dari Timur: Beta Maluku』。

▶37『珈琲の哲学――ディー・レスタリ短編集　1995-2005』（ディー・レスタリ著、福武慎太郎監訳、上智大学出版、2019年）。

▶38『珈琲の哲学――ディー・レスタリ短編集　1995-2005』の解説では「リダ・シデ・デヴィ」と書かれているが、原語に忠実に表記すると「リダ・シタ・デウィ」になる。また、1995年デビューとあるが、これはファースト・アルバム発表の年で、結成（活動開始）は1994年である。

▶39 原題は『Supernova: Ksatria, Putri, & Bintang Jatuh』。リサル・マントファニ監督によって2014年に映画化された。小説の日本語訳『スーパーノヴァ　エピソード1――騎士と姫と流星』（ディー・レスタリ著、福武慎太郎監訳、上智大学出版、2021年）が刊行されている。

二〇一四年に映画化された。ディー・レスタリの小説は、ほかに『紙の舟』[40]（二〇〇九年）が映画化されている。

映画『珈琲哲学』で、カフェ経営者のジョディ、バリスタ（コーヒーを淹れる専門家）のベンという二人の男性と、コーヒー批評家の女性エルは、道を示してくれることなく自分たちの前から突然姿を消したそれぞれの父親にわだかまりを抱いている。やがて「完璧な珈琲」を求める三人の連携が実り、誰もが心を打つ一杯にたどりつく。それは三人がそれぞれの父親の生き様を受け止め、自分が進むべき道を見出すのと同時だった。

父が姿を消したことは、子にとって、亀裂が入った父子関係を修復する機会が失われたという意味で災いである。その災いは、父抜きの人生を歩み始めて成長した子が父の生き方を理解するとともに父の愛を確信することで解消され、子は背に父の思いを感じながら自分の道を歩み出す。

アンガは、コーヒーを通じた自分探しを描いたディー・レスタリの軽妙な短編小説に一味も二味も加えて、「姿を消した父」からの自立の道を示す作品に仕上げた。アンガ

『珈琲哲学』ではジャカルタのカフェを舞台にジョディ（右端）とベン（中央）による「完璧なコーヒー」探しが描かれる〈監督：Angga Dwimas Sasongko、撮影：Ferry Rusli、Laurentius Wisnu〉

▶40　原題は『Perahu Kertas』。ハヌン・ブラマンティヨ監督によって2012年に『紙の舟』『紙の舟2』として二部構成で映画化された。画家志望の青年キーナンと童話作家志望の女性クギの恋愛物語。キーナンの父親は息子を経済学部に進学させて将来は自分の会社を引き継いでほしいと考えるが、キーナンはプロの画家になるために家出してバリ島で修行する。

が原作に加えた味を味わうため、映画と異なる部分を意識しながら原作の内容を紹介したい。

小説版『珈琲哲学』（一九九六年）

小説『珈琲哲学』は、「あなた自身をみつける店」をモットーに掲げたカフェの経営者ジョディと、世界中をまわって修行したバリスタのベンの二人の物語である。

ベンが珈琲を淹れながら話す蘊蓄が客に受け、客たちはその説明を楽しみに来店するようになる。そこで店名を「珈琲哲学」に変え、「ここで自分を見つけてください」という言葉を看板に掲げ、客に「今日あなたが飲んだコーヒーは…」（…の部分にはベンのメッセージが書かれる）というカードを渡すことにしたところ繁盛した。そこに、若くして商売で成功して美しい女優の妻を得た三〇歳代の外車輸入会社社長が訪れ、自分の人生を象徴するような「完璧なコーヒー」を出してくれたら五〇〇〇万ルピア払うと申し出る。ベンは何日もコーヒー開発に没頭し、ついに「完璧なコーヒー」を完成させて五〇〇〇万ルピアの小切手を受け取る。「ベンのパーフェクト[41]」と名付けられた一杯は、「成功とは人生の完璧な姿である[42]」という説明のカードとともに客に供され、店はさらに繁盛する。

満足したベンのもとに一人の男性客が訪れる。得意げにコーヒーを出すベンに、客は「パーフェクト」の味を「最高」と言わずに「悪くない」と評価する。この客が「最高のコーヒーは別にある」と言ったことから、ベンとジョディはそのコーヒーを探しにジャワに向かう。二人はセノ夫妻が営む農園でティウスというコーヒーを飲む。ベンはその味の素晴らしさ

▶41 原作小説（“Filosofi Kopi［1996］.” *Filosofi Kopi: Kumpulan Cerita dan Prosa Satu Dekade.* Dee Lestari. Truedee Books & Gagas Media. 2006, pp. 1-30.）での表記は「BEN’s PERFECTO」。

▶42 原語に忠実に訳すならば「成功とは人生の完璧さを形にしたもの」となる。

に衝撃を受け、自分が受け取った五〇〇〇万ルピアはセノに渡すべきだと言い出してジョディと喧嘩する。一人になったジョディは手元にあったティウスの豆でコーヒーを淹れる。ジョディは初めて自分で淹れたコーヒーを飲みながら一啜りごとに何かに気づいていき、三口啜ったところで無二の友人を失ったことを理解する。ジョディはセノを再訪して「完璧なコーヒー」の対価である小切手をセノに渡すとともに、セノの豆を持ち帰ってベンにティウスを淹れ、カードを渡す。「今日のコーヒーはティウス。その意味は、人生は完璧でなくてもそのままで美しい」。これをきっかけに友情が復活し、店も復活する。

　スハルト体制崩壊の前に書かれたこの小説には、映画版にあるような親子の葛藤の物語や民族的多様性の要素は含まれていない。

映画版『珈琲哲学』（二〇一五年）

　映画『珈琲哲学』では、ジョディ、ベン、エルの三人が、それぞれ父親との関係に問題を抱えている。ジョディとエルは、何を考えているか教えてくれることなく目の前から去った父親にわだかまりを感じている。ベンの父親は、あるときから態度を豹変させてベンに理解できない存在になり、ベンが父親のもとから去った。これらはいずれも、スハルト体制の崩壊後にインドネシア映画が子を保護し導く強く賢い父を容易に描けなくなったことを彷彿とさせる。ジョディ、ベン、エルの三人がそれぞれどのようにして「消えた父」との関係を修復させていくのかが、映画版『珈琲哲学』のテーマとなる。

ジョディは、父親が生前に経営していたジャカルタの雑貨店を改装し、兄弟同様に育ったベンとともにカフェ「珈琲哲学」を営んでいるが、父親が残した負債の存在が明らかになって金策に頭を悩ませる。店舗を売れば負債を返済でき、ジョディは海外の大学で学位をとっているので次の職も簡単に見つかるだろうが、コーヒーを淹れる以外に何もできないベンは路頭に迷うはずだと考え、店を担保に借金をして、カフェで利益をあげることで負債を返す方法を探している。ジョディは、父親が負債をこしらえていたことにも、それを自分が負わなければならないことにも納得がいかない。ジョディの海外留学の費用は父親の負債から出ていたと人に諌められても、「店の価値より負債のほうが大きいなんてついていない」と父親への不満は尽きず、父親の墓参りにも行っていない。

ジョディによれば、父親は金を手当てしてくれても大事なことは何も教えてくれず、死ぬ直前まですべて一人で決めていた。父親の意図がいまだにわからないジョディは、「父親を恨んでいない」とは言うものの、「受け継いだ雑貨店をカフェに変えたことは父親への復讐のつもりだ」と言う。

ベンはスマトラでコーヒー農園を経営する父親のもとで、コーヒーミルを遊び道具にして育った。母親の死をきっかけに父親はコーヒー栽培をやめ、ベンがコーヒーに関わることを一切禁じた。納得がいかないベンは家を出て、ジャカルタで路頭に迷っているところをジョディの父親に拾われ、ジョディと兄弟同然に育てられた。父親を慕っていたベンには父親が態度を急変させたことが理解できず、父親に裏切られたという気持ちが消えないまま父親と連絡をとっていない。コーヒーを淹れることが生きがいだが、コーヒー農園には足を踏み入れずにいる。

エルはコーヒー評論家の父親を誇りに思っている。父親は仕事で世界中をまわり、家に戻るのは月に二日程度だった。エルの一八歳の誕生日には「必ず家に帰ってくる」と約束したが、父親が帰ってきたのはパーティーが終わったあとだった。謝る父親を、エルは「私には父さんはいない」と責めた。その事件のあと父親はコーヒーの本を書く準備のためペルーに取材に出かけ、飛行機事故で帰らぬ人となった。エルは、父親にはエルに理解できない自分の世界があったと感じていた。

ジョディは経営者として、ベンはバリスタとして、エルはコーヒー評論家として「最高のコーヒー」を求めていた。やがて三人の連携が実ったとき、心を打つ一杯にたどりつく。

ここで重要な役割を果たすのは、エルがジョディとベンに紹介したセノ夫妻の物語である。セノ夫妻が淹れるティウスの味に驚愕したベンは、「この豆をつくるのにどんな秘訣が隠されているのか」とセノ夫妻を問い詰める。セノ夫妻は亡くなった愛娘ティウスの話をする。夫妻は住んでいた村から引っ越すことにしたが、ティウスは友達と離れたくないと嫌がった。引っ越した先の村でティウスは流行り病にかかって死んでしまい、夫妻は引っ越ししなければティウスを死なせることはなかったと後悔する。亡き娘の口癖が「ティウス、ティウス」だったことからコーヒー豆にティウスという名前を付けて、夫妻は娘を育てるように豆を育ててきた。親子の物語が隠されたティウスの豆を使って、ジョディとベンは最高のコーヒーをつくり上げる。子を失った親の心情を示す物語を経て、三人はそれぞれの父親の生き方を理解し、関係を修復していく。

　ベンはセノ夫妻のコーヒー農園でかつての父親とのやりとりを思い出し、父親の教えが現在の自分を形づくっていることに気づく。そして最高のコーヒーをつくるというジョディとの約束を果たすと、久しぶりにスマトラの父親のもとに帰る。コーヒー栽培をやめて野菜づくりを生業にしていた父親は、ベンにコーヒーを淹れてくれと頼み、過去に何があったかを明かす。父親はコーヒー農園をアブラヤシ開発業者に売るよう脅されており、母親の死は父親が業者の脅しを断ったことによるものだった。母親の遺体の手には、次はベンの命を狙うことを示唆するメモが握られていた。父親がベンにコーヒーに触れることを禁じたのはベンを守るためだった。そのことをベンに語らず、ベンが農園を出ていくのに任せて農園でベンが帰ってくるのを待っていたのは、父親もまた母親の死を受け入れるために時間が必要だったためだ。

　ジョディはベンとともに最高のコーヒーをつくり上げたことで、父親の負債を払ってあまりある大金を手に入れる。これで父親の店を売らずにすんだと思いきや、ジョディは店を売り払い、購入したバンを店舗に改造して移動式カフェの「珈琲哲学」にする。

　雑貨店をカフェにしたのは父親への復讐だと言っていたジョディが店を売ったのは、父親への復讐心がなくなったことを示している。ただし、店を売ったジョディが車を改造した移動式カフェを始めたことには、父親への復讐心がなくなった以上の意味がある。劇中で父親の雑貨店は「トコ・クロントン」(クロントンの店)と呼ばれている。かつてインドネシアにはクロントン(小太鼓)を鳴らしながら村々に生活雑貨を売り歩く華人の行商人がいた。転じて、現在のインドネシアでトコ・クロントンといえば街角の雑貨店やコンビニエンス・ストアを指す。ジョディの父親も華人であり、ジョディが父親のトコ・クロントンを売って移動式カフェを手に入れたことは、単に父親や祖先の生業を継承しただけでなく、「父もまたその父の思いを継承してきた」という来歴をジョディが受け入れたことを意味している。ジョディが最後に行った移動式カフェという選択は、父親の原点に連なるものだった。

『珈琲哲学』の主題歌は原作者ディー・レスタリが作詞した「許す」という楽曲で、

昔消えたものが今やってきて
僕が捨てたものが目の前に現れる
この苦痛はまだ消えない
怒りから僕を守ってくれ
僕に許す力を与えてくれ

と歌う。『珈琲哲学』は、一九九八年政変以降、強権的に国民を導いてきた「父」スハルト大統領の負の遺産に苦しんできたインドネシア社会が、自らの来歴を受け入れ、それによって自分の道を見出し、新たな一歩を踏み出そうとしたことを象徴している。

『珈琲哲学』の続編として制作された『ベンとジョディ〜珈琲哲学第二章』[43](アンガ・ドゥイマス・サソンコ監督、二〇一七年。以下、『ベンとジョディ』)では、ベンと女性バリスタのブリがいがみ合いつ

▶43 原題は『Filosofi Kopi the Movie 2: Ben & Jody』。

つ、一流のコーヒーを豆からつくるという志を共有していることを互いに理解しあう。

ベンの父親は亡くなったが、コーヒーの新しい品種をつくるための栽培施設を遺していた。この施設を引き継いで、ベンとブリはコーヒーの新品種づくりに共同で取り組む。二人がつくり出した豆には「ベンとブリ」という名がつけられる。劇中では二人が結婚している様子はなく、二人の間の恋愛感情も描写されていないが、同じ志を持って共同事業に取り組む二人が生み出した成果はいわば二人の子であり、子を産み育てる二人は家族をなしていると言える。その意味で、『ベンとジョディ』は、血を分けた子をつくらずとも新しい家をつくる道があることを示唆し、現代の若い世代に「家づくり」への希望の道を示している。

父の死後に自分を取り戻す——『再会の時』（二〇一六年）

『珈琲哲学』の公開の翌年、『ビューティフル・デイズ』〔➡2部1章73頁〕の続編である『再会の時』が制作・公開された。監督はリリ・リザである。

『珈琲哲学』と『再会の時』では、父子関係をめぐる課題の捉え方に明確な違いが見られる。この違いは、二〇歳代後半でスハルト体制崩壊を経験したリリ・リザと、一九九八年政変時には小学生だったアンガの世代の違いに由来するように思われる。スハルト体制期を知らず、成人したときにはスハルト（すなわち「父なるもの」）が社会から失われていたアンガは、『珈琲哲学』において、父がいなくて困った若者がその状況をどう克服するかを描いた。これに対して、スハルト体制末期を学生として過ごし、「父」がいて困ったという実感があるリリ・リザは、『再会の時』で、父が亡くなってから再会があり、止まっていた時間がまた進みだす様子を描いた。

前作から一四年を経て制作された『再会の時』では、劇中でも一四年の歳月が過ぎ、ランガはニューヨーク、チンタはジャカルタでそれぞれの生活を送っている。物語は、ランガがインドネシアに帰国してチンタと偶然出会い、前作で引き裂かれた二人の関係が急速に修復されていく様子を、ジョグジャカルタの観光地めぐりとともに描いている。

大ヒットとなった前作と同様に、『再会の時』も観客動員数三六六万人で興行的に大成功を収めた。ただし、高校生の純愛物語が鮮烈な印象を残した『ビューティフル・デイズ』と比べて、三〇歳代の男女が織りなす『再会の時』はドラマ性に欠けるとの批評もあった。これは、『ビューティフル・デイズ』が残した二つの別れ、とりわけランガとチンタの別れがあっさりと克服され、さしたる困難もなく二人が再会に至ったように見えるためだろう。

『再会の時』では、再会したランガとチンタの間に横たわる溝が修復されていく過程がジョグジャカルタの観光地めぐりとともに描かれる〈Courtesy of Miles Films〉

前作の別れが本作であっけなく解消されるのは、以下に見るように、二人を引き裂く原因を生んだそれぞれの父親がいなくなったためである。

偶然に彩られ予定調和に見えた再会

『再会の時』は、ジャカルタとニューヨークの二つの場所から始まる。ジャカルタでは、チンタがアートギャラリーを経営して順風満帆の人生を送っている。ハンサムで裕福でチンタの仕事に理解を示す恋人トリアンもいる。チンタはビジネスはやり手だがアートに関心のないトリアンとの会話に時折もの足りなさを感じることもあるが、誰が見ても申し分のない恋人に文句の言いようがない。高校時代の仲間たちとのつきあいは続いており、裕福な暮らしぶりも当時と変わらない。そんななか、カルメンが薬物依存者更生施設での保護期間を終えたことをきっかけに、チンタ、カルメン、出産間近のミリ、三児の母親になっていたマウラの四人が顔を揃え、ジョグジャカルタへの小旅行に向かう。『ビューティフル・デイズ』でチンタの最良の理解者であり、父親の家庭内暴力に苦しんで自殺をはかったアリヤは事故で亡くなっている。旅行の直前にチンタはトリアンと婚約しており、この旅行はチンタにとって独身最後の記念旅行でもある。

ニューヨークでは、ランガがカフェを経営しながら文筆活動を続けている。詩集の制作にとりかかっているが、どうも調子が出ない。[44] 忘れられない女性が心にいるせいだろうと友人にからかわれる。そこにランガの異父妹が現れ、「ジョグジャカルタにいる母親に会ってほ

▶44 この詩集『今日、ニューヨークはなかった』(*Tidak Ada New York Hari Ini.* M. Aan Mansyur. Gramedia Pustaka Utama. 2016) は映画関連書籍として実際に刊行され、インドネシアの書店で販売された。

しい」と頼まれ、ランガはインドネシアに向かう。

物語が進むにつれ、チンタとランガの一四年間の様子が明らかにされる。ランガがニューヨークに去った後もチンタとランガは電話やメールのやりとりを続けていた。ランガのパソコンには二〇〇六年にニューヨークで撮られたと思われるチンタとの写真が保存されており、チンタは家族旅行でニューヨークを訪問してランガと楽しいひと時を過ごしていたことがわかる。しかしニューヨークから戻るとランガからの連絡が間遠になり、理由もなく別れを告げる手紙を最後に音信不通になった。チンタは突然の別れを受け止めきれず、高校時代の友人たちの励ましで何とか立ち直ったものの、ランガからの手紙を収めた箱を捨てられないまま九年間を過ごした。

ジョグジャカルタで偶然ランガを見かけたカルメンたちがランガとチンタを引き合わせると、そこから物語はチンタの九年越しの恨みをランガがどのように解きほぐすかが焦点となる。なぜランガは突然別れを告げたのか。そして二人の仲はどうなるのか。二人が互いに惹かれあっていることは明白であり、二人を隔てる最大の障害は九年の歳月とそれによってもたらされた心のしこりだけのようだ。やがてジョグジャカルタをともに旅することで二人の間で止まっていた時間が流れ出し、観客の予想と期待の通り、二人は心を通わせ合い、二人が一緒に過ごす人生が始まる予感で物語が終わる。

かくしてランガのチンタとの再会は、ランガがニューヨークからジョグジャカルタに来ることであっさりと達成される。チンタとの出会いが偶然によることもあいまって、『ビューティフル・デイズ』以来の課題だった再会と和解は予定調和的に達成される。

一四年という時間の経過と父親世代の後退

ランガの別れの理由はチンタの父親の一言だった。娘の幸せを願う一言が、結果としてランガにチンタとの関係の継続をあきらめさせた。『ビューティフル・デイズ』でランガがニューヨークに去らなければならなかった理由はランガの父親にあった。共産主義者の誹りを受けて職場を追われたランガの父親が息子を連れてニューヨークに行くことを決意するのは、ならず者たちによって自宅に火炎瓶が投げられた後のことだった。ランガとチンタを別れさせる意図があったわけではないが、二人の仲は二人の父親によって引き裂かれたと言える。

『再会の時』でランガの父親は亡くなっている。チンタの父親については触れられないが、ランガがチンタのかつての家を訪ねると家主が変わっており、チンタの父親は亡くなっているか、そうでないとしてもチンタとの関係において気にする必要がなくなっていることが示されている。二人を離れ離れにした障壁はもはやなく、ランガはチンタに九年前の別れの理由を話すことができる。亀裂の修復に必要なのは、失われた九年の歳月が隔てた心の距離をどのように取り戻すかである。そのため映画後半の見どころは二人のジョグジャカルタめぐりとなる。

『再会の時』では、観光地として有名なジョグジャカルタで観光客にあまり知られていない観光名所が紹介された。ヒップホップや人形劇[45]のような文化活動が物語上の必然性を持って挿入され、映画で紹介されることによって商品が売れたり撮影地が観光客で賑わったりした。『虹の兵士たち』[➡2部1章79頁]の公開によって舞台のブリトン島に観光客が増え、映画と観光の結びつきが意識された。映画で紹介することで観光客が増えることを意識して映画がつくられるようになったのはこの頃のことである[46]。

チンタにはジャカルタに婚約者がおり、そのためチンタの心に葛藤が生じて二人の関係はすぐには以前のように戻らないが、それもさほどの障壁ではない。チンタは自分の判断に従って行動できる大人になっていた。婚約者との関係は自分で清算したのだろう。『ビューティフル・デイズ』と同様に、ランガへの思いを自覚したチンタはニューヨークへと出発するランガを追って空港に向かう。前作と違うのは、チンタはランガの乗る飛行機に間に合わないことだ。しかし、『ビューティフル・デイズ』の後に家族旅行の機会を待たなければならなかったのと違い、大人になったチンタは単身でアメリカにいるランガに会いに行くことができる。

『ビューティフル・デイズ』のもう一つの別れであったランガと母親の再会はどのように果たされたのか。異父妹がニューヨークにランガを探しに来たのは、ランガの母親の再婚相手が亡くなったためだった。ランガの父親も亡くなっており、ランガが母親に会うのに父親の思いを気にする必要はなくなっていた。ジョグジャカルタでチンタと九年ぶりの再会を果たすと、ランガはその足で母親の家に向かう。かつてランガを突然失ったチンタの心の痛

▶45 作中、ペーパームーン・パペット・シアターによる「プラヤからの一杯のコーヒー」が上演される。これは1965年の虐殺後の実話をもとにした、愛する女性と交わした約束を40年守り続けて誰とも結婚しなかった男性の物語である。親しい男女が政治情勢のために離れ離れになった物語が無言の紙人形芝居で演じられ、それをランガとチンタは黙って鑑賞する。1965年の悲劇は、2016年の現在を生きる二人が自分たちの境遇が昔と違うことに気づき、その後の二人の和解を導く仕掛けとして機能している。1965年の悲劇がもたらした別離の物語については4部2章[➡264頁]も参照。

▶46 地方を舞台にした映画が観光産業の振興とどのように結びついているかについては、スンバの事例について「映画とインスタグラムが誘うスンバ――インドネシア東部における観光の発展」(小池誠、『桃山学院大学総合研究所紀要』46(2)、2020年、pp.61-80)で紹介されている。

みを受け止めたことで、ランガは自分の目の前から突然姿を消した母親の事情や心情に思いをめぐらすことができるようになっており、母親との再会に大きな障壁はなくなっている。

ランガと母親、そしてランガとチンタを隔てる障壁である父親たちがいない一四年後の世界で、二つの再会はクライマックスを経ないまま果たされた。

インドネシアの現在と地続きの物語

『再会の時』は、『ビューティフル・デイズ』と同じ役者・配役で制作され、劇中の時間も現実世界と同じ一四年を経て公開された。登場人物たちの一四年は、かつて『ビューティフル・デイズ』を見た観客たちの一四年でもある。観客も登場人物たちと同じ長さの時間を経て劇場でチンタとランガに再会した。劇場ではマウラたちのような子連れの若いカップルの姿が目についたという。

登場人物の一四年は役者たちの一四年でもある。劇中でマウラはクリスと結婚して三児をもうけているが、マウラ役のティティ・カマルとクリス役のクリスティアン・スギオノは実生活でも夫婦になっている[47]。

一四年の間には、チンタとランガの父親を演じた二人の俳優を含む四人の役者たちが亡くなっている。ランガの父親を演じたプラマナ・パドマダルマヤは二〇一三年、チンタの父親を演じたフランス・トゥンブアンは二〇一五年に亡くなった。ランガの行きつけの古書店の店主で、チンタと喧嘩したランガに助言するリンボンを演じたギト・ロリエスは二〇〇八年、

▶47 ティティ・カマルはムスリム、クリスティアン・スギオノはキリスト教徒で、二人はそれぞれの信仰を維持したままオーストラリアで結婚したカップルとして話題になった。

ランガの高校の用務員ワルディマンを演じたマン・ディマンは二〇〇一年に亡くなった。『再会の時』における「父という壁の消失」は、物語上の必然だけでなく、インドネシアを生きる人々のリアリティを示しているともいえる。

観客は文字通り父の世代が退場した現在を生きている人々であり、父の影を気にせずに社会を担うようになった世代がこの作品に共感した。この作品が多数の観客を呼び込んだのは、『ビューティフル・デイズ』世代の成長とともに、一四年前に時代の節目を的確に掴んで『ビューティフル・デイズ』を作品にしたリリ・リザとミラ・レスマナが再び時代の節目を的確に掴んで『再会の時』を制作し、同世代感覚に広く訴えたためである。

完璧な父を目指すことをやめる——『魔の一一分』（二〇一七年）

『魔の一一分』（二〇一七年）は人気小説[48]のモンティ・ティワ監督による映画化である。海上石油プラントで働くアルと国際企業で働くアニャが第一子の流産を乗り越えて家族づくりに再出発する。

アル役は、商業映画から芸術映画まで、そして英雄からさえない上司まで幅広いジャンルと役をこなし、劇場で見ない日はないとまで言われる人気俳優のレザ・ラハディアンが演じ、アニャ役は、『ビューティフル・デイズ』のカルメン役で人気を博し、様々な監督からひっぱ

▶48 2015年に刊行された同名の小説で、著者は1977年メダン生まれのイカ・ナタッサ (Ika Natassa)。

りだこのアディニア・ウィラスティが演じた。アルの父親役と母親役には、インドネシアのテレビ・映画業界で理想の父親像と母親像を体現してきたスラメット・ラハルジョとウィディヤワティ・ソフィアアンが起用された。

レザとモンティ・ティワ監督との組み合わせは、レザが主演した『妊娠検査』[49]（二〇一二年）以来である。『妊娠検査』でレザは、結婚七年目で子宝に恵まれず、妻タタと不妊治療に取り組むラフマットを演じた。ラフマットは子どもがいない生活に満足していたが、子どもを熱望するタタの期待に応えようとして不妊治療に取り組み、無精子症であることが判明する。自分が原因で妻に子どもを授けることができないとわかって自信を喪失するラフマットは、元恋人で不妊症のために夫と離婚したスーパーモデルのシンタと再会し、シンタと同じ境遇を共有して生きていくか、タタとの家づくりを追求するかで迷う。しかしタタはラフマットとの生活を捨てることを選択し、ラフマットは一人になる。

『妊娠検査』でラフマットを演じたレザは、『魔の一一分』では愛する妻との子どもを熱望し、妻の流産に落胆して妻を責めてしまう男性アルを演じた。アルの妻アニャはジャカルタにある国際企業に勤

『魔の11分』で、ニューヨークで暮らし、英語を自在に操ってグローバル企業で働くアルとアニャは理想的な国際人に見えるが、家族づくりではインドネシアの価値に縛られる
〈© Kharisma Starvision Plus〉

▶49 原題は『Test Pack: You Are My Baby』。

めていたが、アルの要望を受け入れて会社を辞め、ニューヨークに赴任するアルに同行する。アニャが妊娠すると、二人はお腹の子にアイダンと名付ける。海上石油プラントで働いているために家を空けることが多いアルは、アニャをニューヨークに一人残すことに不安を感じ、自分の両親がいるジャカルタに近い石油プラントへの異動を希望し、アニャとともにジャカルタに戻る。アニャはジャカルタの会社に復職し、妊娠九か月目に流産する。アルは妊娠中に復職したことが流産の原因だとアニャを責め、それをきっかけにアルとアニャの関係が冷え、夫婦は危機に直面する。

夫婦が危機から脱出するきっかけをつくったのはアルの両親の経験だった。アルの父親はリナルディ・リシャド将軍という軍人で、諜報活動を職務としていた。父親はアルが流産の原因をアニャに帰したことを後悔しつつもアニャに詫びることができないままでいることを知ると、自分もかつて流産した妻との関係が壊れかけ、その修復に二か月かかった過去を語りだす。自分の悲しみにかまけて妻の悲しみに気がまわらなかったことや、生まれなかった子どもの墓参りを現在も欠かさずしていることをアルに語る。父の失敗の経験を知ったアルはアイダンの墓参りをするようになり、アニャがアイダンの墓を避けて、アイダンが使うはずだった子ども部屋に入り浸っていることに気づく。アルの母親も自分の流産の経験をアニャに話し、流産は誰のせいでもないので自分を許す方法をゆっくり探すようにと諭す。アルとアニャの兄弟姉妹や友人のとりなしもあり、やがてアルとアニャは互いの痛みを受け止め、アイダンの死を共有し、二人でアイダンの墓参りに行く。ほどなくして二人は子どもを授かる。

後から振り返ると、アルが子どもを得て父親になる過程は平坦ではなかった。一人目の子どもは生まれず、そのことを受け止めあぐねて夫婦関係が危機に陥った。しかし、軍人である親の世代も生まれなかった子どもをめぐって家族崩壊の危機に直面し、それを乗り越えたことで自分たちの世代があることを知り、自分たちの危機を乗り越えて子づくりに向かうことができた。

タイトルの『魔の一一分』は、飛行機事故が多い離陸時の三分間と着陸前の八分間をあわせたものである。フライトで最も肝心な「魔の一一分」になぞらえて、男が父になるうえで最も肝心な時期である妻の妊娠・出産の時期を扱い、自分の内面に「よき男」の理想像があってそれが自分を縛ってしまう夫を描いた。「よき男」になることとは「よき父」になることであり、それは子を授かって守り育てていくことであるという理想像に縛られ、そのために家族をうまくつくれなくなってしまう。その縛りから解放されることで、子がいてもいなくても「よき男」になれると理解する姿を『魔の一一分』は描いている。新婚夫婦の家づくりを飛行機のフライトにたとえ、どんなベテランでも細心の注意を払うときがあると警告する作品の登場は、家づくりをめぐる課題がもはやそれほど大きなものではなくなっていることを意味しているのかもしれない。

これまで何度か記してきたように、インドネシアの人々は、「就職し、結婚し、子を授かって父になることで一人前の男になる」という考え方に長らく囚われてきた。「よき男」となるためには「よき父」にならなければならないという考えはまた、子を持つことができなければ一人前になれないという考えと裏表にある。父を失った人たちは、対話が困難な「内なる父」の声に縛られてきた。『魔の一一分』は、完璧ではない自分を許すことで困難を克服してきた先達を描くことで、理想像しか示してくれない「内なる父」の束縛から人々を解放し、失敗してもよいし完璧でなくてもよく、子がいてもいなくても「よき男」になれると理解する姿を描いてみせた。

父なるものが厄介なのは、たとえ父抜きで成長が可能であるとしても、「父とはこうあるべき」という理想の父像が存在して、それと現実の父親の姿を比べてしまうためである。そのことは、理想の父子像に照らして現実の自分がずれているというわだかまりも生む。理想の父子像と現実の自分がずれるという問題に対し、『珈琲哲学』では子が成長することで父を理解して許し、『再会の時』では子が成長することで父に妨げられていた希望を実現した。

子であるときだけでなく、父になろうとするときもまた、自分が理想の父ではないことに苦しめられる。『魔の一一分』では、最初の子づくりがうまくいかなかったために生じた夫婦の危機を乗り越える過程が描かれた。

二〇〇五年に制作されたリリ・リザの『GIE』［➡2部1章77頁］では、理想の父の姿が見失われており、子が成長しても父になる姿が描かれないまま終わった。それから約一〇年を経て二〇一五年に制作された『珈琲哲学』では、子が父の生き方を理解して自立の道への一歩を踏み出し、『再会の時』では父の死後に子が自分を取り戻して希望を叶える。『魔の一一分』では、自分の心の中にある理想の父像と実際の自分の姿とのずれのために父になる資格がないと恐れる男が、完璧な父を目指さなければならないという思いから解放される。

子にとって厄介な存在だった父の生き方を子が理解し、父と和解するとともに父になることの不安から解放されたことで、成長した子は父となる一歩を踏み出した。それでは、父になったら妻や子とどのような関係を築けばよいのか。この問いは、次章で見るように、「よき息子」像の見直しを通じて検討される。

第4章
支えられ、やり直して父になる
——ドラマと家族のリメイクにみる家族像の再編
『ドゥル』、『チュマラの家族』

スハルトに体現される「強い父」を否定することは、そのような父を支えてきた「よき子」の正当性も揺るがすことになる。ただし、子に害をなす父を前にどのようにして子の成長を遂げるかが課題だったあいだ、「よき子」の検討は棚上げにされてきた。子が成長して父と和解し、家族づくりや子づくりに踏み出すなかで、自分が子に害をなす父にならないことが検討され、「よき子」のあり方も検討されることになる。

前章でも触れたように、大統領選挙にスハルトの義理の息子が立候補して選挙戦を行うなかで、二〇一三年頃からスハルト政権時代を懐かしむ声が高まるようになってきた。これと同じ頃、昔のテレビドラマや映画のリメイクが多くつくられるようになった。

本章では、スハルト政権末期に放映が開始され、一九九八年政変後も制作・放映が続けられた伝説的なテレビドラマ・シリーズの映画化である『ドゥル』と『チュマラの家族』を取り上げる。『ドゥル』は一九九四年から二〇一一年まで一五〇話、『チュマラの家族』は一九九六年から二〇〇五年まで四一二話が制作され、家族全員で楽しめるテレビドラマとしてたびたび再放送されてきた。これらのドラマをもとにつくられた映画は、どちらも原作小説・テレビドラマともによく知られている国民的な家族の物語であり、父が周囲から支えられることで父になって家庭がつくられる。

テレビシリーズの延長上につくられた映画『ドゥル』三部作（二〇一八年、二〇一九年、二〇二〇年）が旧世代の制作者たちが理想とする家族像を現在の状況に即して描こうとしたのに対し、映画『チュマラの家族』（二〇一九年）はかつて流行したテレビドラマを現代の視点から翻案することで若者世代が理想とする家族像を描こうとしたという違いがある。

「よき子」は「よき父」になれるか——『ドゥル』三部作（二〇一八–二〇二〇年）

俳優ラノ・カルノとドゥル

『ドゥル』はオランダ植民地期の一九三二年に書かれた『ブタウィの子ドゥル』という児童小説を原作としている。この小説は一九七〇年代に映画化され、そのときドゥルを演じたラノ・カルノがドゥルのその後を描くために会社を立ち上げて制作したのがテレビドラマ・シリーズの始まりである。ブタウィの家庭に生まれ育った青年ドゥルが大学卒業、就職、家づくりと成長していくさまを描く人気のホームドラマで、モダンで積極的なサラと幼馴染で慎ましいザエナブという二人の女性に愛されるドゥルの家づくりがテーマである。

ラノ・カルノは一九六〇年にジャカルタで生まれた。父親はミナンカバウ人の俳優スカルノ・ヌルで、母親はジャワ人とブタウィ人の血を引いていた。ラノ・カルノは映画『ブタウィの子ドゥル』（一九七三年、シュマン・ジャヤ監督）にドゥル役として出演したことをきっかけに知られ、映画俳優の道を歩んだ。一九八〇年代から映画やテレビで活躍し、テレビドラマでも主役のドゥルを演じた。ラノ・カルノが出演した映画は二〇二〇年の時点で八一作に上る。

ラノ・カルノは、品行方正で愛嬌のある理想の男性像を演じてきた俳優であるとともに政治家の顔も持ち、国会議員や県知事や州知事を務めた。インドネシアという「家」で大統領が「父」であるとすると、州知事はそれより「一まわり小さい父」であり、ラノ・カルノは映画のなかでも実社会でも理想的な「父」のイメージを持つ。また、ドゥルはラノ・カルノが子役として演じた子ども時代から人々に知られており、ドゥルは「よき父」である前に「よき息子」でもあるため、ドゥル・シリーズは「よき息子」と「よき父」の両立は可能かという問いに

『ドゥル』の一場面。ドゥル（中央）はジャカルタの下町で伝統的なブタウィ様式の家で大家族で暮らしている〈© Falcon Pictures〉

挑戦し続けてきたといえる。[50]

ラノ・カルノがプロデュース・監督・主演を兼ねたテレビドラマ・シリーズ『学校出のドゥル』[51]（一九九四年）は、当時としては異例の大ヒットを記録し、以後、「ドゥル」シリーズは二〇〇二年の第六シーズンまで続いて現在に至る。このほか、二〇〇二年には単発のテレビドラマ『お屋敷住まいのドゥル』[52]もつくられた。これらのテレビドラマ・シリーズのその後の物語として、二〇一八年から二〇一九年にかけて制作・公開されたのが映画『ドゥル』三部作である。

映画はテレビドラマの続きを描いたもので、テレビドラマと同じくラノ・カルノが監督を務めた。テレビドラマの出演者が同じ配役で出演し、テレビドラマの登場人物たちが歳をとるのと同じように出演者が歳をとった現代の話である。親、妻、子のそれぞれに対して誠実であろうとする賢明なドゥルが様々な板挟みを乗り越えてどのように幸せを掴むのかが見どころとなっている。

小説版『ブタウィの子ドゥル』（一九三二年）

小説『ブタウィの子ドゥル』は、インドネシアがオランダの植民地支配下にあった頃、バタヴィア（現在のジャカルタ）で政府の出版部であるバライ・プスタカ[53]から刊行された。インドネシア独立後も再版され、二〇〇一年までに二三版を重ねている。[54]この小説では、孤児となったドゥルが義父や村長の助けで小学校に行くまでが描かれる。当時、ブタウィ人は敬虔なムスリムで、子を西洋式の学校に行かせると不信心者になるという偏見を持っていると考えら

▶50 ラノ・カルノも自分とドゥルが重ねて見られていることを意識していた。ラノ・カルノの自伝には『ラノ・カルノ：ドゥル』（*Rano Karno: Si Doel.* Gramedia Pustaka Utama. 2016）というタイトルが付けられている。

▶51 原題は『Si Doel Anak Sekolahan』。

▶52 原題は『Si Doel Anak Gedongan』。

▶53 オランダ植民地政府が文化事業のために設立した民衆文化局。

▶54 初版は『ブタウィの子ドゥル』(Si Doel Anak Betawi)として刊行され、インドネシア独立後にバタヴィアがジャカルタに改名されると『ジャカルタの子ドゥル』(Si Doel Anak Jakarta) のタイトルで刊行された。初版の内容は *Watching Si Doel: Television, Language, and Cultural Identity in Contemporary Indonesia* (Klarijin Loven. KITLV Press. 2008) による。

れていた。小説はこの偏見への挑戦でもあった。

著者は西スマトラ出身でバタヴィアに移住したアマン・ダトゥ・マンジョインド[55]である。教師だったアマンは一九二〇年からバライ・プスタカで校正の仕事に雇われ、一九三二年に編集者になった。アマンは当時住んでいたジャティヌガラの人々の生活世界を三年にわたって観察し、実在の少年ドゥルをモデルに小説に仕立てた。小説内の会話ではブタウィなまりが再現されており、序文にはオランダ領東インド(インドネシア)の地方の人々が首都バタヴィアで話されている言葉を知るためと目的が記されていた。なお、当時のバタヴィアでは、オランダ人が設立した学校はキリスト教的でイスラム教の価値に反すると考えて、子をイスラム系の学校に通わせる親が多かった。ブタウィの子たちに西洋式の教育を奨励するこの小説は、植民地政府の政策に合致していた。

舞台は二〇世紀はじめのバタヴィアである。ブタウィの子ドゥルは、午後のコーラン読誦に参加する日常を送っていた。断食月明けのプレゼントに何がほしいかと父親に尋ねられたドゥルは、学校の制服と答える。父親が事故で死んでドゥルの生活は一変するが、ドゥルの母親の再婚相手は教育の大切さを認めてドゥルの学費を出し、ドゥルは学校に行くという夢を実現する。ドゥルの母方の祖父は孫が西洋式の教育を受けることを好ましく思わなかったが、ドゥルの母親たちが説得し、午前は学校に行って午後にコーランの勉強をすればよいと村長が知恵を出したこともあって、祖父の許可を得て学校に行くようになる。

初版には一二年後を描く後日談のパートがある。祖父はドゥルの学校行きに反対したこ

▶55 Aman Datuk Madjoindo。

とを後悔する。ドゥルは祖父にローマ字で書かれた新聞を読み、祖父はそれを喜んで聞いている。祖父は、自分の娘（ドゥルの母親）が自分に従わずにドゥルを学校に行かせたことに感謝する。子が親の価値観に逆らって事を進めたことが結果として親を喜ばせるというこのエピソードは、社会が急速に進歩していた一九三〇年代にふさわしい。その後の版でこのエピソードが削除されたことからは、母親と祖父との間にドゥルの学校行きをめぐって意見の相違があったことを過度に強調すまいとする配慮が感じ取れる。

映画版『ブタウィの子ドゥル』（一九七三年）

ドゥルの物語を映画化したシュマン・ジャヤ監督は、中部ジャワ出身でジャカルタ生活が長く、ブタウィの文化に関心を持っていた。ドゥル役に俳優スカルノの息子だったラノ・カルノを抜擢し、父スカルノをドゥルの祖父役、兄ティノをライバルのサフィイ役にし、スカルノ一家を使ってドゥルの小説を映画化した。ドゥルの父親役にはブタウィの喜劇俳優として実績を積んでいたベンヤミン・スウェブを選んだ。監督のシュマン・ジャヤも、ドゥルの母親の再婚相手でドゥルの学校行きの夢を叶える叔父のアスマド役を演じた。

映画の舞台は一九四〇年のバタヴィアで、ドゥルは両親にブタウィの子であることに誇りを持つよう育てられる。父親のアスマンはトラック運転中に事故で亡くなる。ドゥルは母親の菓子売りを手伝い、学校行きの夢を絶たれるが、不憫に思う父親の弟のアスマドがドゥルの母親と結婚してドゥルの夢を叶える。原作小説と異なり、祖父母と母親との間でドゥルの学校行きについて意見の相違はない[56]。

ドゥルの登校初日は次のように描かれる。タマン・シスワ学校の最初の授業で名前を尋ねられたドゥルは、本名のアブドゥッラーではなく「ドゥルでいい」と答える。先生に「その後に何か続かないのか」と尋ねられると、「アナック・ブタウィ・アスリ（生粋のブタウィっ子）」と答える。生徒たちはやんやとはやし立て、先生は笑ってしまう。学校の外で待っていた祖父母は、授業が終わるとドゥルを出迎え、「アナック・スコラハン（学校出の子）」になったと喜ぶ。祖父母の後ろには両親が立っており、家族に囲まれたドゥルを見た先生は、「彼はモダンなブタウィっ子になるだろう」とつぶやく。ドゥルの学校行きは祖父母と母親の二世代から同時に祝福されている。

インドネシア人の名前は自分の名前の後ろに帰属先を示す言葉が続き、多くの場合、それは父親の名前である。ドゥルが自分の名前の後ろに「生粋のブタウィっ子」をつけて名乗ったのは、誰が父親であるかによって評価されることを否定するとともに、ドゥルが自分の出自を（家柄や身分ではなく）民族で認識し、民族の子として誇りを持てる社会の担い手たらんとすることの宣言であると理解できる。学校の先生がドゥルをモダンな子になると希望を込めてつぶやくのはそのためである。

『ブタウィの子ドゥル』は、政府や企業の主導で進められる急速な都市開発に直面しつつあった一九七〇年代のジャカルタに住む人々に、ジャカルタが自分たちの町だった頃の姿を回顧させるものだった。ラノ・カルノはこの作品で描かれた賢く勇気ある少年ドゥルにその

▶56 映画では、祖父母と母親との対立はアスマンをめぐる対立に置き換えられている。祖父母は稼ぎが悪く社会的地位もないアスマンと娘（ドゥルの母親）との結婚に反対し、アスマンが死ぬと喪が明けぬうちから娘に新しい縁談を勧めるほどだった。孫のドゥルのことは喧嘩ばかりする粗野な子どもと評価していた。

人物像を重ねて受け止められた。

映画『モダンの子ドゥル』(一九七六年)

シュマン・ジャヤは三年後に続編『モダンの子ドゥル』[57](一九七六年)を制作した。当時一六歳だったラノ・カルノは成長したドゥルを演じるのにふさわしくなかったため、前作でドゥルの父親を演じたベンヤミンがドゥルを演じ、ドゥルが恋に落ちるクリスティンをクリスティン・ハキムが演じた。ドゥルの父親役だった俳優がドゥルを演じたことで、物語はドゥルの父親がいない設定になった。

ドゥルの義父アスマドはインドネシア独立戦争で死んでおり、ドゥルは再び母親と二人で暮らしている。学校を卒業したドゥルは仕事もせずにぶらぶらしている。母親はドゥルを結婚させることで一人前にしようとするが、ドゥルは元級友でスチュワーデスになったクリスティンに恋しており、母親の勧めに従わない。ドゥルは街で一旗揚げようと思い、友人と起業する資金をつくるために母親に土地を売るよう頼む。

クリスティンに釣り合う男になるにはモダンでなければならないという考えにとりつかれたドゥルがクリスティンとつきあう男の髪形をまねてモダン・ボーイぶる姿が滑稽に描かれる。喜劇俳優としてのベンヤミンの個性がいかんなく発揮される一方で、まじめさゆえに友人たちのからかい含みの助言にふりまわされるドゥルの姿には、前作で子ども時代のドゥルに託された賢く勇気ある人物像は跡形もなくなっている。

▶57 原題は『Si Doel Anak Modern』。

テレビドラマ『学校出のドゥル』(一九九四〜二〇〇三年)

シュマン・ジャヤによる『モダンの子ドゥル』はドゥルが大人になったらどうなるかという問いに挑戦し、モダン・ボーイぶる哀れな男を描いて終わった。ハッピーエンドにも見えるが、全体から受ける印象はシニカルで、ドゥルは都会やモダンにふりまわされる。一方、ラノ・カルノは『学校出のドゥル』において、シュマン・ジャヤとは別の形でドゥルが大人になったらどうなるかを描こうとした。

一九九〇年代はじめは映画産業が斜陽気味だったため、ラノ・カルノはテレビ局に企画を持ち込み、テレビドラマ・シリーズの『学校出のドゥル』が放映された。当時のテレビでは都市の富裕な家庭のドラマが全盛で、庶民の家庭の物語を描いた『学校出のドゥル』は売れないと思われたが、予想を裏切る大ヒットとなった。

このシリーズではドゥルの実父は死んでおらず、シュマン・ジャヤの映画でドゥルの父親を演じたベンヤミンがドゥルの父親役に復活した。「土地を売ればお金が得られるので勤勉にならず教育に関心がない」という当時のブタウィ人のイメージからの脱却に挑戦し、視聴者はドゥルが父親の期待に応えて大学を卒業して工学士[58]になれるかを見守った。

『学校出のドゥル』では新しい登場人物が多数造形された。オランダ人の父親を持つモダンで裕福なユーラシア人(欧亜混血者)のサラと、そのいとこでドゥルの親友のハンスは、その後のシリーズでも重要な役割を担った。サラは大学で文化研究を専攻し、ドゥルを観察対象に

▶58 インドネシアで工学士は学士のなかでも別格扱いで、工学士は名前にIr.(インシニョル)という称号をつけて呼ばれて尊敬される。スカルノ大統領も工学士だった。

してブタウィ文化研究の卒業論文を書こうとする。ドゥルはサラに惹かれるものの、奥手のドゥルはサラと距離をおいてしまう。サラとドゥルは終盤で決定的な喧嘩になるが、ドゥルの父親が「ムスリムは人を許すものだ」と助言して二人は仲直りする。最終話ではドゥルの卒業式とサラの論文審査合格が描かれ、二人が一緒に大学からドゥルの家へ向かい、明るい将来を予感させる。

ドゥルの仕事探しと嫁探し——視聴者が求めた結末

『学校出のドゥル』は一九九四年八月に放映が終わったが、好評だったために同年一一月から第二シリーズが放映された。第一シリーズで噂の人として言及されるだけだった女性ザエナブが登場し、ドゥルの母親はザエナブをドゥルの嫁にしたいと考える。工学士を取得したドゥルの次なる課題は職探しで、それと並行してドゥルと女性たちの恋愛模様が描かれる。サラの企画でドゥル一家が海辺への旅行に出発して第二シリーズは終わる。

第三シリーズ（一九九五年一二月～一九九七年二月）では、ドゥルの父親役のベンヤミンの死去により、第二シリーズ最後の海岸旅行の帰りにドゥルの父親が交通事故死したという設定でシリーズが始まる。第二シリーズと同様にドゥルの職探しと結婚がメインのテーマで、控えめでドゥルに片思いするザエナブと、積極的で嫉妬深いサラがライバル関係になる。幼なじみで母親が勧めるブタウィ人のザエナブと、父親の希望で大学に行ったことで知り合ったユーラシア人のサラとのどちらを選ぶのか。この問いに決着がつけられないまま、第四シリーズ（一九九八年三月〜一九九八年一〇月）、第五シリーズ（二〇〇〇年八月〜二〇〇一年九月）と続き、第五シリーズはドゥルの妹アトゥンの結婚式で終わる。

視聴者アンケートをもとに制作された第六シリーズ（二〇〇二年一一月〜二〇〇三年六月）では、視聴者アンケートの結果を受けてドゥルはサラと結婚し、ザエナブは富裕な男と結婚し、ドゥルの嫁探しに決着がついて『学校出のドゥル』シリーズが終わる。

『お屋敷住まいのドゥル』（二〇〇五年）と『崖っぷちのドゥル』（二〇一一年）

二年のブランクを経てつくられたテレビドラマ『お屋敷住まいのドゥル』では、ドゥルの生活は一変している。サラが建てた家に住み、サラの実家の資本で設立した会社に役職を得たドゥルの暮らしぶりは豊かになっているが、嫉妬深いサラとの喧嘩が絶えない。一方、誰もが羨むはずの結婚をしたザエナブは夫の不義に悩み、生まれた子は生後間もなく死んでしまい、ドゥルは苦境のザエナブの相談相手になる。妊娠中のサラはザエナブに嫉妬して家出してしまう。

続く『崖っぷちのドゥル』[59]（二〇一一年八月）では、サラが去ったことでドゥルは仕事と妻を失い、母親と二人で暮らしている。母親は病気になり、ザエナブが看病をしている。ドゥルは母親やザエナブの父親の意向を汲んでザエナブと夫婦になる。ただしサラとの婚姻は継続中なので、この結婚は「内々の結婚」である。プロポーズの言葉は「過去を忘れるのを手伝ってくれるか。残りの人生を支えてくれるか」で、ドゥルがザエナブに助けを求める形となっている。他方、ドゥルはサラとの間の子の行方も気になっている。サラがオランダにいるこ

▶59 原題は『Si Doel Anak Pinggiran』。

とがわかり、サラの母親の手引きでドゥルは自分の息子と対面する。[60]

『お屋敷住まいのドゥル』と『崖っぷちのドゥル』でドゥルが迷走したのは、『学校出のドゥル』の第六シリーズで視聴者の要望にしたがって物語を進めたためだった。サラとの結婚によって家づくりを始めたドゥルは、サラとの関係に悩み、妊娠していたサラが姿を消したために家づくりが成就しない。そこでドゥルの物語は足踏みしてしまった。

映画『ドゥル』と『ドゥル2』、『ドゥル――愛の物語の結末』(二〇一八～二〇二〇年)

映画『ドゥル』[61]では、サラが家を出てオランダに行ってから一四年後が描かれる。ドゥルの母親は病気で寝たきりで、ドゥルの妻となったザエナブが世話をしている。ドゥルの妹アトゥンは夫を失っており、雑貨屋を切り盛りしながら一人息子を育てている。ドゥルの叔父のマンドラは独り身である。ドゥルは工学士の学位を得たのに定職がなく、注文を受けて自動車修理をすることで生計を立てている。

大学時代からの親友でオランダにいるハンスから仕事の手伝いに来てほしいと頼まれ、ドゥルはマンドラとともにオランダに向かう。それを知ったドゥルの母親はドゥルがオランダでサラに会うのではないかと疑い、サラに会わないとドゥルに約束させる。ザエナブもドゥルとサラが会うのではないかと不安を感じているが、そのことをドゥルに言い出せない。

ハンスの目的はドゥルとサラを会わせることにあり、オランダに着いたドゥルはハンスに導かれてサラと息子に会う。サラはドゥルに長年の不在を詫びて許しを請う。ドゥルはこれ

▶60 ただし、ドゥルの息子は自分が対面した男が自分の父親であると認識していない。サラの母の招きでサラの実家を訪ねたドゥルは、そこでドゥルと呼ばれる少年の10歳の誕生日会に遭遇する。不審に思うドゥルにサラの母は少年がサラとドゥルの息子であり、父親に会いたがっていると告げる。動揺したドゥルは父親の名乗りをあげずに暇乞いをし、その様子を見てサラの母もドゥルが何者であるかを少年に伝えない。

▶61 原題は『Si Doel the Movie』。

までサラに会いに来なかったことを詫びる。ドゥルがすぐ帰国すると聞いた息子は機嫌を損ねてドゥルに挨拶しようとしないが、最後にはドゥルを空港に見送って非礼を詫びる。ドゥルはサラに会わないという約束を破ったことを心中で母親に詫びる。空港でドゥルを見送る際にサラは、自分との離婚手続きを進めるようドゥルに伝える。それとともに、サラは息子がジャカルタの高校に行くために近々インドネシアに戻ることを伝える。

　ドゥルは口数が少なく苦難を受忍し、責められても責め返さない性格である。そして「ムスリムは人を許すものだ」という父親の教えを守っている。ドゥルが人間関係の矛盾や葛藤を受け止めてきたことで、ドゥルの周囲の人間関係が良好に維持されてきた。物語におけるドゥルの世界はドゥルが暮らすジャカルタの外の世界と繋がっており、物語上の不都合があると登場人物はしばしばドゥルの世界から退場して別の世界（たとえばオランダ）へと姿を消す。こうしてドゥルの世界は物語が決定的な破綻に至ることなく、二〇年の歳月を越えて持続するシリーズとなった。

　ドゥルは一人前の男になろうとして仕事探しと嫁探しに励む。嘘をつくことと人を傷つけることを避けようとしてかえって窮地に追い込まれ、妻子も家も仕事も失う。ただし、いつもドゥルを支える人が現れ、ドゥルは周囲の助言にしたがって仕事探しと家づくりを続ける。ドゥルを主人公にした物語が続いているのは、ドゥルが多くを語らず、詫びることや許すことによって人間関係を調整しているためである。二〇一八年の映画版では、ドゥルが幸せな家庭と充実した仕事を手に入れることができるのかは不明のまま、ドゥルは依然として崖っぷちにある。
映画『ドゥル』の続編は、二〇一九年に『ドゥル2』[62]、二〇二〇年に『ドゥル――愛の物語の結末』[63]として公開された。親や年長者の意向をくみとる「よい息子」のまま、ドゥルは「よい夫」、「よい父」になれるのか。

ドゥルがジャカルタに戻ると、ザエナブから妊娠を告げられる。その後インドネシアに着いた息子がサラに伴われてドゥルの家を訪れ、息子はドゥルの家にホームステイする。サラは「ドゥルと離婚するつもりなのでドゥルと幸せになってほしい」とザエナブに告げる。

離婚を語るサラの悲しげな様子を見たザエナブはサラがまだドゥルを愛していると悟り、自分がドゥルのそばにいることがサラを悲しませていると思う。妊娠中に前の夫が浮気したショックで流産した苦い経験を持つザエナブは、授かった子を再び失うようなことだけはすまいと心に決めており、お腹の子を無事産むためにも自分の心労を減らしたいと考えている。ザエナブはオランダに帰国しようとしているサラに自分が妊娠していることを告げ、自分はドゥルのもとを離れるのでサラにドゥルと一緒にいてほしいと頼んで実家に帰る。

しかしサラの離婚の意志は固く、ドゥルのもとにサラの署名入りの離婚届が届けられる。一方、ドゥルの息子は「これから先もずっと自分を息子として扱ってほしい」とドゥルに伝えるが、ドゥルは息子をオランダのサラのもとに送り届け、サラとの離婚届に署名する。ジャカルタに戻ったドゥルは、誰かの意向や願いを汲み取ったからではなく、また、誰かの助言や手引きにしたがったからでもなく、自らの意志でザエナブの実家にザエナブを迎えに行く。[64]

▶62 原題は『Si Doel the Movie 2』。
▶63 原題は『Akhir Kisah Cinta Si Doel』。
▶64 ザエナブの実家でドゥルはザエナブの母親に「ザエナブは行方知れずだ」と言われる。ドゥルは「自分が必ず見つけ出す」と言ってザエナブの家を出ようとすると、ザエナブが姿を現す。「私を迎えにきてくれたの？」と聞くザエナブに「そうだ、一緒に帰ろう」とドゥルは答える。これにより、ドゥルはかつてドゥルの子を身籠ったままドゥルの前から姿を消したサラに対してドゥルが成しえなかったことを実現する。

エピローグでドゥルは、「神よ、私の罪をすべて許し給え、私は愛する三人の女性を傷つけた」と言い、母親とサラとザエナブのことを口にする。ドゥルの最後の言葉は、「この物語は二七年続いた。もう終わりにする時だ。この選択が私の愛するすべての人にとっての最善となることを願う」だった。

自分で決めず、受難や葛藤を受け止め続けることで「よき息子」であったドゥルは、父親が亡くなった後に迷走し続けた。ラノ・カルノが追い求めてきたような「よき息子」であると同時に「よき父」であるドゥルの物語は、ドゥルが自分で決断し、それをドゥルの家族が受け入れて支えることによって結末を迎えた。父は、家族の誰かを傷つけるかもしれないことを知りながら、家族のために最善の選択をしなければならない。そのような父の選択を受け入れて支えるのが家族であるはずだが、家族が父の選択を受け入れるまで長い年月がかかることもある。

弱い父を励まし支える家族——『チュマラの家族』(二〇一九年)

『チュマラの家族』は、一九九六年から二〇〇五年までに四一二話が制作されたテレビドラマ・シリーズである。ジャカルタの裕福な家族が父の仕事と財産を失いながらも誠実さを失わずに助け合い、地方で倹しく暮らす物語で、庶民にとって理想の家族像を描いて家族全員で楽しめるテレビドラマとして愛されてきた。

主人公の少女は、村にたくさん生えているチュマラ（松）の木にちなんでチュマラと名付けられる。インドネシアでチュマラの木は、よくしなるために風が吹いても折れない柔軟性を持つ木として知られている。新生活のなかで得た子にチュマラと名付けたことには、これから直面する苦境にも挫けることのないようにという願いが込められている。『チュマラの家族』というタイトルには、文字通りのチュマラの家族という意味のほかに、艱難辛苦に耐えて挫けることのない家族という意味も込められている。

二〇一九年には映画版『チュマラの家族』がつくられた。一九九〇年代末〜二〇〇〇年代はじめのテレビドラマをもとに、時代を二〇一〇年代に設定して、出演者もテレビドラマとすべて替えてつくられた。テレビドラマの続編や外伝ではなく、シリーズ冒頭の数話分のエピソードをリメイクしたものである。映画では弱音を吐く父を家族が支える側面が強調された。

原作者アルスウェンド——スハルト政権期の若者文化の体現者

『チュマラの家族』の原作は、一九七〇年代に若者向け雑誌『ハイ』に連載された小説である。連載当時はホラー小説が売れ筋だったため編集者から評価されなかったが、一九八一年に一五話をまとめた単行本として刊行され、その後も書き続けられて二〇〇一年までに十数話ずつ束ねた単

『チュマラの家族』は、ジャカルタで破産した一家が西ジャワの田舎町で再起をはかる〈監督：Yandy Laurens、撮影：TITO Christian Basworo、Yosua I. A Bhakti Sitohang〉

行本が五冊刊行された。原作者のアルスウェンドは一九八〇年代に有名編集者になり、自らも創作活動を行って、小説、マンガ、映画、テレビを横断して活躍し、都会の若者文化の中心を占めるようになった人物である。

アルスウェンドは一九四八年に中部ジャワのスラカルタに生まれたカトリック信徒で、十代のはじめに父親を亡くし、苦学して高校を卒業した。高校卒業後に文筆に目覚め、一九七三年にジャカルタで大手出版社のコンパス・グラメディア社に入社し、一九八三年から若者向けの雑誌『ハイ』の編集長を務めた。アルスウェンドが編集する『ハイ』に小説『ルプス』[65]が連載されると、都市部の若者の間で「ルプス現象」ともいわれる爆発的な人気となった。一九八六年からは週刊芸能タブロイド紙『モニトール』の編集長を務め、アルスウェンドのもとで『モニトール』は毎号五〇万部を売り上げた。

アルスウェンドの活動は編集者、作家、詩人、劇作家、テレビ批評家など幅広く、スハルト大統領が最も愛した映画と言われる『夜明けの攻撃』（一九八一年）や『インドネシア共産党の九月三〇日運動の裏切り』（一九八二年）の小説化も担当した。一九八七年にはＡＳＥＡＮ文学賞を受賞している[66]。アルスウェンドは若者をターゲットにした出版メディアの中心にいて、「インドネシアで最も生産的な書き手」と評された。

順風満帆の活動を続けていたさなかの一九九〇年に、モニトール事件が起こった。読者アンケートの結果をもとに『モニトール』に「読者が尊敬する五〇人」という記事[67]が掲載されると、預言者ムハンマドに対する冒涜であるとしてイスラム団体の批判を浴び、ムスリムの

▶65 ジャカルタに住む高校生の少年ルプスとその仲間たちの日常をコメディ仕立てで綴った作品。小説『ルプス』や当時の若者文化については竹下愛の「ポピュラー小説『ルプス』シリーズを読む──インドネシアのベストセラー小説にみる「開発の落とし子」たちの心象」（『東南アジア　歴史と文化』29号、2000年、pp. 27-53）に詳しい。

▶66『二人の母』（Dua Ibu、1981年）と『マンドブラン』（Mandoblang、1987年）による。

▶67 一位はスハルト大統領だったが、リストにはスカルノ初代大統領やトリストリスノ国軍司令官と並んで、ポピュラー音楽歌手や映画俳優などの芸能人、サダム・フセインのような外国の政治指導者、『モニトール』の編集長などが列挙され、預言者ムハンマドの名前も挙がっていた。

若者たちが編集部を襲撃した。編集長のアルスウェンドは社会秩序を乱した咎を負って五年の禁固刑に処された。[68]

小説のテレビ化とテレビドラマの映画化

アルスウェンドが禁固刑を終えると民放テレビ局から『チュマラの家族』のテレビドラマ化の誘いがあり、アルスウェンドは会社を立ち上げてテレビドラマ『チュマラの家族』を制作した。放映は一九九六年に開始され、西ジャワのスカブミ[69]を舞台とする二八三話が二〇〇二年まで制作・放映され、二〇〇四年からは放送局を変えてジャカルタを舞台にした『チュマラの家族――元の場所に戻る』[70]が四一二話までつくられた。「最も価値ある財産は家族」という歌い出しが印象的な主題歌「価値ある財産」が第一八話から使用され、制作・放映のテレビ局が変わっても使われ続けた。

映画化はアンガ・ドゥイマス・サソンコの映画会社フィシネマ・ピクチャーズのイニシアチブで進められ、アルスウェンドの了承のもと、脚本・監督は若手のヤンディ・ローレンス（一九八九年生まれ）が担当した。映画では、テレビドラマでは描かれなかった破産前の父親に焦点が当てられ、家族を不遇にした責任を感じている父親と、それを家族が支えるさまが強調された。

小説版『チュマラの家族』（一九七〇年代）

『チュマラの家族』は、エウイス、チュマラ、アギルの三人姉妹と父親と母親の五人家族の

▶68 モニトール事件の背景とその意味については *Young Heroes: The Indonesian Family in Politics* (Shiraishi S. Saya. Cornell University Press. 1997) の第7章に詳しい。

▶69 ジャカルタに隣接するジャワ島西部の地域で、農園開発が進んでいる。

▶70 原題は『Keluarga Cemara: Kembali ke Asal』。

物語で、エウイスの視点で語られる。[71] キリスト教徒の一家が没落して都落ちし、西ジャワのタシクマラヤ近くの田舎町で質素に暮らす物語で、父母とエウイスはジャカルタでの暮らしを経験しているが、チュマラとアギルは西ジャワの暮らししか知らない。父親が破産したのは誠実さを優先させたためで、父親はその後も常に誠実さを優先させている。父母は現在の苦境を甘受して誠実に働き、エウイスは妹たちの面倒をよく見る。気立てのよい子どもたちの素朴な質問や悩みに両親、町の人、学校の先生、神父などの大人たちが答えを示してくれることで、子どもたちは学びながら成長する。

第一話「初めての日」は、チュマラが初めて幼稚園に登園する日を描く。父親は定職を持たずに人の田畑の手伝いやベチャ（輪タク）牽きをしており、母親は菓子売りをして日銭を稼ぐ。エウイスは母親の手伝いをして勉強が遅れ、一二歳だが小学四年生の授業を受けている。

幼稚園での初日、チュマラは自分がほかの子たちと違うことを知らされる。ほかの子たちは母親が登園につきそうが、チュマラはエウイスが送り迎えする。ほかの子たちは朝食にパンを食べるが、経済的に余裕がないチュマラの家では朝食にパンを食べたことがない。両親を敬うことの大切さの例として父親が革靴を脱ぐのを手伝うように教わるが、チュマラの父親は革靴をはいていない。帰宅したチュマラが幼稚園で起こったことをエウイスに伝えると、エウイスは「お母さんが送迎するのはお金持ちの家。賢くなれば母さんのように働かなくてすむ」、「昔は父さんも革靴をはいて会社に行っていた」と話す。

小説では一家がキリスト教徒であることが繰り返し示される。チュマラが初めての登園

▶71 小説の内容は、映画の公開に合わせて刊行された *Keluarga Cemara 1.* Arswendo Atmowiloto. Gramedia Pustaka Utama. 2018 及び *Keluarga Cemara 2.* Arswendo Atmowiloto. Gramedia Pustaka Utama. 2018 を参照した。

ではく青いスカートは、エウイスがクリスマスに母親からもらったスカートを仕立て直したものである。エウイスやチュマラが通うキリスト教系の学校は、ムスリムが多数派であるこの地域では珍しい存在で、父親は周囲のムスリムといい関係にあることが描かれている。以降のエピソードでも一家がキリスト教であることが意味を持つ内容がしばしば登場する。

テレビドラマ版『チュマラの家族』(一九九六年〜)

テレビドラマ化に際してキリスト教色は極力排除され、かわって細かなエピソードが加えられた。たとえばチュマラが通う幼稚園は教会ではなく国軍系の財団が運営している。教師の名前はマリアからキリスト教色が薄いマリアムに変えられた。エウイスは白いシャツに紅いスカートの公立学校の制服を着て学校に通う。第一シーズン(一〜一七話)の主題歌「私の日」にはキリスト教色が垣間見えたが、第二シーズン以降の主題歌は家族の尊さと父母への感謝の言葉が繰り返される「価値ある財産」になり、以後、この歌が本シリーズとともに愛唱されるようになった。

　テレビドラマでは、ジャカルタで事業をしていた父親が密輸ビジネスがらみで部下に騙されて財産を失い、先祖がスカブミに残した家に移って再出発をはかる。[72] 第一話は、スカブミに移住して六年が経過し、六歳になったチュマラが幼稚園に通う初日のエピソードから始まる。エウイスはよくできた娘で、二人の妹の世話をし、家計を助けるために学校に行く合間の時間に菓子売りをすることで父母を助ける。他方、母親はスカブミでの倹しい暮らしを

▶72 2004年に再開されたシリーズでは、ジャカルタの家を取り戻してジャカルタでの新生活を始める。

続ける父親にときおり不満をぶつけ、「家と土地を取り戻すつもりはないのか」と父親に迫る。これに対して父親は愚痴一つこぼさず微笑んで受け流す。

父親はベチャ牽きをしており、エウイスを客席に乗せて話をする。父が自転車を漕ぎ、前の客席に座った娘の進路を後ろから方向付けしながら進む様子は、よちよち歩きの子が倒れないように後ろから支えながら教え導くというスハルト政権時代に理想とされた父子像を体現しており、ドラマのオープニングと劇中で繰り返し映された。

映画版『チュマラの家族』（二〇一九年）

テレビドラマがスカブミで生活を始めたところから始まるのに対し、映画[73]ではジャカルタでの裕福な暮らしと父親が財産を失う過程が描かれる。エウイスとチュマラはジャカルタでの暮らしを知っている。父親は建設プロジェクトの現場事務所を仕切っているが、義兄の事業の保証人になっていたため、義兄が事業に失敗したことで財産と仕事を失う。引っ越した先は父方の祖父が遺した西ジャワのボゴールにある家で、父親が子ども時代を過ごした場所だった。

ボゴールに移住して初めての登校日を迎えるのはエウイスである。小説やテレビドラマで模範的な長女として描かれたエウイスは、映画では家族で唯一父親に不満をぶつける存在である。ジャカルタからボゴールに転校したエウイスは新しい環境になじめずに苛立つ。携帯電話の電波が届かない家。ジャカルタと様子が違う同級生。ジャカルタの友人との連絡も

▶73 原題は『Keluarga Cemara』（ヤンディ・ローレンス監督）。アンガ・ドゥイマス・サソンコがプロデュースしてフィシネマ・ピクチャーズが制作した。日本では2019年の京都国際映画祭で『マツの木の家族』として上映された。

ままならない。ジャカルタの学校で一緒だったダンス・チームの友人たちがボゴールに来るというので、父母に禁じられながらも街まで会いに行くが、ダンス・チームには新たなメンバーが加わっていて自分の居場所はない。学校で初潮を迎えてクラス中に笑いものにされたことから家族に当たり散らす。父親はエウイスの行動を叱り、家族を守る責任がある父親の言うことを聞くようにと諭す。

父親は建設現場の資材運びを請け負うが、無理のしすぎで怪我をして働けなくなる。その一方で母親の第三子妊娠が判明する。そんな折に、家を別荘用地として買いたいという外国人が現れ、父親は家を売却してジャカルタに戻ることを考え始める。しかし一家は父親が先祖から受け継いだ家を売却することをやめ、生まれてくる子を含む一家五人でボゴールで暮らすことを選ぶ。

テレビドラマでは、苦境に愚痴をこぼさずに常に笑みを浮かべて優しく子をしつける父と、妹たちの世話や菓子売りをすることで父母を助ける模範的な長女の理想的な父子像に対して、父に不満や愚痴をこぼしてジャカルタに戻りたがるのは母である。映画では、父に不満をぶつけてジャカルタに戻りたがるのは長女で、母と妹ははじめからボゴールでの暮らしを受け入れている。

映画では長女が父親に不満を抱いて反発する様子を描いたうえで、一家を養う家長の責任を全うできないと嘆き弱気になった父親を長女が励ます。「自分は父として家族全員の責任を負っている」と言う父親に対し、長女は「父のことは誰が責任を負うのか」と問い、家長が一方的に家族を守るのではなく、家族とは互いに助け合い責任を負うものであるという考え方が確認される。

一九九八年政変から二〇余年がたち、インドネシア社会は再び父なるものに目を向け、父の役割や責任とは何かという課題に向き合おうとしている。「よき息子」であろうとすれば親の言葉に従うことになり、「よき父」であろうとすれば子や妻に自分の意見を押し付けることを避けようとしてものごとを決められない。『ドゥル』では、「よき息子」や「よき父」であろうとして自分で決断や選択ができず、結果として「よき息子」にも「よき父」にもなれなかった男を、妻と子が決断を促すことで父にする。

父は愚痴をこぼさず微笑み、子は文句を言わずに父を助けるという親子関係が見られたスハルト時代のテレビドラマ版『チュマラの家族』は、スハルト退陣後にリメイクされ、父に文句を言う子と弱音を吐く父を登場させることで、父は子を守り導くだけでなく子に支えられている姿を描いた。

結婚が失敗した後の家づくりに取り組む『ドゥル』も、ジャカルタでの生活に挫折して田舎町で再出発する『チュマラの家族』も、理想の家族づくりに失敗した男たちの再起の物語であり、家づくりははじめから成功しなくてもよく、失敗してもやり直せばよいというメッセージを残した。

第3部

信仰と規範、社会秩序の問い直し

——呪縛と闘うインドネシア映画

第1章

信仰が生む暴力と向き合う

――バリ島爆弾テロ事件と宗教の不寛容

『楽園への長き道』、『愛の逸脱』

米国同時多発テロから約一年後の二〇〇二年一〇月一二日、世界有数の観光地であるバリ島で、ディスコの客など外国人を含む二〇二名が死亡する爆弾テロ事件が起こった。インドネシアは住民の九割近くがムスリムであり、世界最大のムスリム人口を擁する国である。インドネシアのムスリムが外国人を対象にテロを実行したことは、穏健なムスリムの国として知られていたインドネシアの国際社会における信用を落とし、米国同時多発テロ以降の世界でインドネシアが欧米諸国から敵視されかねないことを意味していた。また、インドネシアのムスリムが同国民の犠牲者が出ることを厭わずテロを実施したことは、インドネシア国民の一体性が危機に直面していることを意味していた。インドネシアで国際的なテロが行われ、イスラム教の信仰が暴力と結びつけられたという事実をどのように理解するかを国内外に示すことは、インドネシアの国際社会における信用を回復するとともに、インドネシア人どうしが傷つけ合って社会が分断されることを避けるために必要なことだった。

　生活が安定して暮らしに余裕が生まれると、「個人が信仰における敬虔さを追求することでよりよい人生が得られる」という考え方が強まる。また、価値観が多様化することを堕落と見て、「人々が信仰に立ち返ることで社会の調和が回復される」という考え方も強まる。これらとは別に、「宗教は人智を超えた存在に関わるものであり、信仰が国によって管理されるのはおかしい」という考え方もある。とりわけイスラム教については、「インドネシア国民の圧倒的多数が信仰している以上はイスラム教を前提とした社会づくりがなされるべきだ」という考え方もありうる。

　このような状況で、インドネシアでは社会生活の多くのことがらについて、宗教の教義に照らして正しさを判断する風潮が強まっている。二〇一五年頃に同性婚の是非がマスメディアで話題に上ったことを一つのきっかけとして、二〇一六年頃から性的少数者の安全と権利を脅かす非難や攻撃が増えた。[1] 二〇一六年には、ジャカルタの州知事選挙で再選を目指していた現職州知事でキリスト教徒のバスキ・チャハヤ・プルナマ（通称アホック）の発言[2]がイスラム教を冒涜していると批判され、同年一二月にジャカルタで数十万人が集まる大規模デモに発展した。ソーシャル・メディアが普及し、単純でわかりやすいメッセージが瞬時に多数の人々に共有されやすくなったことで、ひとたび規範から逸脱していると見なされたときに社会から一方的に排除されるリスクが高まっている。これはイスラム教に限った

▶1　2016年1月、研究技術高等教育大臣から大学構内でLGBTの学生組織の結成を禁止する方針が示されたことを皮切りに、「同性愛はインドネシアの文化になじまないので禁止すべきである」（国民協議会議長）、「同性愛者は公務員に不適格である」（行政改革大臣）、「より多くの自由を要求しているLGBTコミュニティの動きは〔国家にとっての〕脅威である」（国防大臣）というように、議会や各省の長によるLGBTに対する否定的な発言が相次ぎ、それが社会に広まっていった。こうした動きの背景やその後の展開については「インドネシアにおけるLGBT運動を取り巻く状況――LGBT運動の展開と近年の対立の構図」（大形里美、『九州国際大学国際・経済論集』3、2019年、pp. 47-78）を参照。

▶2　2016年9月に選挙キャンペーンの一環として行った演説で、「あなた方は私に投票できないと思っているかもしれません。コーランの食卓章51節を用いたいろいろ［なキャンペーン］に騙されて。それはあなた方の権利です。この人に投票できないと感じているかもしれません。地獄に落ちるのを恐れて、騙されて」と発言した。食卓章第51節は、インドネシアではムスリムが異教徒の政治指導者に反対する論拠としてしばしば用いられる。この発言の様子を編集した動画がインターネット上で公開され、アホックは宗教冒涜罪で起訴されて2017年5月に禁固2年の有罪判決を受けた。

ことではないが、イスラム教の多様な信仰実践が共存しているインドネシアでは、宗教の教義に照らして正しさを判断する風潮とあいまって、イスラム教の解釈の相違が社会の亀裂や対立と結びつきやすくなっている。

本章では、信仰の名のもとにふるわれる暴力を主題とする映画として、二〇〇二年のバリ島爆弾テロ事件を描いた『楽園への長き道』[3]（二〇〇六年）と、ジャカルタを舞台にイスラム教の信仰実践の違いがもたらす対立を描いた『愛の逸脱』[4]（二〇一七年）を取り上げる。『楽園への長き道』では、インドネシアのムスリムが欧米世界とイスラム世界の双方から敵意を向けられたり蔑視されたりするなかでテロが計画され実行される。『愛の逸脱』では、イスラム教の多様な信仰実践が混在するジャカルタで、正しい信仰実践を他人に強要する行為が地域社会の秩序を乱し、暴力を恃みとする人々の侵入を招く。

テロを支える「善良なムスリム」と外部の敵意——『楽園への長き道』（二〇〇六年）

二〇〇二年のバリ島爆弾テロ事件は、インドネシア人と外国人に多くの死傷者を出した。犠牲者の国籍は二二か国にのぼり、最も多かったのはオーストラリアで八八名、ついでインドネシアが三八名、イギリスが二六名だった。アルカーイダによって「敵」と名指しされたアメリカの犠牲者は七名で、日本人も二名が犠牲になった。

▶3　原題は『Long Road to Heaven』（エニソン・シナロ監督）。

▶4　原題は『Bid'ah Cinta』（ヌルマン・ハキム監督）。

主な実行犯は、イマム・サムドゥラ（一九七〇年、バンテン生まれ）、アリ・グフロン（通称ムクラス、一九六〇年、東ジャワ生まれ）およびアリ・グフロンの弟のアムロジ・ヌルハシム（一九六二年、東ジャワ生まれ）で、いずれも逮捕・起訴され、二〇〇八年に死刑が執行された。

計画、実行、犠牲、報道――四つの視点からテロを描く

インドネシアの人々は、自分たちが国際的なテロの標的になっただけでなく、実行犯が自分たちの社会の中から出てきたことにひどく当惑した。なかでもインドネシアのムスリムは、イスラム教の名のもとに行われるテロにどのように臨むかという自分自身の立場を、世界に、そして国内の同胞に示すことを迫られているという心理状態に置かれた。

それまでインドネシアでは、インドネシア国民の一体性の構築が最も大切なこととされ、イスラム教はそれを支えるために使われてきた。ムスリムが多数派であるにもかかわらずイスラム教を国教としていないことも、インドネシアの多様な人々を束ねる工夫の一つである。インドネシアではイスラム教、キリスト教（プロテスタントとカトリック）、仏教、ヒンドゥー教、儒教の六つの宗教が公認宗教とされ、国民はいずれかの公認宗教を自分の宗教として登録する。▶5 国家は宗教を公認しても特定の宗教や信仰のあり方を国民に強制せず、これによってインドネシア国民は、それぞれにとって信仰する対象は違っても「神」に対する信仰心を持つ人々としてまとまることができる。

バリ島爆弾テロ事件により、インドネシアは自分たちのイスラム教のあり方を世界に対し

▶5　インドネシアで建国五原則（パンチャシラ）の第一項目に掲げられた「唯一神への信仰」とみなされるもののみ宗教と公認されている。一般に多神教と考えられているヒンドゥー教、多神教でも一神教でもない仏教、通常は宗教とみなされていない儒教は、インドネシアでは教義に工夫を加えて、①唯一神・至高神、②預言者、③聖典を持つという条件を満たすことで公認宗教となっている。したがってインドネシアでは仏教や儒教にも「神」がいて、その言葉を伝える「預言者」がいると理解される。

て説明せざるを得なくなった。「インドネシアのイスラム教は他者を傷つける危険なものではないのか」という問いは、インドネシア社会の統合を維持するためにも、また、インドネシアが国際社会における地位を維持するためにも、インドネシア国内外で真剣に答えられるべき問いとなった。

そうした社会的状況のなか、事件から四年後に公開された『楽園への長き道』は、『分かち合う愛』［↓2部2章87頁］などの話題作を監督してインドネシア映画の新世代を代表するニア・ディナタがプロデューサーとなり、ジャカルタの映画制作会社カルヤナ・シラ・フィルムと、アメリカのワシントン州に拠点を置くノンフィクション番組を専門とする国際テレビ制作会社との協力で制作された。主要な登場人物の国籍はインドネシア、マレーシア、アメリカ、オーストラリアで、セリフはインドネシア語[6]と英語で、劇場公開時にはセリフにインドネシア語の字幕が付けられた。ジャカルタで二〇〇七年に封切られ、同年にマレーシアで行われたクアラルンプール国際映画祭では招待作品部門で海外プレミア上映された。

物語は、バリ島爆弾テロ事件が企画・実行されて実行犯が裁かれるまでを、テロを企画する人々、テロを実行する人々、テロの現場で対応を迫られる人々、テロを報じる人々についての四つのエピソードから描いた。それぞれの立場に対応して、①なぜバリ島がターゲットに選ばれたのか、②なぜテロを行うことが「楽園への近道」になるのか、③親しい人をテロで失ったことをどう受け止めればよいのか、④「微笑むテロリスト」を裁くことができるのかという四つの問いについて考えさせる仕組みになっている。

▶6　マレーシア人の登場人物はマレーシア語を話すが、インドネシア語をマレーシア風のイントネーションで発話するのとほとんど同じであり、インドネシア語の字幕は入れられていない。

突きつけられる信仰への問い――計画者と実行者の物語

第一と第二のエピソードはテロを起こす側の物語で、テロの背景や動機の重層性が示される。リーダー格のハンバリは、「アラブの同胞の信頼を失わないように、準備に時間をかけてでもシンガポールに停泊中の米国戦艦を狙うべきだ」と主張する。これに対してムクラスは、「米国同時多発テロによってイスラム急進派に対する当局の取り締まりが強化されており、アルカーイダからの支援を期待しにくい状況で組織の求心力を高めることが大切だ」と主張して、ただちに実行できて成功の可能性が高いターゲットとしてバリを提案する。

タイ南部のホテルの一室で行われた幹部どうしの激しい議論は、互いに自分の力を認めさせようとするものとして描かれる。ターゲットにバリが選ばれるのは「ゴミを自分の庭に捨てる人はいないから」と説明される。ジャワ以外の土地であるからか、住民の多数派がヒンドゥー教徒であるからか、それとも世界的な観光地で外国人による露出が大きい服装や飲酒が見られるからか、その真意は推測するしかないが、いずれにしろそれはバリが首謀者らにとって自分たちが痛みを覚えない場所であるためだ。

もっとも、これはバリ島がターゲットになったのは偶然の巡りあわせ

『楽園への長き道』で、テロの首謀者であるハンバリはインドネシアで一般的ではないアラブ風の服装を身に着けている〈Property of Kalyana Shira Films and Nia Dinata〉

で、そこに合理的な理由を考えることは意味がないということでもある。劇中では、ホテル内でムクラスを馬鹿にする態度をとった西洋人が来ていたシャツに「アイラブ・バリ」と書かれていたためとも説明されている。しかし、それ以上に肝心なのは幹部たちの見栄である。「アラブの同胞の信頼を失わないように米国戦艦を狙うべき」と主張するハンバリは、東南アジアのムスリムがアラブのムスリムから格下に見られていることを強く意識しており、アラブの同胞に自分たちを一人前と認めさせるためにテロを計画する。これに対してムクラスは外国からの支援が期待できない状況で組織内の求心力を高めるためにテロ実施を主張する。いずれも見栄や組織拡充が目的であり、信仰の論理では語られない。

バリではアムロジらがテロの準備を進める。アムロジはテロを行うことが天国に行く道に繋がっていると確信しており、迷いがない。一緒に準備を進める弟のイムロンはムスリムに犠牲者が出たり孤児が増えたりすることを懸念するが、アムロジは、「それはムスリムとしての尊い犠牲であり、アメリカこそアフガニスタンでたくさんの子どもを孤児にしたので鉄槌を下されるべきだ」と反論する。犯行現場の下見ではアメリカ人が多いように見えず、この計画でアメリカに（しかもアメリカ人にではなくアメリカ国家に）いくらかでも打撃を与えられるかはかなり怪しいが、イムロンがそれについて尋ねることはない▼7。

『楽園への長き道』は、アムロジが周囲に評価されないことへの不満を抱え、敬愛するムクラスの評価を気にする姿を同時に描くことで、アムロジにとってイスラム教は何のためにあるのかを観客に考えさせる。また、機転やまじめさといった好ましい資質を備えた信心深い

▶7　アメリカ総領事館にも爆弾が仕掛けられたが爆発しなかった。

ムスリムのイムロンがテロ実行のための数々の障害を切り抜け、結果としてテロ実行を後押しする様を描き、ムスリムとして善良であることの意味を考えさせる。

喪失感と怒りを克服する道——ハンナとリズの物語

第三のエピソードは、アメリカ人キリスト教徒ハンナを中心に進行する。ハンナは、米国同時多発テロの犠牲になった恋人の遺体が見つかっていないという事実を受け止めきれないまま、恋人が愛したバリ島を訪れて長期滞在しているときに爆弾テロに遭遇する。事件現場で名も知れず死んでいく目の前の犠牲者たちの姿にやり場のない怒りを抱えたハンナは、かつて恋人にプレゼントされたのと同じネックレスを身につけた遺体を見かけ、その身元を調べるため救援活動に参加する。

ハンナはインドネシア人ムスリムである医師ハジ・イスマイルに「なぜあなたたちは私たちを殺すのか」と詰め寄る。しかしその後、ムスリムによる手当てを拒む白人や、インドネシア人患者より外国人患者の手当てを優先させる病院を責めるインドネシア人、平和なバリにアメリカ人とムスリムが戦争を持ち込んだと憤るバリ人、テロの犠牲者を宗教・国籍の区別なく助けようとするハジ・イスマイルらの姿を見るうちに、犠牲者の命を奪ったのはムスリムではなく、あくまでもテロリストなのだということをあらためて理解する。やがてネックレスを身につけた遺体の身元が判明し、その遺体を弔うことで、米国同時多発テロ事件以来のハンナのわだかまりも解ける。

第四のエピソードでは、テロ実行犯アムロジの公判取材のためにバリ島を訪れたオーストラリア人女性記者のリズが登場する。タクシー運転手でバリ人のワヤンを運転手兼通訳として雇ったリズは、取材のために悲しみと怒りを抱えた犠牲者を探して街に出るが、街で出会うバリ人からは「外国人はみな楽園好き。事件で一時失業したけれど、新しくホテルができて職を得た」といった楽観的な感想しか得られない。自分は同国人の犠牲に怒りを感じるのにバリの人はなぜ怒らないのかと苛立つリズは、身内に犠牲者はいないかとワヤンに尋ねる。ワヤンはテロで弟を失っていたが、リズの問いにいないと答え、「弟は平安の中にいる」と言う。

アムロジの公判が行われてアムロジに死刑判決が下るが、裁判所から出てきたアムロジは意気揚々とした様子で顔には微笑みを浮かべており、死刑判決を受けて反省するアムロジの姿を撮影したかったリズの期待は裏切られる。リズは、アムロジを囲んで写真を撮って騒ぐ記者たちのなかにいる自分を見るワヤンの視線に気づき、アムロジの微笑みを支えているのはアムロジに怒りを向けるほかならぬ自分たちであることを理解する。

正義の実現を求めることの困難――問われるインドネシアのイスラム像

『楽園への長き道』は、正義によって人を裁くことの難しさを示している。アムロジは死刑判決を喜びを持って迎える。人の法による裁きは、人を社会的に罰することはできても、裁きが人の心や内面に及ぶことは保証しない。アムロジの改悛を期待する人々の思いは裏切られる。

「なぜこんな目に遭うのか」という問いに直ちに答えを出そうとする態度こそが、暴力の原因を短絡的に宗教や民族の違いに帰し、結果として理不尽な恨みを増幅させる。憎しみを向けることはテロリストに注目を与え、彼らを喜ばせる。これに対して、ワヤンやハジ・イスマイルの姿を通して、誰かを責めるかわりに、理不尽な思いを自分で引き受け他者に尽くして前向きに生きるあり方が恨みの連鎖を止める可能性が示唆されている。宗教はそのようなあり方を支えるものであって、「楽園への道は長く険しく近道はない」とのメッセージを読み取ることができる。

ここでは、イスラム教をテロや暴力と同一視する外部社会からのまなざしこそが、テロや暴力をイスラム教の名のもとに正当化する行為を支えていることが示唆されている。物語のなかで成長を遂げるのがアメリカ人旅行者とオーストラリア人記者という外部者であることは、この映画が外部のまなざしの変容を強く求めていることの表れである。

『楽園への長き道』では、「個人が救われることを求めるならば、自らの身にふりかかった苦難を受け入れ、他者を責めるかわりに他者に尽くすという姿勢によってである」との対案が示されており、このためイムロンの位置づけが曖昧なままになっている。イムロンは、善良なムスリムとして生き、その結果としてテロを実行し、多くの人を傷つけた。他方で、テロを計画してイムロンをテロに導いたムクラスらは、信仰とは別の論理、すなわち組織の影響力の維持や活動のアピールのために行動していた。周囲の意見をよく聞き、信仰心に篤く、能力に長けたイムロンのような人物が問題の解決や平安の創出に寄与しないという事実をどのように受け止めればよいのかについて、『楽園への長き道』は明確な答えを用意していない。イムロンはなぜテロリストになったのか。どうすれば第二のイムロンを生み出さないのか。

これらの課題は、インドネシアでイスラム教育を受ける若者たちの境遇に関心を向けた映画で検討されることになった。バリ島爆弾テロ事件の首謀者たちがイスラム寄宿塾の出身者だったことからイスラム寄宿塾への社会の関心が高まり、イスラム寄宿塾で学ぶ生徒たちを描く小説や映画が増えた。[8] イスラム寄宿塾の生徒たちを外の世界と繋ぎ、生徒たちを等身大の人間として社会と結びつけることで、イスラム寄宿塾をインドネシアの穏健なイスラム教信仰に位置づける試みである。

映画『三つの祈り、三つの愛』[9]（二〇〇八年）は、イスラム寄宿塾の三人の男子生徒が親との間で抱えていた問題をそれぞれ解消して寄宿塾を卒業するまでを描く。同じ監督の『カリファーの決断』[10]（二〇一一年）では、ジャカルタの美容室で働く女性カリファーが父親が勧める男性と結婚し、夫の助言によりインドネシアで珍しいニカブ[11]を身に着けるようになる。夫はその後テロリストの容疑をかけられて警察に射殺され、カリファーは夫に自分以外に妻がいたことがわかってニカブを脱ぎ捨てる。『目隠し』[12]（二〇一一年）では、貧困や家族との不和を背景に若者がイスラム国家建設運動や自爆テロに参加する。

インドネシアにおけるイスラム教の歴史的・社会的な役割を肯定的に描く映画もつくられ

▶8 全寮制のイスラム寄宿塾は世間の常識とかけ離れた危険な思想の温床となるという危惧を反映して、ジャワの孤立した集落で偽物のイスラム教の教えが力を持ってしまうホラー仕立ての『我は使徒』(2008年)のような映画もつくられた。

▶9 原題は『3 Doa 3 Cinta』(ヌルマン・ハキム監督)。

▶10 原題は『Khalifah』(ヌルマン・ハキム監督)。

▶11 眼だけ出して顔を覆い隠す布。

▶12 原題は『Mata Tertutup』(ガリン・ヌグロホ監督)。

た。[13]『光照らす人』[14]（二〇一〇年）はインドネシアのイスラム近代主義の指導者でインドネシア最大のイスラム社会団体であるムハマディヤ［➡2部1章80頁］を創設したアフマド・ダフラン[15]の評伝である。イスラム知識人であるハムカ[16]による一九三〇年代の大衆小説を原作とする『カアバ神殿の守護のもとで』[17]（二〇一一年）は、オランダ植民地時代のスマトラを舞台に家族や伝統と葛藤するムスリム青年男女の恋愛物語で、メッカのカアバ神殿で悲恋を実らせる。同作はアカデミー賞外国語映画部門にインドネシアからノミネートされた。

バリ島爆弾テロ事件は、外部からもたらされる脅威にインドネシアが晒されるようになったことと、社会の内部に脅威が存在することをインドネシアの人々に認識させた。『楽園への長き道』では、いずれの課題に対しても、壊れてしまった自分たちの自画像を内と外の両方から再編する必要が示されている。

浮かび上がる「逸脱を正す」という名の暴力——『愛の逸脱』（二〇一七年）

『愛の逸脱』は、フランスでシャルリー・エブド襲撃事件（二〇一五年一月）やパリ同時多発テロ事件（二〇一五年一一月）が相次いだ二〇一五年末に着想され、二〇一六年末のジャカルタでの大規模デモ［➡3部1章157頁］を経た二〇一七年三月に公開された。

▶13 ムハマディヤ小学校の生徒たちを描いた『虹の兵士たち』(2008年) もこれに含まれる［➡2部1章79頁］。

▶14 原題は『Sang Pencerah』(ハヌン・ブラマンティヨ監督)。

▶15 1868年、ジョグジャカルタ出身 (1923年没)。

▶16 1908年、西スマトラ出身 (1981年没)。本名はハジ・アブドゥル・マリク・カリム・アムルッラー (Haji Abdul Malik Karim Amrullah)。頭文字を並べるとハムカ (HAMKA) になる。

▶17 原題は『Di Bawah Lindungan Ka'bah』(ハニー・サプトラ監督)。

二〇一七年初めのインドネシアでは、ジャカルタ州知事選挙をはじめとする地方首長選挙が各地で行われ、選挙戦ではムスリムの票を獲得しようとして他の候補者のイスラム的資質についての攻撃がさかんに行われた。このため、『愛の逸脱』はイスラムの信仰実践を取りざたして他人を攻撃する風潮に対する批判として注目を集めた。

現実の政治では、二〇一七年四月のジャカルタ州知事選挙で非ムスリムの現職州知事であるアホック［➡3部1章157頁］がムスリムの候補に敗れ、さらに選挙期間中の発言がムスリムを冒涜すると批判されて在職期間中に収監されるなど、イスラム教が政治運動に利用される度合いがいっそう増した。政府はイスラム保守派の勢力拡大を懸念し、イスラム教とそれ以外の宗教との共存を前提とするインドネシアの建国五原則（パンチャシラ）［➡1部2章50頁］の強化をはかるため、六月一日の「パンチャシラの日」を国民の祝日にした。

『愛の逸脱』の監督のヌルマン・ハキムは中部ジャワのスマラン出身で、一〇代までイスラム寄宿塾で学んだ。宗教教師になるつもりだったが、寄宿塾でプラムディヤ・アナンタ・トゥールの『人間の大地』やモフタル・ルビスの『果てしなき道』、YBマングンウィジャヤの『嵐の中のマニャール』などの小説を隠れて読み、夜中に寄宿塾

『愛の逸脱』の一場面。髪を覆わない服装をしたりモスクで楽器を鳴らしたりする人もイスラム教をよりどころとして暮らしているが、サウジアラビア帰りのジャイズには信仰からの逸脱に見える〈Nurman Hakim〉

を抜け出して屋外上映会を見たりしているうちに映画制作に興味を持ち、寄宿塾を卒業するとジャカルタ芸術学院に進学して映画テレビ学を学んだ。

ヌルマンはジャカルタ芸術学院の先輩で『クルドサック』〔➡2部1章70頁〕の監督の一人でもあるナン・アハナスと会社を立ち上げ、『三つの祈り、三つの愛』、『カリファーの決断』、『窓』〔➡2部2章102頁〕を監督した。インドネシアのムスリムの様子を若者の視点で活写することで知られ、人々の日常生活のなかにテロへの誘いがある様子をしばしば描いた。『三つの祈り、三つの愛』ではイスラム寄宿塾の塾生がテロに参加し、『カリファーの決断』では主人公の夫がテロに関与していたことが明らかになる。

インドネシアの多様な信仰実践とイスラム純化主義

『愛の逸脱』はブタウィ〔➡1部2章51頁〕の集落を舞台に、イスラム教の信仰実践に対する考え方の違いによって阻まれる恋愛の行方を描いた。恋人どうしであるカマルの家とハリダの家はイスラム教の信仰実践に対する考え方が異なっており、どちらの家も二人の交際を好ましく思っていない。カマルの家は、「イスラム教の名によって行われている信仰実践のうち教義に示されたもののみが正しく、それ以外の行為は後から付け加えられた不純なものなのでなくすべきだ」と考えている。それに対してハリダの家は、「昔から地域社会でイスラム教の名によって続けられてきた信仰実践は守られるべきであり、信仰実践の純化を性急に求める考えはテロリストを肯定する思想に通じる」と考えている。カマルのいとこのジャイズはサウジアラビアで学んだイスラム教の純粋な教えを広めたいと考え、カマルたちが暮らす集落にサウジアラビア式のイスラム学校をつくろうとする。これをきっかけに両家の対立が深まり、カマルとハリダの交際が危うくなる。

物語はムハンマド生誕祭の場面から始まる。太鼓やタンバリンを打ち鳴らす男女の隊列が集落を練り歩く。夜にはハリダの家の前に人々が集まり、プンガジアン（コーランを詠む集まり）が開かれる。インドネシアのムスリムの間では預言者ムハンマドの生誕を祝う行事が広く行われているが、カマルの家ではこれはイスラム教の教義にはないので行うべきでないと考えている。

教義になく後から加えられた信仰実践を「逸脱（ビドア）」として排斥するイスラム純化主義は、一八世紀のサウジアラビアで始められたワッハーブ運動に起源がある。この運動では、「信仰実践は預言者ムハンマドが示した手本であるコーランとハディース（ムハンマドの言行録）にもとづいてのみ行われるべき」とし、当時のイスラム社会で行われていた聖者崇拝やスーフィズム（イスラム神秘主義）を異端として排撃して、イスラム教の改革を訴えた。この考え方はサウジアラビアの王室と結びつき、サウジアラビアはこの考えの普及を支援している。

インドネシアにおいてイスラム教は国教ではなく、政府が信仰実践のあり方を定めることはしていない。国内のイスラム教信仰の実態は多様で、無理に一つにまとめようとすると互いに正当性を主張し合って社会の分裂を招きかねない。また、イスラム純化主義はサウジアラビアに由来する急進的イスラムなのでインドネシアにはふさわしくないとする考えがある。その一方で、歴史を見れば伝統社会の因習を打破して生活を刷新する契機になったこともあるとしてイスラム純化主義に肯定的な意味を見出そうとする考え方もある。

『愛の逸脱』では、この集落の人々はムハンマドの生誕日を祝ったり、墓前でコーランを詠んだり、人が亡くなると大勢で集まってコーランを詠みあげたりする。ハリダの家にはジャワにイスラム教を広めたとされる九人の聖人を讃えるポスターが飾ってある。信仰実践はムハンマドが示した手本のみにもとづいて行われるべきものとするイスラム教の純化を進める立場からは、これらの行為は逸脱であり、イスラム教の知識が未熟な人々が行っている慣習なので廃止されるべきものとなる。

信仰実践の違いが生み出す衝突と和解の物語

こうした状況のなかジャイズがサウジアラビア式のイスラム学校をつくろうと集落で活動を始めることで、集落の人々は二つに分かれて互いに対立する。ジャイズは従来のモスクの運営方法を教義からの逸脱だと批判し、集落の人々への相談なしにモスク運営委員会をつくる。また、学校建設の財団を創設し、素行が悪く定職を持たない地元の若者たちを雇って子分にする。ジャイズたちの批判のためにモスクで楽器の練習が行えなくなり、礼拝の仕方も変えられ、ハリダの父親はモスクに通わなくなる。ハリダの父親は、娘の結婚相手として、信仰実践について自分たちと考え方が同じで人柄も見栄えもよいハサンがふさわしいと考え、ハリダもしだいにハサンに惹かれていく。

ジャイズの子分たちが集落で見かけた逸脱を力ずくで正そうとするため、対立がさらに激化する。音楽を鳴らしながら集落を練り歩く巡回楽団がジャイズの子分たちに襲われ、音響装置が壊される。さらには、異性装をしたサンドラがモスクで女性と一緒に礼拝しようとすると、サンドラは礼拝用の服を剥ぎ取られてモスクの外に放り出されるという事件が起こる。ここに至ってジャイズとハリダの父親との対立が決定的になる。ジャイズは、「差異を力ずくで排除することには反対だが、男性のサンドラが女性の姿で女性に交じって礼拝することは明らかな逸脱であり、正されなければならない」と考える。これに対してハリダの父親は、「自分を女性だと思うサンドラが女性として適切な服装で礼拝しているのに追い出す必要はない」と考える。インドネシアでは（特にジャワやジャカルタで）以前から異性装者が存在しており、異性装者が批判や排斥の対象になったのはごく新しい現象である。ハリダの父親は、「もし自分の子どもが異性装をしていたらどうするか」とジャイズに問う。この問いには、教義に照らして判断するのではなく、現実に生を営む人々の現状から考えて判断するべきだというハリダの父親の考え方がよく表れている。

　サンドラはハリダの父親が所有するアパートに住んでおり、アパートの世話をしてきたハリダはサンドラと姉妹のように親しくしていた。サンドラ[18]は「自分のせいで仲違いが起こるのは嫌だ」と言って集落を去る。サンドラが去ったことに心を痛めたハリダは、ハサンに相談して二人でサンドラを探す。それを見たカマルはハリダを失うことを懸念し、考え方を改めるとハリダに宣言する。

▶18 大学卒の学位があり、主要登場人物の中で最も高学歴である。

ムスリムが懺悔して神から赦しを与えられるニスフ・シャーバン（ベラートの夜）の行事の晩になる。ジャイズたちはこの行事を逸脱と考えてやめさせようとし、行事をしようとする人たちとやめさせようとする人たちとの間で小競り合いになる。ハリダの父親と兄がモスクに駆け付け、「宗教で人を裁くな」と呼びかけるが騒ぎは収まらない。そこにカマルも駆け付け、もみ合いのなかでハリダの父親や兄と殴り合いになる。

カマルは家に戻り、父親に、「自分たちの考えは柔軟さに欠けており、ものごとに白黒をつけるのはよいことではない」と意見を言う。「愛よりも神のほうが大事だ」と諭す父親に対し、カマルは「神よりも愛が大事だ」と言って家を出ていこうとする。一方、ハリダの父親と兄は、モスクでの小競り合いで感情的にふるまったことを反省する。ハリダの兄はカマルの家を訪ね、これまでカマルをテロリスト支持者と決めつけて嫌っていたことを詫びる。

カマルの両親とジャイズがハリダの家を訪ね、両家はこれまでのことを互いに謝る。互いに干渉したり禁止したりしないことを確認し、モスクではこれまでどおり地域の行事をしてよいことになり、ジャイズは学校建設に専念する。カマルとハリダの結婚の祝宴が催され、大勢が集まって音楽や踊りで宴が進む。ジャイズやハサンも列席し、サンドラも姿を現して大団円となる。

現実社会への期待と、残された災いへの危惧

物語の冒頭の場面はイスラム暦一四三八年三月一二日のムハンマド生誕日の夜で、集落内

の対立が頂点に達したのちに和解に至るのは同年八月一五日のニスフ・シャーバンである。ムスリムが罪を悔いて告白し神から赦しを得る夜に両者が互いに過ちを認めて謝ることで大団円を迎えるのは理にかなっている。和解を迎えたことは代々地域で受け継がれてきたやり方で対立の調停が行われたことを意味し、『愛の逸脱』はイスラム純化主義よりもブタウィの伝統に軍配を上げている。

　この二つのイスラム歴の日付は西暦ではそれぞれ二〇一六年一二月一二日と二〇一七年五月一二日で、劇中ではこの間にパリとジャカルタでテロ事件が起こっている。実際にはパリのテロ事件は二〇一五年一一月一三日、ジャカルタのテロ事件は二〇一六年一月一四日に起こっており、劇中とは一年ずれている。劇中の暦を映画公開時の二〇一七年に合わせたためだろうが、二〇一七年五月に和解が成立していることからは、二〇一六年にジャカルタで現実に起こっていた州知事の発言をめぐる対立も大団円を迎えればよいのにという思いを見て取ることができる。

『愛の逸脱』は、イスラム純化主義を批判するのではなく、教義に照らして他人の信仰実践を逸脱として力ずくで正そうとする態度を批判している。その一方でイスラム純化主義者をテロリストと同一視する見方にも異議を唱えている。劇中でフランスのテロ事件の発生を知ったジャイズは、「テロは誤った手段だ」と批判し、イスラム教の名でテロが行われ犠牲者が出たことを嘆く。

　では、どうすれば対立が和解に至るのか。カマル家とハリダ家の殴り合いに発展した対立が和解に至ったきっかけは、カマルが「ハリダに嫌われたくない」と強く思ったことだった。「家を出る」と言ったカマルを父親が引き留めたのは、カマルの母親が悲しむのを見たくないからだった。カマルが家を出るのをやめたのも、母親を悲しませたくないからだった。ここでは、「身近な人を失いたくないという思いがあれば、対立を収め、互いに異なる人々が和解に至る道があるはずだ」という期待が示されている。

信仰実践における暴力性に関して、注目すべき点が二つ示されている。一つはジャイズに雇われた若者たちの背景である。彼らはジャイズに雇われて定職に就いたことで母親を喜ばせようとした。力ずくで逸脱を排除しようとしたのは、給料のためにジャイズの教えを形だけ真似たためである。また、若者の一人が母親の死に目にあえなかったのは暴力を行使したことの報いであると理解できる。信仰を掲げた暴力がふるわれる背景には、身近な人の承認や金を得るための形だけの信仰があるという理解が示されている。

もう一つの注目すべき点は、集落内の対立の裏で、この集落がテロリストの隠れ場所になっていたことである。劇中で、ジャカルタ市街のサリナ・デパート前で爆弾テロ事件が起こったことが報じられる。その犯人の一人は、ジャイズのイスラム寄宿塾時代の知り合いだと騙ってジャイズの財団事務所に宿を借りていた男だった。イスラム教の「正しい教え」を伝えたいというジャイズの熱意は、ジャイズの意図とまったく外れたところでテロリストに利用されていた。これは善意で客人を迎え入れることが悪しき者を引き寄せてしまうことを教訓的に示している。

カマルとハリダはそれぞれの家族から認められて結婚式を挙げるが、物語はそこで終わらない。祝宴が行われている家の外に視線を移すと、警察の手入れから逃れた怪しげな男たちが様子をうかがっている。集落の住民がその男たちとすれ違うが、住民は酒に酔っているために男たちを不審に思わない。ジャイズによって外部から持ち込まれた信仰実践の違いからくる集落の対立は、カマルとハリダの結婚によって解決したかに見えるが、誰でも出入りできる集落では新たな災いがいつどのような形でやってくるかわからず、この物語の結末はとりあえずの結末でしかない。

『楽園への長き道』と『愛の逸脱』はいずれも、イスラム教の信仰の名のもとで暴力がふるわれることの背後にインドネシアの人々の自信のなさを見て取っている。インドネシアの人々は、「かくあるべき」という原理原則があると知ると、それに従わなければならないという意識が働く。現場では柔軟な対応をしても、自分の行いが原理原則と異なっていることが気になってしまう。「欧米諸国は先進的でそれと比べてインドネシアは遅れている」という思いや「イスラム教の信仰は中東アラブ世界が本場でありインドネシアのイスラム教は逸脱である」という思いに憑りつかれ、自分のあり方に自信が持てないでいると、自分たちの社会の外にある文明的権威から承認を得ようとして、結果としてテロに巻き込まれる心の隙を生んでしまう。

原理原則と現実の自分との間にある相違を理解したうえで、いつどのようになればインドネシアの信仰のあり方に自信を持つことができるのか。この課題についてインドネシア映画では、次章で紹介するように、中東や欧米を舞台に活躍するインドネシア人ムスリム男性とそれを支えることで成熟するムスリム女性の恋愛物語によって取り組まれる。

第2章

信仰実践を世界に発信する
――インドネシアは世界の手本になるか

『愛の章』、『欧州に輝く九九の光』、『望まれざる天国』

イスラム教の信仰は多くのインドネシア人にとって自分のよりどころであるが、前章で述べたように、インドネシアの人々は「イスラム教は中東アラブ世界が本場で、インドネシアに生まれた自分たちは信仰において中東アラブ世界より格下と見られている」という意識から逃れられないできた。

二〇〇二年バリ島爆弾テロ事件はインドネシアのムスリムに暴力の行使を是とする考え方が存在することを明らかにし、インドネシアのムスリムにとって深刻な精神的打撃となった。これ以降のインドネシアでは、神の教えの実践を追求することの重要性を説くとともに、他人を傷つけたり暴力の行使を正当化したりするのではなく、多様な信仰の共生の大切さを強調する映画が多くつくられるようになった。

ベストセラー小説を原作とした『愛の章』[19](二〇〇八年)は、イスラム教の教養を身につけ、イ

▶19 原題は『Ayat-Ayat Cinta』(ハヌン・ブラマンティヨ監督)。

スラム的な生活習慣を実践する若いインドネシア人ムスリム男性が、この世の不正義や不公正に屈することなく、勉学、仕事、家庭づくりにおいて苦難を脱して幸福を手に入れる物語である。ムスリム青年の一つの理想像を示すことで、バリ島爆弾テロ事件で傷つけられたインドネシアのムスリムの自尊心を回復させ、漂っていた閉塞感を一気に打破した。『愛の章』におけるイスラム教の信仰は、西洋的で現代的で都会的な生活感覚と矛盾しないものとして描かれ、その大ヒットは社会現象になり、インドネシアでムスリム青年男女の恋愛を描く「イスラム恋愛映画」というジャンルを確立し、以降数多くつくられた作品のモデルになった。

ただし、『愛の章』の主人公はインドネシア人ムスリム男性だが、それを伴侶として支える女性主人公は外国人のムスリムだった。そのため、イスラム恋愛映画が多数つくられるなかで、インドネシア人のムスリム女性の活躍も見たいという観客の欲求が高まることになる。その後、『欧州に輝く九九の光』[20]（二〇一三年）では都会的で現代的なインドネシア人ムスリム女性が夫の留学に同行してヨーロッパに滞在し、『望まれざる天国』[21]（二〇一五年）ではインドネシア人ムスリム女性がヨーロッパで経済的に自立する様子が描かれる。

これらの作品では、聖人君子で秀才のインドネシア人ムスリム男性がインドネシア的な信仰共生の価値を世界に発信するとともに、美貌と経済力と教養の三拍子が揃った敬虔なムスリムである妻が夫を支えながら成長していく。夫は他人に抑圧的な態度をとらない立派な男性だが、誰に対しても救いの手を差し伸べようとする結果、家庭内に一夫多妻などの問題を持ち込んでしまう。

▶20　原題は『99 Cahaya di Langit Eropa』（グントゥル・スハルヤント監督）。

▶21　原題は『Surga yang Tak Dirindukan』（クンツ・アグス監督）。

ジレンマを克服したインドネシア発のイスラム映画――『愛の章』（二〇〇八年）

観客動員数三六八万人を記録してインドネシアにおけるイスラム恋愛映画の流行に先鞭をつけた『愛の章』は、イスラム教の要素を取り入れた恋愛ドラマであると同時に、主人公のインドネシア人青年が神々しいほどの聖人君子で博識の秀才であり、イスラム教に関する教育の中心地であるエジプトのアズハル大学で学び、信仰に関する知識でアラブ人ムスリムと互角に渡り合う。自分たちのイスラム教は本場と比べて混じりものや逸脱だと見られて格下扱いされていると感じてきたインドネシア人がアラブ人と互角に渡り合い、ときにアラブ人を言い負かすという『愛の章』は、インドネシアのムスリムを大いに鼓舞するものだった。

中東における逸脱とインドネシアのムスリムの普遍性を示す

『愛の章』の舞台は、世界のイスラム学の中心とされるエジプトのアズハル大学である。物語は、財産も家柄もないけれど将来を嘱望されてアズハル大学に留学しているインドネシア人ムスリム男性のファハリ、経済的にあまり恵まれず、病弱ながら才気煥発なエジプト人コプト教徒のマリア、裕福な名家の出で教養豊かなトルコ系ドイツ人ムスリム女性のアイシャの三人によって進展する。物語は、①ファハリとアイシャの結婚、②ファハリが無実の罪で逮捕されてから釈放されるまで、③ファハリとマリアとアイシャの三人の生活の三幕から成る。

　ファハリが下宿するアパートの上の階に住むマリアは、コプト教徒だがイスラム教の素養もあり、ファハリのアラビア語の宿題を手伝うなど献身的にファハリに尽くし、ファハリに好意を寄せるが、ファハリはマリアの思いに気がつかない。ある日ファハリは電車の中でエジプト人男性に難癖をつけられているアメリカ人女性記者を助けようとして、コーランの章句を引いてエジプト人を黙らせる。そこに乗り合わせていたアイシャはファハリを見初め、叔父に頼んでファハリの師を通じてファハリと会う。ファハリはアイシャを運命の人だと感じてアイシャと結婚する。マリアは別のエジプト人男性の悪事の証拠隠滅のために交通事故を装って殺されそうになり、意識不明の重体になる。

　誰にでも優しいファハリは別の女性に逆恨みされ、無実の罪の疑いをかけられて投獄され、マリアの証言がないと死刑になる恐れがある。ファハリの子を宿したアイシャは獄中のファハリを救うために奔走し、自分のドイツ国籍を利用してファハリを一時的に監獄から連れ出す許可を得て、マリアが入院する病院に連れて行く。危篤状態のマリアを覚醒させるため、アイシャの求めでファハリは病床

『愛の章』では、インドネシア人のファハリ（中央）、エジプト人コプト教徒のマリア（左）、トルコ系ドイツ人のアイシャ（右）の一夫多妻の暮らしが描かれる〈Hanung Bramantyo, MD Pictures〉

のマリアを第二夫人に迎え、ファハリはアイシャの前でマリアに愛を囁き接吻する。覚醒したマリアの証言によってファハリは無罪となって釈放され、三人の暮らしが始まるが、ファハリは二人の妻をどう扱うべきか悩む。病弱だったマリアは再び危篤状態になり、死の淵でファハリの介添えでイスラム教に改宗する。マリアを看取ったアイシャはファハリの子どもを出産し、ファハリと暮らす。

ファハリとアイシャが出会う電車の中のシーンでは、エジプト人男性が肌を露出した白人女性に難癖をつけて「アメリカ人こそテロリストだ」となじり、これをファハリがコーランの章句を引用しながら諭す。白人女性はアメリカ人であることが示唆されており、二〇〇一年の同時多発テロ以降、ムスリムをテロリストと同一視して対テロ戦争を始めたアメリカに対する一つの典型的な態度が表現されている。その態度をファハリがイスラム教の教えに即して窘《たしな》めることで、テロをめぐる戦争が不毛であることとともに、イスラム教の教えはテロをめぐる戦争に組み込まれないようにするためにこそ用いられるべきであることが示される。

電車で外国人女性をなじった男性のほかにも、養女を妊娠させて売春宿に売ろうとし、そのことを知ったマリアを殺そうとするエジプト人男性も登場する。イスラム教の本場である中東のアラブ人ムスリムに尊敬に値しない人がいることや、インドネシア人がアラブ人ムスリムを教え諭す様子が描かれることで、中東でイスラム教の信仰実践が逸脱している様子と、東南アジアのムスリムが普遍的な価値を維持している様子が対比されて示される。『愛の章』が提示したインドネシアのイスラム像は、「イスラム教の本場である中東のものを取り入れようとすると危険視され、逆にインドネシアに即した柔軟な解釈を行うと中東から逸脱扱いされる」というインドネシアのムスリムが抱えてきたジレンマに対する一つの答えでもある。

中東を中心とするイスラム世界の周縁に位置づけられてきたインドネシアでこのような映画が制作された意味は大きい。ユドヨノ大統領がジャカルタで中東諸国の各国大使を招待して上映会を催し、「インドネシア発のイスラム映画」と胸を張った背景には、イスラム教の教えを踏まえて世界の人々と互角に渡り合い、多様な人々が共生する現実の世界の中で家づくりを行うファハリの姿が、インドネシアの目指すべき道をも示していたことがある。

原作からイスラム色を薄めて大ヒット

『愛の章』は、二〇〇四年に出版されたハビブラフマン・エル・シラジの同名の小説[22]を原作に、ハヌン・ブラマンティヨ［➡319頁］が監督した作品である。ブラマンティヨは都会を舞台にしたポップな恋愛映画の監督で知られており、宗教映画を撮ることに関心がなかった。シラジとブラマンティヨは、同じイスラム教徒どうしでも、作品を通じた宣教に対する考え方が大きく異なっていた。

シラジは中部ジャワ出身でエジプトのアズハル大学で学んだ。イスラム教の宣教のために自身の経験をもとに執筆した小説『愛の章』は、刊行から三〇刷を数えるほどの

▶22 *Ayat Ayat Cinta* (Habiburrahman El Shirazy. Penerbit Republika. 2004)。

人気を博した。ブラマンティヨもこの小説を手にとっていたものの、主人公の現実離れした聖人君子ぶりや、物語があまりにも男性に都合よく展開して女性が物のように扱われていることにうんざりして、読み終えることができなかったと語っている。イスラム的な要素を含む恋愛や結婚を描いてくれれば原作からかけ離れても構わないとプロデューサーに説得され、ブラマンティヨは原作のイスラム色を薄めることを条件に監督を引き受けた。

人気の宣教小説の映画化のため注目が集まり、キャスティングはインドネシアのイスラム大衆組織ムハマディヤ［➡2部1章80頁］の助言も受けながら慎重に進められた。主人公のファハリ役の有力候補としてアラブ人風の彫りの深い顔立ちをしたファクリ・アルバルが挙がったが、ジョコ・アンワル監督の犯罪映画『時』の主演で注目を集めていたために別の役者が探された。

ブラマンティヨがファハリ役に推したのはフェディ・ヌリルだった。フェディは初出演作品の『ガレージ』[23]で妻ではない女性とのキスシーンを演じており、聖人君子とは対極のイメージを持つ俳優だった。ブラマンティヨは、フェディの起用の決め手は、ファハリ役に必要な清廉さや端正な物腰を持ち合わせていることに加え、自分が完璧ではないと自覚していることだったと語った。フェディが演じたファハリは、宗教映画で見られがちな顎鬚やガウンといった中東風の出で立ちや、黒い帽子に白の上衣とサロン(腰巻)といったジャワのイスラム寄宿塾生風の出で立ちではなく、西洋風のシャツやジャケットを着て流行の髪形をした青年という造形にされた。

▶23 原題は『Garasi』(Agung Sentausa監督、2005年)。西ジャワのバンドンを舞台に、母が妻子持ちのミュージシャンと不倫して産まれた娘ガヤ、伝統楽団一家の次男アガ、日本に音楽留学していたアワンの3人が出会い、インディーズ・ロックバンドを結成してスターを目指す青春映画。映画制作と並行して実際にロックバンドが結成され、フェディ・ヌリルはギターとキーボードを担当した。

『愛の章』は制作者たちの想像をはるかに上まわる大ヒットとなり、インドネシア映画にイスラム恋愛映画という新しいジャンルを作った。国内外ではイスラム教の要素を取り入れた恋愛映画が興行的に成功したと話題になったが、宣教小説と呼ばれるほどイスラム的教示に満ちた原作小説のヒットに支えられてのものというより、むしろ原作小説のイスラム色を薄め、現代的なインドネシアの若者の恋愛劇をイスラム的な背景を施した物語に仕立て直したことによるものだった。

たとえばファハリの人物像は、信仰に篤くイスラム教の教えに通じて年長者の言いつけを守る誠実な青年である一方で、周囲の女性たちの感情に頓着しないためにファハリに気がある女性たちとの間でトラブルに巻き込まれるという人間的な未熟さが強調された。また、映画版には小説版にはなかったファハリたちの一夫多妻の日常生活の場面が挿入され、ファハリが二人の妻に対する公平な扱いを守るために苦心惨憺する様子がコミカルに描かれた。▶24 本作品からは、この世に生きる限り、神との関係を正しくするだけでは不十分で、人と人との関係にも関心や犠牲を払いながら自分の生きる場をつくることが重要であるとのメッセージが読み取れる。

原作者と原作小説のファンが映画に失望を示した一方で、原作小説を読んだことのない多くの人々が劇場に足を運んだ。『愛の章』は、インドネシアの多くの観客にとって、西洋的で現代的な暮らしを維持したまま中東アラブ世界のムスリムと互角に渡り合える姿を提示しており、インドネシアの多くの観客にとって安心して楽しめる映画だった。

▶24 映画と原作小説の相違点については「信仰と共生——バリ島爆弾テロ事件以降のインドネシアの自画像」(西芳実、『地域研究』13(2)、2013年、pp.176-200)も参照。

世界に「インドネシアのイスラム教」の道を説く――『欧州に輝く九九の光』（二〇一三年）

イスラム恋愛映画は宣教と恋愛ドラマの二つの要素を備えた映画である。『愛の章』の大ヒット以降、敬虔なムスリムであることと西洋的で現代的で都会的な生活とを両立させた若者の恋愛ドラマの形を取りつつ、信仰についてのメッセージ性も帯びた作品が多くつくられるようになった。

多宗教社会における信仰実践のあり方を発信する

『欧州に輝く九九の光』は同名の小説[25]を映画化したもので、非ムスリムが多数派を占めるウィーンで暮らすインドネシア人ムスリムの夫婦を描いた物語である。

原作小説はハヌム・ライスとランガ・アルマヘンドラの夫妻によって二〇一一年に刊行された。ハヌムはムハマディヤ元総裁のアミン・ライスの娘で、国内有数のガジャマダ大学を卒業してジャーナリストとして活躍していた。ハヌムは『愛の章』の監督であるハヌン・ブラマンティヨとその監督作品を「イスラム教徒でありながらイスラム教を憎み、イスラム教を利用して金儲けすることしか考えていない」と批判していた。特に『ヒジャーブ』（二〇一五年）に対して、主人公の女性たちがベールを被ることを夫に強制されたり流行に乗ったりしていると面白おかしく描写していると批判し、大多数のムスリム女性が内的な目覚めや信仰心からベール着用に至っている事実を無視していると異議を唱えていた。

▶25 *99 Cahaya di Langit Eropa* (Hanum Salsabiela Rais & Rangga Almahendra. Gramedia Pustaka Utama. 2011)。

夫のランガがウィーンの大学院に留学することになり、ハヌムも同行してウィーンに滞在する。時期は二〇〇八年から二〇一〇年頃までで、ヨーロッパではロンドンやマドリードでイスラム教徒による爆弾事件が起こる一方、預言者ムハンマドの風刺画のように、イスラム教への批判が表立って表明されていた時期にあたる。『欧州に輝く九九の光』はハヌムたちのウィーン滞在中の経験に着想を得て執筆されており、登場人物の名前と著者の名前が同じこともあって、物語はあたかもハヌムとランガの体験記のような仕立てになっている。

グントゥル・スハルヤント監督によって二〇一三年に制作された映画版では、ハヌムは大学院の博士課程で学ぶ夫ランガと一緒にウィーンで暮らしており、ランガとハヌムのそれぞれの交友関係が描かれる。

ランガのパートでは、イスラム教の教えを厳格に守ることを重視するパキスタン出身のカーンや、金儲けが一番大事だと考える無宗教者のステファンたちと議論を交わすランガの姿を通じて、多宗教が混在する状況でのイスラム教徒のあるべき姿が示される。個人の自由が束縛されないことを重要視するステファンは、ラ

『欧州に輝く九九の光』で、ヨーロッパ各地を訪れたハヌム（右）は、そこで暮らすムスリム女性たちの手引きでヨーロッパにおけるイスラム文明の足跡をたどる〈©Maxima Pictures〉

ンガたちが豚肉を食べないこと、一日に何度も礼拝すること、断食することなどが理解できず、なぜ宗教に縛られるのかと素朴な疑問を投げかける。ランガが自分たちの行動の背景にある考え方を説明することを通じて、イスラム教に理解を示そうとしない人々と向き合う方法が示される。

また、大学で礼拝の場所を尋ねたランガたちは、男性が線香を立てて仏像を拝んでいる部屋に案内される。カーンは異教徒と隣り合わせで礼拝させられることに苛立つが、ランガは多様な宗教が混在するヨーロッパでは寛容を学ぶことが大切だとカーンを諭す。期末試験の日程がモスクでの集団礼拝と重なると、カーンは試験を欠席して集団礼拝に参加するが、ランガは試験を受けてから大学最寄りの礼拝施設で一人で礼拝する。同じムスリムであるカーンとランガを対比させ、ムスリムが多数派ではないヨーロッパで暮らすには非ムスリムやイスラム教に理解のない人々と折り合いをつけながら信仰を実践することが大切だという考え方が、寛容というキーワードとともに繰り返し示される。

女性たちに導かれて成長しベールを被るまでを描く

『欧州に輝く九九の光』のハヌムの物語では、自由で自立した女性がベールを被るようになるまでが描かれる。ハヌムは自分の意思で日常的にベールを被っていない。ベールを被るように夫に強制されることもない。夫が大学で研究している間、ハヌムは一人で外出して自由に街を歩きまわる。街ではムスリムは少数派で、ほとんどの女性はベールを被っておらず、ハヌムにベールを被るように迫る精神的な圧力はない。むしろ、ベールを被っていることで虐めや差別の対象になる様子も描かれる。そのような状況で、ハヌムは出会った女性たちとの交友関係を通じて自分と世界に対する理解を深めていき、個人の内面に変化が起こってベールを被るようになる。

　ランガとハヌムの間に子どもはなく、ランガが大学で研究している間、ハヌムは一人で外出して街や人々の様子を観察する。地元の言葉を学ぶためにドイツ語教室に通うことにしたハヌムは、同じ教室に通っているトルコ系のムスリム女性であるファトマ・パシャと出会う。ファトマも小学生の娘アイシャもベールをかぶっており、ムスリムが少ないウィーンで目立つ存在だった。

　アイシャが通う小学校にムスリムはほとんどおらず、アイシャは男子児童から「ムスリムは悪い人だ」と虐められる。非ムスリムの担任教師は、ベールを被っているから虐められているのだからベールを脱いではどうかとアイシャに言うが、アイシャはベールを脱ごうとしない。教師はアイシャにベールを脱ぐ許可を与えるようファトマに求め、ファトマが娘にベール着用を強制したことはないと言っても信じようとしない。この教師は、女性（しかも子ども）がベールを被っているのは男性や大人から強制されているためという思い込みを体現する存在として描かれている。

　ハヌムは、旅行で訪れたパリで、改宗してイスラム教徒になったフランス人女性で歴史学者のマリオンから、イスラム教がヨーロッパ社会に与えた影響を学ぶ。ハヌムはファトマやマリオンの案内でヨーロッパにイスラム教文明が残した足跡の広がりや美しさを見て、ムスリムであることへの自信を強める。

ウィーンに戻ったハヌムは、アイシャは癌を患っており、抗癌剤治療のために髪が抜け落ちていたことを知る。アイシャははじめそれを隠すためにベールを被っていたが、ベールを被ることでしだいにムスリムとしての自覚が芽生えてきたという。ハヌムがイスラム教の歴史に興味を持ち、コルドバに行ってみたいと思ったところで物語が終わる。

『欧州に輝く九九の光』の物語の続きは、同じ原作者と監督による『欧州に輝く九九の光2』(二〇一四年)で描かれる。コルドバのメスキータ[26](聖マリア大聖堂)を訪れてイスラム教とキリスト教の影響を目の当たりにしたハヌムとランガは、インドネシアへの帰国前にイスタンブールを訪れる。そこで再会したファトマにアヤソフィア[27]を案内してもらい、半年前に九歳で亡くなったアイシャの墓前でハヌムがベールを被る。

ハヌムの成長は夫の指導によってではなく、旅先で出会った女性たちから学ぶことによって導かれていく。ランガは大学の研究で多忙で、ハヌムはもっぱら一人で行動する。既婚女性の単独行動に夫以外の男性が同伴するのはイスラム的に望ましくないため、ハヌムのエピソードでは人生経験が豊かでハヌムの知らないことを知る女性たちがガイド役になる[28]。

ファトマ母娘との出会いがハヌムを成長させ、ハヌムは自分の意思でベールを被る。

▶26 8世紀にイスラム建築の粋を集めたモスクとして建設され、以後も拡張工事が行われて巨大モスクになった。13世紀にカスティィリャ王国にコルドバが征服されるとカトリックの教会堂に転用され、改築が繰り返された結果イスラム教とキリスト教とが同居する珍しい建築となり、1983年に世界遺産に認定された。

▶27 東ローマ帝国統治下の6世紀にキリスト教の大聖堂として建築され、15世紀にオスマン帝国の統治下に入ったことをきっかけにイスラム教のモスクになった。1934年にトルコ政府は施設を博物館として宗教を問わず利用できるようにしたが、2020年に博物館としての認定が取り消されてモスクに戻す決定が出された。

▶28 続編にあたる『アメリカの空に浮かぶ割れた月』(2015年、リサル・マントファニ監督、原題は『Bulan Terbelah di Langit Amerika』)では、2001年9月11日の米国同時多発テロの真相を解明するプロセスを通じて、ハヌムがジャーナリストとして、そして大人の女性として成熟を見せる。ここでもハヌムを導くのは女性で、同時多発テロで行方不明になったムスリムの妻である。

ベールの着用は、生まれ育った社会の習慣や周囲からの強要によるものではなく、本人の意識の目覚めの結果として描かれる。

『欧州に輝く九九の光』は、大学で研究しながら世界に向けてインドネシアのイスラム教の価値を説くランガと、出会った女性たちとの交友を通じて成長するハヌムの夫婦の物語である。しかし、ランガとハヌムの物語が交わることはほとんどない。そのことは、夫の海外留学に同行した妻というハヌムの立場と関わっている。

奨学金を得て外国で生活しているランガたちの生活は保障されており、ハヌムは生活を支えるために働きに出る必要はない。ハヌムとランガの間に子どもはいないので、ハヌムは子育てに時間を取られることなく、自分の時間を自由に使うことができる。また、ハヌムの物語として語られるのはランガが大学に行っている間の出来事であり、ハヌムがランガの妻であることは物語に関係しない。さらに、海外に滞在しているハヌムたちの実家との関係は描かれず、娘としてのふるまいが求められることもない。『欧州に輝く九九の光』は、娘、妻、母という立場によって縛られず、言い換えれば、恋愛や経済的自立や子育てといった要素を入れずに、一人のインドネシア人ムスリム女性がヨーロッパで他のムスリム女性たちとの交友を通じて成長する物語になっている。

成長し自己を確立するムスリム女性――『望まれざる天国』（二〇一五年）

インドネシア人ムスリム女性が妻や母という立場を踏まえて自分の幸せをどのように実現するかという課題に取り組んだ作品に『望まれざる天国』がある。同名の原作小説を書いたアスマ・ナディアは、一九九〇年代の女性向けイスラム短編小説の流行を牽引した女性作家の一人で、女性による執筆を促す活動を行うほか、自ら出版社を設立して著作を刊行してきた[29]。

アスマの著作は、『望まれざる天国』[30]（二〇〇七年刊行、二〇一五年映画化）や『アサラムアライクム北京』[31]（二〇一三年刊行、二〇一四年映画化）のように映画化され、ジルバブ（ベール）を被ったインドネシア人ムスリム女性が、非ムスリムが多数を占める外国を訪れて活躍する「ジルバブ・トラベラーもの」［➡3部3章214頁］というジャンルの確立に貢献した[32]。

「宗教的に正しい行為」がもたらす現実のコンフリクト

『望まれざる天国』は、ジャワ島のジョグジャカルタ特別州を舞台とする建築家のプラスと絵本作家のアリニの夫婦の物語である。プラスを演じたのは『愛の章』でファハリを演じたフェディ・ヌリルで、『愛の章』への出演以来、誠実で敬虔なムスリムの役を多く演じるようになっていた。

プラスは、自分が幼い頃に亡くなった母親の自殺を止められなかったという強い自責の念に囚われており、他人の不幸を見過ごすことができない。自作の物語を人形芝居にして子ど

▶29 1990年代の女性向けイスラム短編小説の隆盛とその意味については、『インドネシアのムスリムファッション――なぜイスラームの女性たちのヴェールはカラフルになったのか』（野中葉、福村出版、2015年）の第5章に詳しい。

▶30 原題は *Surga Yang Tak Dirindukan* (Asma Nadia. AsmaNadia Publishing House. 2014)。初版は『第二の宮』の題で別の出版社から刊行された (*Istana Kedua*. Asma Nadia. Gramedia Pustaka Utama. 2007)。

▶31 *Assalamualaikum, Beijing!* (Asma Nadia. Noura Publishing. 2013) 。

▶32 映画『望まれざる天国』にはハヌン・ブラマンティヨが副プロデューサーとして参加し、続編の『望まれざる天国２』では監督を務めた。

もたちにイスラム教を教えているアリニと結婚し、娘のナディアと三人で幸せに暮らしている。

ある日、プラスは交通事故を目撃する。目の前の困っている人を放っておけないプラスは、事故で重傷を負ったメイを病院に運び、メイは一命をとりとめる。妊娠していたメイは病院で男児を出産するが、人生を後悔して自殺を図る。プラスはメイに自殺をやめるよう説得するため、自分がメイと男児アクバルの人生に責任を持つと言い、その証拠としてその場でメイと結婚する。

初対面のメイを第二夫人に迎え、生後間もない息子を抱えることになったプラスは、コーランの一夫多妻に関する章句を全て暗誦できるほどイスラム教に通じており、メイを第二夫人を迎えたことはイスラム教の教えに照らして適切であり、やましいところは一つもないと確信している。また、自分が愛するのは妻のアリニと娘のナディアだけだという気持ちにわずかの揺るぎもない。事情を説明すればアリニも第二夫人を迎えたことを受け入れてくれるだろうと考えている。しかし、アリニの父親が亡くなり、父親に第二夫人と娘がいたことを知って父親の不誠実を嘆き怒るアリニの姿を見て、プラスは自分に第二夫人ができたと言い出せなくなる。

アリニは偶然から第二夫人の存在を知って傷つき悩むが、暴漢に襲わ

『望まれざる天国2』の一場面。アリニ（左）は第二夫人となったメイ（右）とその子を家族として受け入れ、一緒に家族写真を撮る〈Hanung Bramantyo, MD Pictures〉

れている女性を助けようとしたプラスが瀕死の重傷を負ったことをきっかけに、アリニはメイとアクバルを家族として受け入れる。しかし、メイは自分を家族として受け入れてくれたアリニに感謝する一方で、自分の存在がアリニの幸せを損ねていると感じている。メイはアリニにアクバルを託し、アリニとプラスのもとを去る。

『望まれざる天国』の主要な登場人物の母親たちは、いずれも夫の不義に苦しんでいる。プラスの母親が自殺したのはおそらく夫の不義が原因で、メイの母親も夫に捨てられて自殺していて、アリニの母親も夫の一夫多妻に悲しみを抱えていた。その子どもたちである三人は、無責任な夫や一夫多妻状況が妻たちを苦しめることをよく知っており、悲劇を繰り返さないように決断し行動する。その結果、プラスはメイと結婚し、アリニはメイを家族として受け入れ、メイはアリニにアクバルを託して去るという結末になった。こうして、法律上は一夫多妻のままだが実生活では一夫一妻というどっちつかずの状況で物語の幕が閉じる。

続編の『望まれざる天国2』ではこの状況に決着が図られる。アリニは売れっ子作家になっており、新作の広報のために幼いナディアを連れてヨーロッパを訪れる。メイはアリニたちからアクバルを引き取ってブタペストで親子二人で暮らしており、アリニたちはブタペストでメイたちと思いがけず再会する。

メイは小規模ながら自前のブティックを経営し、経済的に自立して暮らしていた。インドネシア人医師のシャリフから毎日のように訪問を受けており、過去は問わずにこれからの人生を一緒に過ごしてほしいと求婚される。メイはシャリフの求婚に応えたいが、制度の上ではプラスと婚姻関係にあり、それを解消しない限りシャリフと結婚できない。一方、アリニたちに合流したプラスは、メイが生き生きと暮らしている様子を見て安心し、自分の保護は必要なくなったと考え、メイとの婚姻関係を解消してメイを自由にしようと考える。

アリニがブタペスト観光中に倒れて病院に運ばれ、診察したシャリフから、脳に癌が転移しており、アリニに残された日数はほとんどないことが伝えられる。アリニは幼いナディアが母親を失うことを恐れ、結婚を解消せずに夫婦としてナディアを育てるようプラスとメイに頼み込む。アリニは急速に体調が悪化して息を引き取り、メイはプラスとシャリフのどちらを伴侶にするか選択を迫られる。

信仰に目覚めた女性が直面する宗教規範への対応

メイは『望まれざる天国』の冒頭で、結婚するはずだった男性の裏切りによって父親がいない子どもを出産したところをプラスに助けられた。プラスは、自分と血縁関係のない子どもとその母親を助けるため、生来の気質とイスラム教の教えにのっとってメイを妻にした。メイはプラスに出会ったときはベールを被っていなかったが、プラスを夫に迎え、自らイスラム教について教えを請い、物語の終盤ではベールを着用するようになる。これらのことは、「メイは親の後ろ盾がなく、婚前交渉で妊娠した貞操観念が低い女性で、ベールを被っていないことから信仰心が確立しておらず、そのため救いを与える対象である」という考え方を示している。したがって、『望まれざる天国』は、憐れむべき女性であるメイが、イスラム教の篤い信仰心に支えられたプラスとアリニの夫婦と出会い、自分と息子の命を救ってもらい、イスラム教を学んで信仰心に目覚め、ベールを着用するようになって人生の再起をはかる話として理解される。

『望まれざる天国2』では、プラスとアリニのおかげでメイは人生の再出発を果たしている。ベールを着用し、経済的にも自立し、息子を引き取って自分で育てており、さらに人柄も社会的立場も申し分ない男性から求婚される。

アリニとメイは、制度上は夫を共有する妻どうしだが、実際には対等な友人関係である。そのうえで、メイはアリニの友人として、母親としてのアリニの願いを聞き、自分と血縁関係のない子どもを育てるためにプラスの妻として生きることを選び、あらためて式を挙げる。『望まれざる天国』のプラスの結婚と『望まれざる天国2』のメイの挙式は、いずれも自分と血の繋がらない子どもが母親を失わないための自己犠牲として描かれ、それによって一夫多妻状態が生じることは神への愛と感謝によって支えられるべき正しい行いであると説明される。これらの結婚は、自分が愛し愛されるという意味での運命の人との結婚に見えないため、それがハッピーエンドのように描かれることに戸惑いを覚える人もいるかもしれない。しかし、こうした行為が親や家の意向に従って強制的に行われたものではなく、本人の意思によって目の前の子どもを救うという義のためになされている点に、『望まれざる天国2』の際立った特徴がある。

『欧州に輝く九九の光』では、大学で研究を進める夫と街に出てジャーリストの目で世界と触れ合う妻とは別々に行動している。夫はムスリムにふさわしいふるまいについての規範的な考え方を語るが、その考え方は家の中には持ち込まれず、家庭内では規範をめぐる問題が生じない。これに対して『望まれざる天国』では、「困っている人は助けるべき」という規範を夫が家の中に持ち込むことで一夫多妻状況が生じる。目前の瀕死の人を助けることが動機で、一人で複数の女性を従えたいという権勢欲によるものではないが、妻は夫に第二夫人がいることを心情的に受け入れられない。イスラム教の原理原則に照らして問題はどこにもないはずだが、それを家の中に持ち込んだとたん、家庭内で規範をめぐる問題が生じてしまう。

続編の『望まれざる天国2』では、妻は子のために夫に別の女性との生活を勧める。これをどう理解するかは考え方が分かれるだろう。男性たちがつくる社会秩序のなかでイスラム教に触れて成長した女性によって、女性は夫や子どものために自己を犠牲にするのがよいことだという規範が内面化されたと理解するのか。あるいは、はじめ妻は夫によって持ち込まれた一夫多妻を受動的に受け入れるだけだったけれど、人生の経験を積み、規範に囚われない自己を確立した結果として、自分の子どもが二人の親によって育てられる状況を何としてでも確保しようとしたと理解するのか。

男たちがつくる規範のなかで学習研鑽した女性は、規範に取り込まれて規範を支える側にまわるのか、それとも規範に囚われない強い自己を確立するのか。この問いは、次章で見るように、イスラム寄宿塾の塾長の娘の恋愛劇を通じてさらに検討される。

第3章
信仰のなかで生きる女の幸せを考える
――ジャワ農村の束縛からどう逃れるか

『ターバンを巻いた女』、『愛が祝福されるとき』、『カルティニ』、『ジルバブ・トラベラー』

イスラム教の教養と美貌と経済力という三拍子揃った敬虔なムスリム女性を描こうとしたとき、インドネシア映画が最初に描いたのは、前章で紹介したような、都会育ちで子どもの頃から機会に恵まれ、海外で暮らしても物怖じしない女性たちの物語だった。しかし多くのインドネシア人女性にとって、そのような物語はショッピングモールの高級ブランドのショウウインドウを眺めているようなもので、憧れの存在ではあっても、自分の境遇を考えると現実的ではなかった。

インドネシアで人口の多数を占めるジャワのムスリム女性の境遇に引き寄せて魅力的なムスリム女性を映画で描こうとしたとき、主人公に選ばれたのがイスラム寄宿塾の塾長の娘である。塾長の娘は日常的にベールを被り、イスラム教に関する教養をそなえ、社会的地位もある。ジャワの農村を舞台に、イスラム寄宿塾の塾長の娘がどのようにして幸せになれるかをテーマにするイスラム恋愛映画がいくつも制作されることになった。
ただし、物語上、塾長の娘には恋愛と家族づくりに関して重大な制約があった。次の塾長として寄宿塾を引き継ぐ男性との結婚が求められるため、塾長の娘の恋愛ドラマでは、親が勧める男性と自分が好きになる男性とがしばしば異なることになる。また、女性には読み書きも学問も必要ないとする考え方が色濃い社会で、塾長の娘は将来の塾長の妻にふさわしい学識を身につけるが、それによって女性の自立について考えるようになり、親が決める相手と結婚することを含めて男性中心的な社会のあり方を疑問に思ってしまう。

この章で主に取り上げるのは、『ターバンを巻いた女』[33]（二〇〇九年）、『愛が祝福されるとき』[34]（二〇〇九年）、『カルティニ』[35]（二〇一七年）、『ジルバブ・トラベラー』[36]（二〇一六年）である。『ターバンを巻いた女』と『愛が祝福されるとき』は、どちらもイスラム寄宿塾の塾長の娘を主人公として、自分が思いを寄せる相手ではない男性との縁談を親から勧められる。『ターバンを巻いた女』の塾長の娘は自己決定と自立を徹底させるのに対し、『愛が祝福されるとき』の塾長の娘は親や周囲の期待に従って奇跡が起きるのを待つ。[37]

塾長の娘を描いた二つの物語が、奇跡が起きるのを祈るか、そうでなければ一人で生きていく覚悟をするかの選択肢しかない描き方になっていることは、「よき母、よき妻、よき娘」の手本として国を挙げてインドネシア人女性（特にジャワの若い娘たち）が従うべきロールモデルとされてきたカルティニ［➡3部3章210頁］の影響が大きい。家の仕事を受け継ぐために結婚相手が決められてしまう塾長の娘や、「よき母、よき妻、よき娘」の手本であるカルティニは、

▶33 原題は『Perempuan Berkalung Sorban』（ハヌン・ブラマンティヨ監督）。
▶34 原題は『Ketika Cinta Bertasbih』（ハエルル・ウマム監督）。
▶35 原題は『Kartini』（ハヌン・ブラマンティヨ監督）。
▶36 原題は『Jilbab Traveler: Love Sparks in Korea』（グントゥル・スハルヤント監督）。
▶37 この二つの作品以降、イスラム寄宿塾を舞台に恋のさやあてを描く『ミフラブのなかの愛』（Dalam Mihrab Cinta、ハビブルラフマン・エル・シラジ監督、2010年）をはじめ、ジャワのイスラム寄宿塾を舞台に恋愛要素を盛り込んだ映画がいくつも登場し、ベールを着用したムスリム女性を含む三角関係を描くイスラム恋愛ものが多く制作された。

いずれも娘が親の手元に置かれたままで親が望む暮らしを送ることが前提となっている。

　これに対して、『ジルバブ・トラベラー』のように、家業に縛られないムスリム女性の主人公がジルバブ（ベール）を被ることでムスリム女性としてのアイデンティティを明確にしながら各分野で活躍する映画も登場した。有力な実家という後ろ盾を持たない女性たちが実力と努力で知識や技術を身につけてキャリアを積んで成功していく様子が描かれ、誰でも努力すれば魅力的で立派な女性になれるというエンパワーメントの物語になっている。

男社会という監獄のなかで自由を求めて闘う——『ターバンを巻いた女』（二〇〇九年）

『愛の章』の興行が成功を収めたブラマンティヨが次作の原作に選んだのは、イスラム寄宿塾出身のムスリム女性でフェミニストとして知られるアビダ・ハイレキによる小説『ターバンを巻いた女』[38]（二〇〇一年）だった。『愛の章』で一夫多妻をコミカルに描くことで一夫多妻が現実的ではないことを示そうとしたものの、結果的に一夫多妻を好意的に描いたと批判されたブラマンティヨは、『ターバンを巻いた女』の制作に際しては、「そのように感じたすべての女性への贖罪としてこの映画を撮る」と述べた。

▶38 *Perempuan Berkalung Sorban* (Abidah El Khalieqy. Yayasan Kesejahteraan Fatayat. 2001)。

自分の未来も身体の扱いも自らが決める女性を描く

二〇〇九年に公開された映画『ターバンを巻いた女』は、東ジャワのイスラム寄宿塾の塾長の娘アンニサが、男社会という「監獄」の中で自由を求めて闘った姿を描いた作品である。劇中の時期は一九八五年から二〇〇一年頃までにあたる。

アンニサは聡明で意思堅固な女性であり、身体の扱いや自分の将来を含め、幼少期から自分のことを自分で決めようとして周囲と衝突する。

街で映画を見ようとしたアンニサが男性に絡まれて騒ぎになると、アンニサは男性の付添人なしにイスラム寄宿塾の外に出ることを禁じられる。大学進学のための奨学金を得るが、父親は娘の大学進学を認めない。かわりに父親はアンニサの縁談を進め、アンニサは素行が悪く暴力的で尊敬できない男性と結婚させられる。アンニサは、父親を塾長とするイスラム寄宿塾、そして尊敬できない夫との家庭という「監獄」に閉じ込められてしまう。

アンニサを縛るのは、女性は妻になり母になるのが務めであり自分の幸せでもあるという考え方である。家庭でも社会でも指導者にな

『ターバンを巻いた女』で、まわりのムスリム女性と一人だけ違う服装で違う方向を向いているアンニサの姿は、個人の思いを口に出せないムスリム女性たちのなかで孤立しようとも闘う決意を示している〈Hanung Bramantyo, Kharisma Starvision Plus〉

るのは男性であり、女性は、未婚のときは娘として父親や親族の男性の、結婚してからは妻として夫の保護下で生きるべき存在とされる。

『ターバンを巻いた女』に登場する男性たちはこの考え方をイスラム教の教えによって説明するが、実際には信仰とは別の事情があることも描かれている。アンニサの父親は、アンニサを叱るときにしばしば「お前のような娘を持つ塾長が経営する寄宿塾に誰が自分の娘を預けようとするか」と言う。これは、アンニサの言動がイスラム寄宿塾の評判を下げ、生徒が来なくなって寄宿塾の経営が成り立たなくなることを父親が気にしていることを示している。父親がアンニサの結婚相手を決めたのは、相手の実家が寄宿塾の経営資金を援助してくれると父親が当てにしているためでもある。

アンニサは、自分が思いを寄せるフドリがエジプト留学から帰国すると、フドリと二人きりで会う。既婚女性が夫以外の男性と二人で会うことは許されないが、それを破っただけでなく、アンニサは被っているベールを自分から脱ぎ、フドリに抱擁を求める。そのことがアンニサの夫や村の男たちの知るところとなり、アンニサは姦通の科で石打ちの刑に遭いそうになる。アンニサの言動を身勝手だと窘め続けてきたアンニサの母親が「罪を犯したことがない者だけが石を投げよ」と言い、アンニサは救われる。この母親の言葉を聞いた父親は心臓発作で倒れて死ぬ。イスラム寄宿塾の塾長である父親がこの言葉に応答不能であることは、イスラム寄宿塾と塾長の権威に対する強烈な批判になっている。

父親の死をきっかけにアンニサは夫と離婚する。自由の身になってジョグジャカルタの大学に進学したアンニサは、小説を執筆したり女性保護団体の手伝いをしたりしながら女性の自由と自立について考えを深める。フドリと結婚して子どもを授かるが、フドリは交通事故で亡くなり、アンニサは兄が塾長を継いだイスラム寄宿塾に身を寄せる。

発禁書の焚書シーンに込められたメッセージ

物語の後半におけるアンニサの困難は、イスラム寄宿塾でイスラム教以外の本を読むことを認めてもらえないことである。アンニサはプラムディヤ・アナンタ・トゥールの『人間の大地』[39]やエリ・ヴィーゼルの『夜』の本を寄宿塾の女子生徒に渡し、女子生徒たちはこっそり回し読みする。[40]

『人間の大地』は、フドリがアンニサに求婚したときに贈った本だった。フドリはこの小説の登場人物の言葉を引いて、男性に依存しないことと男性を愛することは両立するとアンニサに伝えた。フドリはまた、監獄は身体を閉じ込めることはできても思索を閉じ込めることはできないと語っていた。フドリの死後、アンニサはこの本を心の支えにしていた。

アンニサが渡した本をまわし読みした女子生徒たちは、自分たちもアンニサのように寄宿塾を出て自由に読んだり書いたりしたいと訴える。アンニサは、プラムディヤも監獄で執筆したのだから寄宿塾で執筆できないことはないはずだと女子生徒たちを勇気づける。しかし、アンニサが女子生徒に渡した「危険思想」の本の存在が寄宿塾の教師たちに

▶39 著者のプラムディヤはインドネシアの国民的な作家として国内外で高い評価を受けていたが、政治犯としてブル島に流刑にされ、そこで執筆した「ブル島四部作」を含めて、スハルト政権下で著作が発禁とされてきた。発禁処分後も、著作はコピーなどの海賊版で学生たちの間で回し読みされていたことが知られている。日本語訳は『人間の大地』(上下巻、プラムディヤ・アナンタ・トゥール(押川典昭訳)、めこん、1986年)。2019年にハヌン・ブラマンティヨ監督によって同じタイトルで映画化された。

▶40 イスラム寄宿塾の抑圧に抵抗するアンニサが女子生徒たちに紹介した本は、インドネシア民族の解放を目指して獄中で書かれた『人間の大地』と、ナチス・ドイツ時代のユダヤ人強制収容所に関する『夜』だった。イスラム寄宿塾は女性にとって監獄や収容所のようなものだというメッセージを見ることができる。

知られ、本は没収されて燃やされる。
アンニサは教師たちの反対に遭うが、それでも諦めずに本を寄贈し続け、ようやく寄宿塾に図書室をつくることが認められる。このエピソードには、家のため、そして世間の目のために囚われの身にあった女性たちが、読むことと書くことを通じて精神の自由を獲得するという強いメッセージがうかがえる。

映画のラストシーンで、アンニサは幼い息子とともに馬に乗り、息子に乗馬を教える。アンニサは子どもの頃に「女は乗馬を習わなくてよい」と言われたことに反発して、男性と対等になろうとして、ムスリム男性の象徴であるターバンを身につけて乗馬を独習していた。愛する人と結婚し、その子を成すとともに、かねてからの願いだった図書室を寄宿塾に開設したアンニサは、馬上からターバンを投げ捨て、息子とともに海辺を駆けていく。

『ターバンを巻いた女』は、女性が自分の将来と身体について父親や夫ではなく自分で決定することの難しさと大切さを正面から描いた作品として高く評価され、インドネシアの女性解放のシンボルであるカルティニに重ねて「プサントレン（イスラム寄宿塾）のカルティニ」と呼ばれた。他方で、女性の困難をわかりやすく描こうとした結果、イスラム寄宿塾やジャワの保守的な側面が過度に強調され、イスラム寄宿塾をあたかも牢獄であるかのように描いたとも批判された[41]。

▶41 映画の舞台設定が1980年代から1990年代であることにも注意が必要である。インドネシアの女子教育においてイスラム改革運動やイスラム寄宿塾が果たした歴史的な役割については『ムスリマを育てる――インドネシアの女子教育』(服部美奈、山川出版社、2015年)や『インドネシアの近代女子教育――イスラーム改革運動のなかの女性』(服部美奈、勁草書房、2001年)を参照。

学問を究めて男社会を支える――『愛が祝福されるとき』(二〇〇九年)

興行的な成功にもかかわらず『愛の章』に満足していなかったのは監督のブラマンティョだけではなかった。原作者であるシラジもまた、映画版がブラマンティョによってイスラム色が薄められたことに不満を持ち、自身の別のベストセラー小説『愛が祝福されるとき[42]』の映画化に取り組み、制作に積極的に関わった。

監督にはベテランのハエルル・ウマムを招いた。ハエルルは一九七〇年代から一九八〇年代初めにかけて活躍し、イスラム教の宣教の要素をもった映画を多く手掛けていた。キャスティングでは俳優のコーラン読誦能力をテストしたうえで、イスラム教に通じた年長者の役で知られる俳優で監督のデディ・ミズワルらが選ばれた。ブラマンティョの『ターバンを巻いた女』への批判が高まるなかで制作準備が進められ、ブラマンティョに対する対抗が意識されていた。[43]

田舎の慣習と体裁を気にする親が阻む自由な結婚

物語は、留学先のエジプトで出会った二人の男女が互いに好意を寄せあうものの、すぐには結ばれず、帰国後にそれぞれ別の人と婚約し結婚するなどの紆余曲折を経て、最終的に二人が結婚するまでが描かれる。

男性主人公のアザムは中部ジャワ出身で、エジプトのアズハル大学で学ぶインドネシア

▶42 *Ketika Cinta Bertasbih* (Habiburrahman El Shirazy. Penerbit Republika. 2017)。

▶43『ターバンを巻いた女』と『愛が祝福されるとき』の対抗関係については、*Identity and Pleasure: The Politics of Indonesian Screen Culture* (Ariel Heryanto. NUS Press. 2014) の第3章で詳しく論じられている。

人青年である。アザムの実家は裕福ではなく、留学直後に父親が亡くなったため、インドネシア料理のバソ（肉団子）やテンペ（大豆の発酵食品）をつくって売るアルバイトをして母親と三人の妹たちに仕送りしている。学業に十分に時間がとれずに卒業が予定より遅れているものの、インドネシア人留学生が集まる下宿では指導的な立場で人望が厚く、周囲の大人たちからも誠実でまじめな人柄を評価されている。

女性主人公のアナは、中部ジャワのイスラム寄宿塾の塾長の娘である。アナはアズハル大学の大学院で学び、優秀な成績で卒業する。家柄も人柄もよいアナはエジプトのインドネシア人留学生たちの間でも評判がよい。アザムもアナの噂を聞き、アナと結婚したらどうかと友人から冗談半分に勧められるが、相手はイスラム寄宿塾の塾長の娘なので、庶民の食べ物を売っている自分にはとても釣り合わないと考えている。

あるときアザムは、バスで財布をなくして困っていたインドネシア人女子学生を助け、名前を尋ねられてとっさにアブドゥッラーと答える。その女子学生はアナで、助けてくれたアブドゥッラーに好意を抱く。アザムも、自分が助けた女子学生がアナだと知ると、アナと結婚する自分の姿を夢想するようになるが、アナは大学院を終えて帰国し、

『愛が祝福されるとき』とその続編で、アナ（中央）とアザム（右）は留学先のエジプトでは対等な立場で出会うが、ジャワに戻ると家柄が違うためにそれぞれの親から別々の結婚相手を薦められる〈©SinemArt Pictures〉

二人は互いに思いを伝えることなく離れ離れになる。

あるべきイスラム教徒の姿をリアリティをもって正しく描くことに注意が払われたこの映画で、アナとアザムの恋愛はなかなか成就しない。

帰国したアナは親から早く結婚するよう強く勧められ、まだ勉強したいと言っても次々と婚約者候補を紹介される。アナはエジプトで大学院まで出て学問を究めたが、イスラム寄宿塾の塾長の娘として次の塾長にふさわしい男性と結婚することが期待されている。アブドゥッラーのことが忘れられないアナは両親が勧める縁談を断り続けるが、世間体を気にしてあまり縁談を断れない両親の強い勧めで、アナはアザムより先にアズハル大学を卒業してジャワに戻っていたフルカンと婚約する。

後編の『愛が祝福されるとき2』で、アザムはアズハル大学を卒業して九年ぶりにジャワに戻り、母親や妹たちと再会する。アザムは妹のフスナを通じてアナと出会う。アザムは自分が思いを寄せていたアブドゥッラーだと知ったときには、アナはフルカンとの結婚が決まっていた。アナとアザムは心の底で互いに思いを寄せ合うが、どちらもその気持ちを口に出すことができず、アナはフルカンと結婚式を挙げる。アザムも母親から結婚相手を何人も紹介され、そのうちの一人と婚約する。

アナの豊かな学識や経験や知見は、親の考えと異なる決断を後押しする方向に働かず、親や周囲の人々に祝福される結婚こそ正しい結婚であるという良識を覆すことはできない。アナにできるのは、親が薦める婚約者候補を何人か断ったり、婚約にあたって婚約者に結婚の条件を提示したりするまででしかない。アナの学識と主体性をもってしても親の意思に逆らうことはできない。

アザムもまた、学歴も判断力もあって一家を養う才覚もあるが、親の意向には逆らえない。ジャワに戻ったアザムはエジプトから取り寄せた商品をトラックで配送する仕事を始めるが、大学を卒業した男がする仕事ではないという世間体を気にした母親はアザムに定職に就くよう求め、配送の仕事を辞めさせる。妹たちがアザムの結婚相手を探しても、母親は「朝七時に起きてくるような怠け者はよい妻にならない」などと注文が多く、結婚相手がなかなか決まらない。

アナとアザムの結婚が思うにまかせず、それぞれ別の人との結婚の話が進んでいくのは、二人がどちらも結婚によって親の祝福を得ようとするためである。親たちは子どもたちの希望よりも世間体を気にしており、二人は自分たちの思いを遂げることができない。

奇跡の連鎖がもたらすハッピーエンド

『愛が祝福されるとき』で注目すべきなのは、さまざまな奇跡が重なることで無理だと思われたアナとアザムの結婚が最後に実現することではなく、その結果として既存の権威や社会秩序が壊されないことである。

登場人物たちはいずれもイスラム教や社会通念にしたがって善意で行動しており、悪意を持って行動する人はいない。親たちの行動はイスラム教に照らして適切で、アナとアザムはそのことに疑問を持っていない。子どもたちは親の意向と自分の希望が対立していることを自覚しているが、親に反発したり社会を批判したりすることはない。アナとアザムは、二人が自分の意思を貫いた結果としてではなく、さまざまな奇跡が重なったことで結婚が実現する。また、それによって、親の意向と子どもたちの希望が対立しているという問題も解消される。

フルカンはエジプト留学中の軽率な行動が原因で性感染症に罹っていたことが判明し、フルカンとアナは離婚する。離婚はアナが望んだからではなく、結婚のときに相手に伝えるべき事実を伝えていなかった不実が原因であり、イスラム教と社会通念のいずれに照らしても離婚が適切とされ、フルカンの意向により離婚手続きが進められる。

アナの父親が運営するイスラム寄宿塾で、アザムが説法をまかされる場面がある。アザムの説法はアズハル大学で学んだことをインドネシアの実情に即して伝えるもので、説法を聞いたアナは父親の説法よりもわかりやすく魅力的だと言う。この感想はアナの父親の権威を損ないかねないが、アナの父親はそれを聞いて怒ることもなく、自分と異なるやり方の説法を受け入れていることは自分が教え導くイスラム寄宿塾の権威をより高めると歓迎する。

『愛が祝福されるとき』では、塾長の娘は親が勧める縁談を受け入れる。内心では別の男性を尊敬してその人と結婚したいと思っているし、相手も自分に思いを寄せているとわかるが、親が決めた結婚に従わないわけにはいかず、二人は引き裂かれる。ただし、商業映画としてハッピーエンドが好ましいという配慮からか、運命のさまざまな歯車が噛み合い、最後には親たちの祝福を受けて二人が結ばれる。その二人が最終的に結ばれるまでの紆余曲折をイスラム教や社会通念を否定したり批判したりせずに描ききった『愛が祝福されるとき』で、前後編の二部に分けて現実にはあり得ない奇跡を幾重にも積み重ねてようやく結ばれた二人の結末を見た観客は、二人が結ばれたことを祝福するよりも、自分が選んだ相手との愛が親から祝福されるときは現実には訪れないかもしれないという思いを強めることになった。

超えられないジャワ娘の理想像
——『カルティニ』(二〇一七年)

『ターバンを巻いた女』が「プサントレンのカルティニ」の物語であると受け止められたのはもっともである。『愛が祝福されるとき』とあわせて、イスラム寄宿塾の塾長の娘を描いた二つの物語は否応なく観客にカルティニを思い出させる。ジャワの娘の理想像を描こうとした二つの物語がどちらも現実とかけ離れた

『カルティニ』は、読書を通じてしか世界と触れ合えなかったカルティニが想像の中で海外を訪れる姿を描くことで、理想的な女性としてのカルティニ像を現代にも通用させようと試みた〈Hanung Bramantyo, Legacy Pictures, Screenplay Films〉

結末を迎えていることは、ジャワの娘たちにかけられたカルティニというロールモデルの「呪縛」の強さをうかがわせる。

宗主国から評価された別格の女性英雄カルティニの功罪

カルティニ（一八七九〜一九〇四年）は、オランダ植民地統治下のジャワの貴族の娘である。オランダ語による西洋式の教育[44]を受けて高い教養を身につけ、オランダ語の記事を執筆したり、オランダ語でオランダ人の役人や知識人と文通したりするとともに、ジャワ人女性を対象にした私塾を開いて女子教育に先鞭をつけた。オランダ留学の準備を進めていたが、病気の父親を慮って留学を断念し、親が決めた貴族の男性と結婚して、二五歳の若さで亡くなった。

当時のジャワでは、オランダ語は統治者の言語であると同時に近代文明を象徴する教養語でもあった。オランダ語の読み書き能力とオランダ人と対等に議論できる知性とを身につけた原住民の娘カルティニの登場は、未開社会の啓蒙と文明化を植民地統治の使命と自任していたオランダ植民地政府によって高く評価された。カルティニとオランダ人との書簡集はオランダの植民地統治の成果としてオランダで出版され、これによってカルティニは一躍有名になった[45]。

インドネシア独立後、カルティニは女性の地位向上に貢献した人物として国家英雄の一人に数えられ、誕生日の四月二一日は「カルティニの日」と名付けられて全国でイベントが催されるなど、他の女性英雄と比べて別格の扱いを受けている。スハルト政権時代には、カルティ

▶44　植民地時代のインドネシアでは、1816年にオランダ人子弟のためにヨーロッパ人小学校が設置され、オランダ人教師によってオランダと同じカリキュラムで授業が行われた。植民地行政の一端を担っていた原住民の貴族の子弟も非公式に入学を許されていた。

▶45　日本でもカルティニへの関心は高く、『インドネシア民族意識の形成』（永積昭、東京大学出版会、1982年）、『カルティニの風景』（土屋健治、めこん、1991年）などで取り上げられてきた。カルティニの書簡集の詳細な読み解きは『小さな学校——カルティニによるオランダ語書簡集研究』（富永泰代、京都大学学術出版会、2019年）で読むことができる。

ニは母として妻として娘として目指すべきロールモデルとされ、一九七二年に創刊された女性雑誌『カルティニ』は現在も刊行が続いている。カルティニの日に各地で催されるカルティニ・コンテストでは、「今年のカルティニ」に選ばれることを目指す女子が競い合っている。[46]

貴族の娘に生まれ、ジャワ人女性が受けられる最上級の教育を受け、当時手に入れられるだけの書物や雑誌をオランダから取り寄せて読むことができ、オランダ人からも高く評価されていたカルティニは、世界と渡り合う十分な力を身につけたが、それを生かしきることはできなかった。先に述べたように、オランダから奨学金を得て留学が決まっていたが、男性の候補に留学を譲らざるを得ず、家に留まり、「よき娘、よき妻、よき母」として二五年の短い生涯を終えた。親が決めた結婚相手の男はカルティニと結婚する前にすでに三人の女性との間に子をなしており、カルティニは正妻とはいえ一夫多妻だった。しかも、子を産んだ直後に産褥熱で亡くなり、子の成長を見守ることはできなかった。またカルティニは女子を対象にした学校の設立を望んでいたが、それが実現したのはカルティニの死後のことだった。

示されない指針を映画で探る試みの限界

結婚してすぐに亡くなってしまったカルティニは、現代のインドネシア人女性に対して、仕事でも、子育てでも、夫との関係でも、年老いた親との関係でも、そして自分の老後についてでも、自分たちの現実の暮らしに具体的な指針を与えてくれない。しかし、インドネシア人女性の唯一のロールモデルであるカルティニと別の生き方を選ぶと社会から認められ

▶46 ジャワ以外でも女性のロールモデルになりうる人々として、たとえば西スマトラでカルティニと同時代に女子向けのイスラム学校を設立したラフマ・プトリ（1900-1969年）や新聞を創刊したロハナ・クドゥス（1884-1972年）がいる。ラフマは「イスラム学校のカルティニ」、ロハナは「西スマトラのカルティニ」と呼ばれているように、カルティニを基準とする見方が根強い。ラフマについては204頁注41の服部の２冊の研究書、ロハナ・クドゥスについては『母系社会のジェンダー――インドネシア　ロハナ・クドゥスとその時代』（前田俊子、ドメス出版、2006年）が詳しい。インドネシアにおけるカルティニ像の変遷は「国家・英雄・ジェンダー――カルティニ像の変遷」（小林寧子、小泉順子編『歴史の生成――叙述と沈黙のヒストリオグラフィ』京都大学学術出版会、2018年、pp.23-73）で辿ることができる。

ず、そのことはとりわけジャワ社会で顕著である。カルティニのロールモデルを破るのは難しく、ジャワの女性たちはカルティニの短い生涯で実現されなかったことについてモデルがない状態に置かれてきた。留学して勉強していれば、自分が好きな人と結婚していれば、家の外に出て親と違う仕事をしていれば、そして何よりも若くして死ななければ、カルティニはその先でどのような人生を歩んだのか。これらの問いを背景に、インドネシア映画はカルティニの限られた人生の姿を広げようと試みてきた。

『カルティニへのラブレター』[47]（二〇一六年）は、カルティニに手紙を届ける郵便夫がカルティニに恋する様子を描くことで、親が決めた相手以外の男性との恋愛を想像させた。ただし、史実と大きく離れていると批判されて十分に受け入れられなかった。

ハヌン・ブラマンティヨの『カルティニ』は、史実を踏まえて時代考証にも尽力しながら新しいカルティニ像を開拓しようとした。そこで示されたのは、地元の木彫産業を振興するために屋外で男性の木彫職人に指導する姿（仕事をするカルティニ）、読書中の想像の場面として、オランダで女性弁護士が女性の権利擁護のために戦う法廷をのぞき見する姿（国際的な女性権利擁護運動に連帯するカルティニ）、多妻婚や幼児婚を批判する記事を書く姿（ジャワの慣習を批判するカルティニ）、オランダの風車が見える草原を旅する姿（海外を旅するカルティニ）である。しかし、カルティニの実際の人生が教育、結婚、就職のいずれにおいても道半ばで閉ざされている以上、カルティニをモデルとしてカルティニを超えることには限界がある。

▶47 原題は『Surat Cinta untuk Kartini』（アズハル・キノイ・ルビス監督）。

等身大のムスリム女性の立身出世――『ジルバブ・トラベラー』(二〇一六年)

二〇一〇年代半ば以降、カルティニ以外の女性を等身大のヒロインとして描くことで、カルティニと異なる女性たちの自立と成長の物語を描く映画が多くつくられるようになった。その特徴は、若いインドネシア人女性が、ムスリム女性に象徴的なジルバブ[48](ベール)を被った姿で様々な職業において専門性を発揮することである。女性一人で世界を旅行して記事を書く紀行作家、海外で学位を取得してジルバブの上に学位帽を被る理系の研究者、全身を覆ったユニフォームでスポーツクライミングをして国際大会で優勝する選手というように、ジルバブを被ったムスリム女子が様々な分野で力を発揮する。

　これらのうち代表的な映画『ジルバブ・トラベラー』にちなんで、本書ではこれらの映画を「ジルバブ・トラベラーもの」と呼ぶ。ジルバブ・トラベラーものに共通するのは、「ジルバブを被っているムスリム女性は個人のアイデンティティを隠して男性に従属する弱い立場を進んで受け入れている」という非ムスリムからの批判的な見方に対し、ムスリム女性であるというアイデンティティを強く意識しつつ親の祝福と支援を受けて自分の活躍の場を見出すという物語である。

　本節では、『ジルバブ・トラベラー』(二〇一六年)、『ＭＡＲＳ――我が子の夢は宇宙を手にする』(二〇一六年)、『六・九秒』(二〇一九年)を取り上げる。いずれの物語でも、出身の村の様子、親との葛藤と親からの支援、夢をかなえるための努力を経て、村を出て親とは異なる職業に就

▶48 この節ではベールをジルバブと表記する。

き、夫に頼ることなくキャリアを形成する。

旅に出た先で望む愛を見つける――『ジルバブ・トラベラー』

『ジルバブ・トラベラー』の主人公ラニア・サムドゥラは、ジルバブを被って世界を旅行し「ジルバブ・トラベラー」と愛称される紀行作家である。ラニアは事故で脳に怪我を負い、大学を卒業できなかったために紀行作家の道を選んだ。あるとき世界各地を旅していたラニアは、父親の病気の報を受けてジャワの実家に戻る。父親の死に目にあえなくなることを恐れて旅行に出るのを躊躇うラニアに対して、父親は「世界の見聞を著したムスリム旅行家のイブン・バットゥータのようになってほしい」と励ます。

病床の父親はラニアに東ジャワのバルランという風光明媚な観光地を訪ねるように勧める。万一のときに父親の死に目にあえなくなることを恐れて旅に出ることを嫌がるラニアに、父親は「恐れるのはまだ愛を見つけていないからだ」と言ってラニアを送り出す。バルランはラニアの両親が出会った場所だった。結局バルランに出かけたラニアは、そこでヒュン・グンという韓国人の写真家と出会う。しかしヒュン・グンを案内したせいで父親の臨終に間に合わなかったラニアは、後悔の念から世界旅行をやめて実家に引きこもる。

『ジルバブ・トラベラー』では、ジルバブ（ベール）を被ったインドネシアのムスリム女性が両親に後押しされて世界各地を訪れ、写真撮影をきっかけに韓国人男性と出会う〈© Rapi Films〉

ラニアの姉と兄は、かねてからラニアに気があったジャワ人のイルハンとラニアを結婚させようと画策する。やがてラニアは成人女性向けの識字教室を開いているイルハンの仕事を手伝い、イルハンとの結婚を考えるようになる。そんなときに韓国で行われる国際作家会議の招待状が届き、ラニアは迷いながらも母親の後押しで韓国に旅立つ。韓国でヒュン・グンに再会し、ヒュン・グンがムスリムであると知るとともに、その人柄に触れて二人の関係が近づく。

この作品はアスマ・ナディア〔➡3部2章192頁〕の同名の小説[49]を原作とする。アスマは大学在学中に病気にかかり、治療のために卒業できなかった。治療中に執筆活動を始めたことが、劇中のラニアと重なる。原作でラニアが韓国人男性と出会うのはネパールだが、ネパール地震の発生を受けて映画では出会いの場所が東ジャワに変更された。

教育の力で輝く未来を娘に——『MARS——我が子の夢は宇宙を手にする』

『MARS——我が子の夢は宇宙を手にする』[50]の主人公は、ジャワの貧困村の出身で、イギリスのオックスフォード大学で宇宙工学の修士号を取得する。

原作は中部ジャワのムハマディヤ高校の教員が執筆した同名の小説[51]（二〇一一年）である。学校に来なくなった生徒たちの家庭訪問をしたとき、親たちが「学校に行かせるより仕事をさせたい」と言って教育に協力してくれなかったことへの行き場のない怒りを小説の形にした。パプア州の子どもの教育を扱った『デニアス、雲の上の歌声』[52]、マドゥラ島の子どもが国

▶49 *Jilbab Traveler: Love Sparks in Korea* (Asma Nadia. AsmaNadia Publishing House. 2015)。

▶50 原題は『MARS: Mimpi Ananda Raih Semesta』（サフルル・ギブラン監督、2016年）。

▶51 *MARS: Betapa Berartinya Sosok Ibu dalam Hidupku* (Aishworo Ang. Safirah. 2011)。副題は「私の人生で母はどれほど重要か」の意味。2016年に別の出版社から『火星』(Lintang Lantip) のタイトルで刊行された。

▶52 原題は『Denias, Senandung di Atas Awan』（ジョン・デ・ランタウ監督、2006年）。

際物理オリンピックに出場する『宇宙が支えてくれる』[53]など、首都から遠く離れた地方で恵まれない境遇にある子どもの教育を描く作品で知られるジョン・デ・ランタウが脚本を担当した。

　貧困による自殺者が多いことで知られるジャワのグヌンキドゥル村で生まれ育った女性トゥポンは、十分な教育を受けずに育ったために文字の読み書きができない。土地が乾いていて作物が育たず、岩と石ばかりの火星のような村で、トゥポンは夫と二人で過酷な石運びの仕事をする。夫婦の夢は一人娘のスカルに最高の教育を与えることだった。

　夫を事故で失ったトゥポンは一人で必死に働き、わずかな財産を切り売りして生計を支え、娘に教育を与えるために懸命の努力を続ける。トゥポンはスカルに自分と違う人生を歩んでほしいと願い、日没後の空にひときわ明るく輝く星を指さして、「あの星のように輝いてほしい。学識を身につければあの星に行くこともできる」と語る。その星が火星だった。

　年頃になったスカルは村の有力者から結婚を申し込まれる。トゥポンの家の立場や経済状況を考えればこの縁談は身に余る僥倖だが、スカルが大学進学を希望していると知ったトゥポンは縁談を断る。トゥポンは村人たちの非難を一身に受けながらも、奨学金を得てジョグジャカルタの大学に進むスカルを送り出す。

　スカルはさらに奨学金を得てイギリスに留学し、オックスフォード大学の大学院で宇宙工学の修士号を取る。しかし、火星に行けるかもしれないと報告するために帰郷すると、トゥポンは亡くなっていた。スカルの勉学の妨げになりたくないからと言い、トゥポンは自分の

▶53 原題は『Semesta Mendukung』(ジョン・デ・ランタウ監督、2011年)。

病気のことを最期まで娘に知らせずにいたのだった。

母の存在を支えに鍛錬を積み栄光を掴む――『六・九秒』

『六・九秒』[54]（二〇一九年）の主人公はジャワ出身の女性で、母親が海外出稼ぎで得た仕送りで育てられ、厳しい練習に耐えてアジア大会で優勝するスポーツクライミングの選手である。二〇一八年アジア大会のスポーツクライミングのスピード種目に出場し、世界記録を塗り替えて優勝してスパイダーウーマンと呼ばれたアリス・スサンティ・ラハユが本人役で主演を務めた。

監督は、女優出身で、映画制作会社を立ち上げて女性問題やマイノリティ問題を扱う社会派の作品を制作してきたロラ・アマリア［↓319頁］である。父親を拉致された娘と妻の狂気を描く『娘』[55]（二〇〇六年）、香港で働くインドネシア人女性出稼ぎ労働者を描いた『日曜日にビクトリア公園で』[56]（二〇一〇年）、マッサージ師を通して描く政治風刺コメディ『耳のない国』[57]（二〇一四年）、視覚障碍者の若者たちの自立を描く『ジンガ』[58]（二〇一六年）を監督している。二〇一八年の「パンチャシラの日」に公開された『5』[59]では、キリスト教徒の母親とムスリムの継父に育てられてそれぞれ宗教が異なる三人の子どもたちが母マリアの死を乗り越える様子を描くことで、公正や寛容を謳うパンチャシラの意味を問うた。

『六・九秒』の物語は中部ジャワのグロボガンの農村から始まる。アリスの実家は貧しく、両親ともにサウジアラビアに出稼ぎに行っており、アリスはおばに育てられた。同級生の

▶54 原題は『6,9 Detik』（ロラ・アマリア監督）。

▶55 原題は『Betina』（ロラ・アマリア監督）。betina はインドネシア語では動物の雌を指す言葉だが、ロラ・アマリア監督によれば、物語の舞台とされる東カリマンタンでこの言葉は「生娘」の意味で使われている。

▶56 原題は『Minggu Pagi di Victoria Park』（ロラ・アマリア監督、ティティン・ワティメナ監督）。

▶57 原題は『Negeri Tanpa Telinga』（ロラ・アマリア監督）。

▶58 原題は『Jingga』（ロラ・アマリア監督、2016年）。

▶59 原題は『Lima』。ロラ・アマリアを含む5人の監督の合作。

女子たちに貧しさをからかわれ、男子と遊ぶことが多くなる。「女子を男子と遊ばせているのは親の躾が不十分だ」と近隣住民から非難を受けるが、アリスは「自分は男の子だ」と言って抗議し、木登りすることで心の安らぎを得る。たまにしか帰国できない母親は、自分が母親を失ったときの話をして、水を張った桶を覗き込んで母親の名前を呼ぶという寂しさの解消法をアリスに教える。アリスの母親も貧しさゆえに自分の母親とほとんど一緒に過ごせなかったのだった。

母親の願いは、娘が自分と違う人生を歩んで他人から見下されないようになることである。やがてスポーツクライミングのインドネシア代表選手に選ばれたアリスは、アジア大会に向けて猛特訓を受ける。ジルバブを被って長そで長ズボンのユニフォームに身を包んだアリスをコーチは容赦なくしごく。挫けそうになるアリスの心の支えは母親である。ほかの選手たちが「インドネシアのために」や「インドネシアの国旗のために」と言って闘志を燃やすとき、アリスは「母さんのために」と叫んで耐える。ついに七秒の壁を破って六・九秒の世界記録で優勝し、コーチや人々から賞賛を受ける自分を母親にプレゼントする。

経済的に恵まれない家庭に生まれながらも己の肉体と精神力で訓練を積んで世界一になったアリスの物語は実話にもとづいている。異国で他人に仕えて働く母親に支えられ、コーチのもとで擦り傷の絶えない厳しい訓練を耐え抜いたアリスが栄冠を勝ち取る姿は、本人が自分の役で出演したことでいっそうリアルな物語になり、ジャワや他地域のインドネシアの女性たちへの力強いエールとなった。

カルティニ・モデルから脱却して新たな女性像へ

インドネシアのように規範意識が強い社会では、規範に従わないと社会から評価されない。それでは、自分がしたいことと社会の規範とがずれている場合にはどうすればよいのか。

『ターバンを巻いた女』では、塾長の娘は「親が娘の進路を決めるもので、娘は親元にいて家業を助ける夫と結婚する」という規範に囚われない。聡明な主人公は研鑽を積んでものごとを主体的に解釈して使いこなせる能力を身につけたうえで自己主張する。自分の内にある判断基準で夫を自分で選び、自分の居場所を確保する。母親はそのような娘を評価してサポートする。

『愛が祝福されるとき』では、『ターバンを巻いた女』と同じ境遇に置かれた塾長の娘は規範に従う。聡明な主人公は研鑽を積んでものごとを主体的に解釈して使いこなせる能力を身につけるが、その能力を使って既存の秩序に挑戦するのではなく、社会の規範に従い、秩序を支える役割を引き受ける。物語のうえでは最終的に自分が選んだ相手と結婚するが、何重にも奇跡が起こることでようやく結婚に到達する物語は、現実にはあり得ないことを強調する結果になっている。

この二つの作品の女性主人公は、二〇世紀初頭に実在したジャワ人女性のカルティニを原型としている。貴族の家に生まれたカルティニは、貴族の娘としてどうふるまうべきかという規範に閉じ込められていた。聡明なカルティニは研鑽を積んでものごとを主体的に解釈して自分の考えを表明し、それを実現するだけの能力を身につけるが、親に逆らわないという規範に従って親が決めた相手と結婚する。

　これらはいずれも、イスラム寄宿塾や貴族といった家柄の良い娘たちの物語である。社会的地位があり暮らしに困ることはなく、様々な文物に触れることができる恵まれた環境にある娘たちは、インドネシアの女性たちの憧れの存在だった。なかでもカルティニは、才能豊かで後世まで高く評価され続ける理想の存在で、娘たちはカルティニになることを夢見たし、社会もカルティニのような娘がよい娘だとした。貴族でも塾長でもない普通の家庭に生まれた女性たちにとって、それは自分の身に起こるはずがない生き方であり、そうであるがゆえに夢だった。

　これに対して二〇一〇年代半ば以降、『ジルバブ・トラベラー』をはじめとする、普通の家庭で生まれ育ち、多くの観客にとって等身大の女性が主人公である映画が登場した。これらの作品の登場人物たちは、子は親元から離れて人生を歩むようにという規範の中にいる。子に継がせる財産や地位を持たないが子の幸せを願う親は、子が家や村を出て自分たちができなかったことを実現することを期待する。

　『ジルバブ・トラベラー』では、兄姉から反対されながらも両親の強い後押しがあって紀行作家になった主人公が旅先の外国で愛を見つける。『ＭＡＲＳ――我が子の夢は宇宙を手にする』では、縁談を断って大学進学することを村中から批判された主人公を母親がただ一人応援して村から送り出し、主人公は子どもの頃に母親に言われた夢をかなえるために海外の大学院で学位をとる。『六・九秒』では、スポーツ選手の主人公が国家代表に選ばれ、苦しい特訓を「母さんのために」と自分に言い聞かせて乗り越えて国際大会で優勝する。

これらの作品の主人公の娘たちは、世間からは親元にいて結婚するべきという目で見られているが、親からは、自分の暮らしを継承せずに村の外に出て自分が実現できなかったことを実現してほしいという期待を感じている。

多くの観客にとって自分と等身大の娘たちの成功物語は、自分の身に起こるかもしれないこととして想像できる実現可能な夢である。観客と等身大の女性が活躍する映画は、カルティニと違う選択をして幸せを目指す生き方のモデルをインドネシアの女性たちに与えた。

ただし、これらの映画で描かれたのは女性たちが結婚するまでの物語であり、社会の規範を意識しながら親に対して「よき娘」であることと自らの幸せを掴むこととの両立を探る物語である。次章で見るように、結婚や出産によって妻や母になった女性たちは、自分を襲う敵や社会の規範に抗して、家族と自分の名誉を守るために闘わなければならない。

第4章
秩序を回復し家族を守る女を描く——闘う女たちのホラーと活劇
『スザンナ——墓の中で息をする』、『マルリナの明日』

スハルト政権期につくられた怪奇映画では、男に襲われる女がしばしば登場した。女性は襲われることで子を死なせてしまったり、夫以外の男との子を宿したりすることで、「よき妻」や「よき母」の立場を失ったと社会から見なされる。女性が子や貞操を守れなかったことが批判されるのは、一つの家を統べる男は一人であるという秩序が侵されることが、社会の秩序にとって脅威と感じられるためである。物語上、夫の不在中に妻が襲われたということは、男たちの手抜かりのために秩序が破られたということであり、襲われた女性たちに落ち度はないはずである。しかし、襲われた女性たちは傷つき汚れたものと扱われ、その名誉は回復されることなく死ぬ。女たちが名誉を回復するには化けて出るしかない。

お化けは自らの身に不正義が生じたことを人々の前に明らかにしようとするだけだが、二つの意味で秩序を乱すために受け入れられない。お化けが人を襲うと人々の安寧を脅かすことから、化けた女は「よき娘」や「よき妻」ではない存在として扱われる。また、お化けの存在はイスラム教の秩序を脅かすため、「よきムスリム」ではない存在として扱われる。社会にとっても信仰にとってもお化けはこの世にいてはならない存在であり、夫やイスラム教の導師によって成敗されることで物語は幕を閉じる。

男の暴力の犠牲になった女性を傷つき汚れたものと見なす社会においては、女性が自らの名誉を回復するには化けることで秩序外の存在になるしかなく、そうしたところで最後には成敗されてしまう。家にも社会にも信仰にも守られなかった女性は、犠牲者になるしかないのだろうか。

この問いに取り組んだ映画として、『スザンナ――墓の中で息をする』[60]（二〇一八年、以下『スザンナ』）と『マルリナの明日』[61]（二〇一七年）を取り上げたい。

『スザンナ』の舞台はスハルト政権時代で、当時「怪奇映画の女王」と言われた往年の女優によく似た女優に主演させ、過去の怪奇映画の物語を混ぜ合わせたリメイクである。過去の怪奇映画の設定やストーリーを再現しているように見せながら、女性の役割を「哀れな犠牲者」から「家や夫のために闘う女性」へと変え、女性の役割を書き換えている。

『マルリナの明日』は若手の女性監督による作品で、ジャカルタやジャワの観客にとって異境感がある東インドネシアを舞台にした西部劇テイストの作品に仕上げることで、新しい女性像と世界観を描き出した。

方法とアプローチは異なっているが、どちらも夫の不在中に強盗に襲われて女と子が死ぬ

▶60 原題は『Suzzanna: Bernapas dalam Kubur』（ロッキー・ソラヤ監督、アンギ・ウンバラ監督）。日本では『よみがえったスザンナ』のタイトルでNetflixで配信された。

▶61 原題は『Marlina Si Pembunuh dalam Empat Babak』（モーリー・スルヤ監督、2017年）。

という過去の怪奇映画の定番の物語を下敷きにして違う結末に語り直す試みである。

「化ける女」の物語を読み替える――『スザンナ――墓の中で息をする』（二〇一八年）

一九七〇年代以降の怪奇映画で活躍した女優スザンナは、一九四二年に西ジャワに生まれた。ドイツ、オランダ、ジャワ、マドゥラの血統を持つユーラシア人（欧亜混血者）で、一九五〇年にウスマル・イスマイルの『血と祈り』［➡1部2章48頁］で子役としてデビューした。一九八一年に主演した『スンデルボロン』[62]（シスウォロ・ゴウタマ・プトラ監督）がヒットし、以後、スザンナを主役とする怪奇映画が多数つくられて「怪奇映画の女王」の異名を持つ。

スンデルボロンは、文字通り訳せば「穴の開いた娼婦」で、体の中央が空洞になって臓器が剥き出しになった姿をしている。スンデルボロンは非業の死を遂げた妊婦のお化けで、その伝承はインドネシアやマレーシアに広く見られる。「スンデルボロン」はジャワでの呼び名で、スザンナの映画によってジャワ以外でもその名が広く知られるようになった。

悲運に見舞われる女性を演じることが多かったスザンナは、自身の人生もまた波乱に満ちていた。最初の結婚で生まれた二人の子のうち一人は喧嘩に巻き込まれて亡くなっている。年の離れた若い共演者と再婚した後、前夫との間の子が暴力沙汰を起こしてニュースになることもあった。スザンナは一九九一年に女優を引退したが、二〇〇八年に「帰ってきたスザ

▶62 原題は『Sundel Bolong』。

ンナ」のキャッチコピーで公開された『救急車のお化け』[63]で久しぶりにスクリーン上に姿を見せた。同年、六十六歳の誕生日を迎えた二日後に、長年患った糖尿病の合併症により急逝し、これが最後の出演作となった。遺体は夫のみによって埋葬され、子どもたちは母の死を報道で知ったという。出演した映画は四二作にのぼる。

死後一〇年たって、スザンナの名を冠した映画『スザンナ』がつくられた。副題の「墓の中で息をする」はスザンナが主演した『泥の中で息をする』[64]（一九七〇年）と『墓場での出産』[65]（一九七一年）のタイトルを混ぜ合わせたものである。物語は『スンデルボロン』をもとに新しくつくられ、スザンナの出演作品へのオマージュがいくつも見られる。主演女優のルナ・マヤは仕草や声音もスザンナに似せるよう尽力した。[66]

保護機能の不全による女の死とスンデルボロンの登場

二〇一八年の『スザンナ』の起源である『泥の中で息をする』、『墓場での出産』、『スンデルボロン』の三つの作品の内容をたどり、スザンナとスンデルボロンの物語がどのように語り直されながら語り継がれてきたかを見ていこう。『泥の中で息をする』では、夫に裏切られた女性が犠牲者として死ぬ。『墓場での出産』では、女性は殺されかけるが死なず、スンデルボロンのふりをして闘って夫と再会する。『スンデルボロン』では、女性は自殺してスンデルボロンに化け、夫による成敗の対象となる。

『泥の中で息をする』（一九七〇年）では、出稼ぎに行ったまま帰らない夫を探しにジャワか

▶63 原題は『Hantu Ambulance』（コヤ・パガヨ監督）。

▶64 原題は『Bernafas dalam Lumpur』（トゥリノ・ジュナイディ監督）。

▶65 原題は『Beranak dalam Kubur』（アワルディン監督、アリ・シャハブ監督）。

▶66 女優スザンナの夫のクリフト・サングラは、劇中のスザンナの夫に海外出張を命じ、間接的にスザンナ夫妻の悲劇の原因をつくる上司の役で出演している。

らジャカルタに出たヤンティ（演：スザンナ）が、夫が別の女性と暮らしていることを知る。やがてジャカルタで悪い男たちに騙されて娼婦になったヤンティは、金持ちの子息ブディマンと恋仲になる。ヤンティは女衒からの、ブディマンは親からの圧力を受けて二人は結ばれず、ヤンティはブディマンの前から姿を消す。ヤンティに求婚しようとしたブディマンがヤンティを探し当てると、ヤンティは死の床にあった。その後、生き別れになっていたヤンティの子どもがブディマンの手助けによって駆け付けるが、ヤンティはすでに事切れていた。

原作は雑誌『バリア』に掲載された「泥の中で泳ぐ」という小説である。[67] 映画版はセックスや強姦、粗野な会話を描いた猥雑な作品と見なされ、一部の地域で上映が認められなかった。

『墓場での出産』[68]（一九七一年）では、大農園主の娘であるドラとリラの折り合いが悪い。姉ドラは妹リラや使用人にきつくあたり、リラは父親の判断

1970年代頃に女優スザンナが主演する怪奇映画が人気を博し、オマージュ作品が数多くつくられた。写真は2018年の『スザンナ――墓の中で息をする』の一場面〈© Soraya Intercine Films〉

▶67 同名の映画が1991年に同じ監督によってリメイクされた。

▶68 原作はGanes THのコミック『霧夜の涙』(Tangisan di Malam Kabut)。

でドラと母親から引き離されて街で育てられる。美しく成長したリラは裕福な男と結婚して臨月を迎えており、母親の死の知らせを受けて夫とともに帰省する。父親は母親の死の衝撃で廃人と化しており、屋敷と農園はドラが取り仕切っていた。リラの夫は外国出張のため屋敷を離れ、一人になったリラはドラに水中に突き落とされる。使用人に助けられるが、その夜、陣痛に苦しむリラはドラに毒をふりかけられ、意識を失ったまま墓地に埋葬される。墓地からは赤ん坊の泣き声が聞こえる。

その翌日から、農園がある村に長髪で白衣の女が姿を現して、人々を脅かすようになる。ドラは呪術師を使って女を追い払おうとするがうまくいかない。帰国した夫はリラを探しに屋敷に乗りこむ。屋敷では妻がドラに殺害されたことを思い出した父親が、我が身もろともドラをベランダから突き落とす。リラの夫は、長髪で白衣の女が「父さん」といってリラの父親に歩み寄ったことからその女がリラだと確信する。妻の顔が毒のために爛れているのを見て後ずさりするが、リラの腕の中の赤ん坊の泣き声で我に返り、リラとともに赤ん坊をあやす。

村人は長年ドラから厳しい仕打ちを受けており、ドラに襲われるリラを何かと助ける。父親はリラを農園から遠ざけることでリラの身を守ったが、ドラのために廃人状態にされて父として機能しておらず、リラはそのような状況下で農園に呼び戻される。父にかわってリラを守るべき夫は外国出張中で、リラは庇護者の不在時に襲われている。

白衣の女はスンデルボロンによく似た姿をしているが、この物語はスンデルボロンの物語といくつかの点で異なっている。女は生きており、自分を殺そうとした犯人を脅かすためにスンデルボロンを装っている。女のお腹の子どもは無事に生まれて両親のもとにいる。

『スンデルボロン』（一九八一年）では、娼婦のアリシアは船員のヘンダルトと結婚して娼婦をやめる。これを快く思わない娼館主はヘンダルトが航海で長期不在中に男たちにアリシアを襲わせ、アリシアは妊娠する。医者たちはアリシアの堕胎を認めない。アリシアは家族と自分の尊厳を傷つけた娼館主を告訴するが、元娼婦への強姦は罪にならないという判決が下り、悲観したアリシアは自殺する。

九か月の航海を終えて帰宅し、妻の死に驚くヘンダルトの前に、アリシアと瓜二つの女性が現れる。アリシアの双子の妹のチンタだと名乗るが、朝になると姿を消すなど不審な点がある。チンタは非業の死を遂げたアリシアがスンデルボロンとしてこの世に現れたものだった。ヘンダルトは自分たちの悪事が暴かれることを恐れる娼館主たちに襲われるが、警察に助けられる。スンデルボロンはアリシアを襲った男たちを襲い、警察官が見ているなか、ヘンダルトの前で罪を告白させる。スンデルボロンはヘンダルトの制止を聞かずに男を殺し、「私は私たちの幸せを壊した男たちを殺してしまった」と言う。夫がスンデルボロンに「アリシアの体から離れよ」と説き、イスラム教の導師がコーランの言葉を唱えると、スンデルボロンの姿が消えてアリシアの姿が一瞬現れて消える。

スンデルボロン――犠牲者は化けて不正義を告発する

『スンデルボロン』のヒットを機に、シスウォロ・ゴウタマ監督[69]によるスザンナを主演に据えた怪奇映画が多数つくられた[70]。その後、一九九〇年代の映画産業の衰退を経て一九九八年政変後にインドネシアの映画産業が再興すると、再びスンデルボロン映画がつくられるようになった。

二〇〇七年の『スンデルボロンの伝説[71]』では、西ジャワのとある村で、元踊り子のイマが夫サルパの不在中に夫の雇い主である農園主に強姦される。イマは自力で逃げ出すが妊娠しており、堕胎を望むが医者は認めない。イスラム教の導師も堕胎を希望するイマを批判する。イマは農園主と結託している村長の指示を受けた男たちに襲われて殺され、スンデルボロンになる。

イマが強殺された晩、村長や医師の前にスンデルボロンが姿を現す。翌朝、村人たちが村長や医師の遺体を発見する。その死にざまは尋常でなく、村人たちは恐れおののく。村長の葬儀に集まった人々の家でも、生暖かい風が吹いたり電灯が消えて窓や扉が突然閉まったりといった怪異現象に襲われる。しかし村人にスンデルボロンの姿は見えず、イマを襲って殺した男たちが次々と不審な死を遂げる。

帰宅した夫の前にスンデルボロンが生前のイマの姿で現れる。夫はイマが死んだことを知らず、スンデルボロンをイマだと思って迎える。夫はスンデルボロンの導きで、イマがすでに死んでいることと、その死の真相を知る。夫がイマの遺品を見つけてイマを弔うと、ス

▶69 1938年北スマトラ出身（1993年没）。1972年に『私生児の復讐』（Dendam Si Anak Haram）で監督デビューし、生涯で37作品を監督した。

▶70 19作品にのぼる。このうちスンデルボロンものは2作品。

▶71 原題は『Legenda Sundel Bolong』（ハヌン・ブラマンティヨ監督）。

ンデルボロンは夫の前から姿を消す。

ただし、村人たちはスンデルボロンの存在を知らないため、[72]非道な扱いを受けたイマの無念が夫以外の人々に知られることはない。村人たちは不審死が農園労働者の仕業だと思い込み、復讐心を募らせて農園労働者を襲おうとする［➡4部1章251頁］。

農園では、日頃から農園主に不満を持っていた農園労働者たちが農園主を殺していた。村人たちが農園を襲い、農園労働者と村人の双方に多数の犠牲者を出す殺し合いになる。農園主が殺されたことでイマの無念は晴らされたはずだが、スンデルボロンは村にとどまり、依然として村の人々の様子をうかがっている。

スハルト政権下でつくられた怪奇映画は、秩序が撹乱されたのちに回復するプロセスを描くもので、撹乱の要因や回復のプロセスに特徴がある。男女の役割は明確であり、男は秩序の守り手で、女は「よき妻」や「よき母」として秩序を支える存在である。「よき妻」や「よき母」になれなかった女は秩序の撹乱者となる。強姦されて妊娠した状態で死んだ女が化けたスンデルボロンは、まさしくこの意味で秩序の撹乱者である。

『スンデルボロン』では、スンデルボロンが警察（公権力）とイスラム教の導師（宗教）と夫（男）によって姿を消されることで秩序が回復される。『スンデルボロンの伝説』のスンデルボロンは、非業の死を遂げた妻の怨念を原動力にこの世に現れたお化けである。イマが農園主に非道な扱いを受けたことを村人たちは知らないし、たとえ知ったとしても、男たちの前で官能的な踊りを披露することを生計にしていた元踊り子がそのような扱いを受けても人々は

▶72 映像でもスンデルボロンが人を殺す様子は描かれない。スンデルボロンの姿を見て驚く人の姿が映り、場面が切り替わるとその人物の遺体が映される。

同情しない。そのうえで、スンデルボロンの恨みが社会を混乱に陥れる様子を描くことにより、女性たちの無念が社会から忘れ去られて手当てされないままになっており、そのことが人々を不安に陥れて社会が混乱する原因になっているという解釈を示した。夫によってイマが弔われた後もスンデルボロンがこの世に残って撹乱の機会を待ち続けていることは、イマのほかにも犠牲になった女性たちがいて、その無念が晴らされていないことを示している。[73]

これらの作品からは、身勝手な男たちや保護してくれない公権力のために危機に陥った女たちが自力で何とかしようとするときに登場するのがスンデルボロンであり、スンデルボロンは保護されず不正義の犠牲となる女性たちの主体性を表象していることがわかる。ただし、スンデルボロンは男性を中心とする社会の問題を告発するものの、スンデルボロン自体は成敗の対象となってきた。女性が秩序を再編する試みは、常に男性によってスンデルボロンが平定されることで結末を迎えてきた。[74]

「秩序を撹乱する女」から「秩序を回復する女」への語り直し

二〇一八年の『スザンナ』では、裕福で敬虔なムスリムの家庭に不幸が訪れる。舞台は一九八〇年代末の村落で、スザンナの夫は大企業の工場長である。スザンナは夫に待望の妊娠を告げるが、夫は海外出張で不在となる。夫に恨みを持つ部下たちが留守を狙って押し入り、出くわしたスザンナが殺されて裏庭に埋められる。スザンナはスンデルボロン

▶73『スンデルボロンの伝説』では、農園主がイマ以外の女性に狙いを定めているときや、イマの夫が農園主の部下に狙われているときなど、イマが殺される前からイマの夫の目の前にスンデルボロンが姿を現す。農園主は、イマに先立ってイマの仲間の踊り子を少なくとも二人襲っていることから、このスンデルボロンはイマより先に農園主の慰みものになった女性の怨念だと考えられる。

▶74『スンデルボロンの都市伝説』(Urban Legend Sundelbolong、2009年) では、真相を究明してスンデルボロンを平定して秩序の回復を導くのは女性で、都市で高等教育を受けた若くて敬虔なムスリムである。『スンデルボロンの都市伝説』では、父母を失った姉妹が都会で暮らしている。姉アリサは恋人から求婚されるが、妹アニサが大学を卒業するまでその学費を稼ぐという理由で求婚を断る。姉は何者かに強姦されて妊娠し、死んでスンデルボロンとなって強姦犯や男たちを襲う。敬虔なムスリムである妹は姉の恋人とともに真相を探る。姉は死んでおり、人々を襲っていたのはスンデルボロンであって姉ではないとしてスンデルボロンを調伏する。

となって部下たちを襲い、夫が帰宅すると生前と同じ姿で夫の前に現れる。

部下たちは、スザンナの念のよりどころである屋敷をなくせばスンデルボロンを退治できると呪術師から聞き、スンデルボロンの噂を流して村人に夫婦の屋敷を襲わせる。スンデルボロンの前で夫を殺せばスザンナを退治できると聞いた部下たちは夫を襲おうとするが、スザンナが危機を知らせたために夫は助かる。スザンナは呪術師、夫は部下とそれぞれ対決する。夫婦がそれぞれ敵に立ち向かい、夫が真相を知るとともにスザンナの復讐も遂げられる。スザンナは昇天し、夫も力尽きて死ぬ。夫婦の遺体は村人によって墓地に埋葬される。

それまでの映画と異なり、スザンナが襲われたのはスザンナの前歴のためではなく、夫の職場での人間関係がうまく調整されなかったためである。夫は家族を守れなかった。一九八一年版では夫がスンデルボロンを成敗する側にいるのに対して、二〇一八年版では夫婦で力をあわせて名誉と真実を取り戻す。スザンナは夫の危機を救う女でもある。スザンナは強姦されておらず、お腹の子は夫との間の子である。スザンナがスンデルボロンになるのは家族の幸せを壊されたことへの恨みのためで、家を守ることには夫を守ることも含まれている。

スザンナの死が故意によるものではないことも『スザンナ』の特徴である。部下たちにスザンナを襲う意図はなく、むしろスザンナに出くわさないようにしていた。スザンナの落命に直接関わった男もスザンナを殺す意図はなかった。空き巣に入った直接の理由も部下の母親の薬代が払えないためだった。

スンデルボロンを通じてスザンナが体現してきた「化ける女」の物語は、『墓場での出産』、

『スンデルボロン』、『スザンナ』のいずれにおいても、男によって守られるべきとされた秩序が男の機能不全によって乱され、それに対応するために女が化けることによって秩序の回復がはかられる。攪乱の原因は男の不在で、女は攪乱の犠牲者である。女が化けなければ秩序の攪乱は人々に気づかれない。女が化けることで真相が究明され、それが秩序の回復を導いている。

スンデルボロンに体現される化ける女の物語は、化ける女によって秩序が乱され、それが男によって平定されるという観点からこれまで語られてきた。しかし、一九九八年以降の化ける女をめぐる語り直しや語り継ぎは、化ける女の登場は秩序の攪乱の原因ではなく結果であり、化ける女の存在が秩序を再構築するという側面を強調している。

二〇一八年の『スザンナ』は、化ける女を演じ続けてきた女優スザンナに対するオマージュにあふれていることによって、化ける女とその周囲の人々の罪のなさが際立っている。夫とともに復讐を果たして正義を遂行したスザンナは昇天し、夫の遺体と並んで埋葬されて弔われる。イスラム教の導師が姿を現すのは悪事が露見して夫婦と男たちとの闘いが終わった後の夫婦の墓前である。夫婦の危機は導師によってではなく夫婦によって打ち負かされ、導師の登場は夫婦の死を社会が丁重に弔ったことを示すためのものである。

インドネシアの怪奇映画では、スンデルボロンの物語が多くつくられてきた。スンデルボロンの物語は、夫以外の男に襲われた女性が化ける物語であり、その背景には、夫の子を産まない（あるいは夫以外の男の子を宿す）女性の存在を認めようとしない考え方がある。これに対して、現代版のスンデルボロンの物語である『スザンナ』では、襲われて死んだ女性が化けて出るが、定番の怪奇物語のように化けた妻が夫によって成敗されるのではなく、妻の名誉回復に向けて夫が妻と一緒に戦う。夫も死ぬが、夫は妻（そして妻が妊娠中に死んだ子ども）とともに埋葬される。お化けになった妻が夫とともに埋葬され、導師と村人たちによって手厚く弔われることは、女性が襲われたことにもその後に化けたことにも女性に責任がないと村人たちが考え、女性を犠牲者として追悼していることを意味している。

男たちによる非道の犠牲者に新たな生き方を示す――『マルリナの明日』（二〇一七年）

東インドネシアのスンバ島[75]で、強盗に襲われた女性が強盗の首を断ち、その生首を持って警察に自首したという実話があった。[76]これに着想を得たガリン・ヌグロホ［➡321頁］が映画の企画をモーリー・スルヤ[77]に持ち込み、フランスの資金援助を得て『マルリナの明日』が制作された。モーリーにとってはジャカルタ以外で撮影する初めての経験となった。

スンバはインドネシアの多くの人々にとって異境感を覚えさせる地域である。サバンナ気候の乾いた土地で、インドネシアの他の地域で見られるような森林や水田とは異なる風景が広がる。インドネシアはムスリムが住民の八割以上を占めるが、スンバではキリスト教徒が住民の九割以上を占める。ガリン・ヌグロホの『天使への手紙』（一九九二年）［➡1部2章57頁］

▶75 東ヌサトゥンガラ州にある面積約1万1,000km^2の島。四つの県から成り、人口は約70万で多数はキリスト教徒である。

▶76 ガリン・ヌグロホによれば、1980年代半ばから2004年までの間に同様の事件が少なくとも6回あった。

▶77 1980年生まれ。『マルリナの明日』は長編第三作にあたる。長編第一作の『フィクション。』(Fiksi.、2008年）は、強権的な夫に耐えかねて妊娠中に自殺した母を持つ娘アリシャが男性に恋をし、その男性が執筆中の小説に結末を与えるために小説のモデルとなった人々を殺していくサスペンス映画で、2008年インドネシア映画祭で作品賞を含む4部門で最優秀賞を受賞した［➡320頁］。

やリリ・リザの『フンバ・ドリーム』(二〇一九年)[➡1部1章36頁]の舞台にもなった。架空の土地と時代という設定の『ゴールデン・アームズ　導かれし者』(黄金杖秘聞、二〇一四年)が撮影された場所でもある。『マルリナの明日』は国際的な映画祭で高く評価され、日本でも全国で劇場公開された。屋外のシーンは西部劇風に、室内のシーンはバロック絵画風に撮影されており、女性が自分を襲った男の首を容赦なく切断し、馬に乗って荒野を行くところからインドネシア風西部劇として売り出された。

　キリスト教的な意匠が散りばめられており、その観点から作品を見ると女性の復讐劇に収まらない味わいがある。舞台や作風や意匠において、インドネシア映画でこれまで描かれたことのない素材を用いることによって、登場人物の行動に一見しただけではわからない物語が密かに託されている。

　『マルリナの明日』の原題の題意は「殺人者マルリナの四幕」で、「第一幕　強盗団」、「第二幕　旅」、「第三幕　自首」、「第四幕　出産」の四つのパートから構成される。

　舞台は現代のインドネシアで、夫と子を亡くして荒野の一軒家に暮らすマルリナを強盗団が襲う。男たちは家畜を奪い、マルリナに

『マルリナの明日』で、夫との暮らしを蹂躙されたマルリナ(右)は、自分を襲った男の首を刎ね、証拠の生首を掴んだまま乗り合いバスで警察に向かう〈©Cinesurya, Kaninga Pictures〉

男たちの食事の用意と夜の相手を命じる。マルリナは食事に毒を盛って部下の男たちを殺し、自分を襲おうとする首領の首を鉈で刎ねる。

マルリナは事件を警察に報告するため、証拠の生首を持って乗り合いバスで街に向かおうとする。乗客は生首との同乗を不吉だと拒み、マルリナの友人で出産間近のノヴィと、婚約式に向かう若者とその付き添いの伯母だけがバスに残る。家畜を市場に売りに行っていて殺されなかった強盗団の残党の男たちはバイクでマルリナを追う。

マルリナは途中で乗り合いバスを降りて馬で街に向かう。食堂の少女に首を預け、警察に出向いて強盗と強姦の被害を報告するが、警察は報告を記録するだけで動こうとしない。マルリナは食堂に戻って水浴びし、首領の生首を持って馬で街を出る。

強盗団の男はノヴィを脅してマルリナを家に呼ぶ。マルリナが首領の生首を返すと、男はノヴィに夕食を用意させる。男がマルリナを犯そうとし、ノヴィが男を鉈で殺す。ノヴィがマルリナの介添えで出産し、翌朝、ノヴィとマルリナは赤ん坊を連れて男のバイクで家を去る。

招かれざる客――男たちとマルリナのあからさまな断絶

マルリナの家の前には小さな石の墓があり、トパンという名が刻まれている。家の中には布で丁寧にくるまれた男性の遺体が置かれており、マルリナの夫が死んだこと、しかし葬送の儀礼はまだ行われていないことがわかる。[▶78] マルリナの家畜は牛一〇頭、豚一〇頭、ヤギ一〇頭、ニワトリ七羽と決して少なくなく、マルリナは夫を失っているからといって惨めな

▶78 スンバ島では死者の遺体を布で何重にも包んでしばらく家の中に安置する。安置期間は１年以上に及ぶこともある。その間、喪主を務める親族は死者儀礼で用いるための家畜を育てるなどの準備をする。劇中でマルリナが飼っていた家畜を奪われたことは、夫を弔う儀礼を妨害されたことを意味する。スンバ島の文化や社会についてさらに詳しくは、『東インドネシアの家社会――スンバの親族と儀礼』（小池誠、晃洋書房、2005年）や『ものづくりの人類学――インドネシア・スンバ島の布織る村の生活誌』（田口理恵、風響社、2002年）を参照。

一人ぼっちの寡婦というわけではない。

強盗団はマルリナが夫と子を失って独り身になったことを調べたうえでマルリナを襲っている。ただし強盗団の手際は、襲うという言葉から想像されるものとは趣が異なる。強盗団の首領はマルリナの家を訪れ、挨拶して玄関から入る。そして、自分たちは強盗であり、これからマルリナの家を襲うこと、マルリナは自分たちに客人として夕食をふるまうこと、男たちの夜の相手をするマルリナは女として最高の幸せを味わえるはずであることを伝える。

首領に続いて一味がマルリナの家を次々訪れ、いずれもマルリナに礼儀正しく挨拶する。マルリナの手料理に舌鼓を打ってマルリナの料理の腕をほめる。強盗団の論理では、夫も子もいない独り身の女性は誰によっても所有されていないために誰が好きにしてもよい存在である。男たちは、マルリナの家を訪れ、財産を奪い、体を自由にし、食事をつくらせることに罪の意識がない。

首領は招かれざる客だが、挨拶したためにマルリナも挨拶を返す。部屋の遺体を見た首領はマルリナの夫かとマルリナに尋ね、マルリナが独り身であることを確認しようとする。マルリナは「関係ない」と答えるだけで、夫が死んでいることを認めない。この時、夫の弔いは済んでおらず、その意味で夫はまだ死んでいないため、マルリナは嘘をついていない。

強盗団とマルリナとの会話はまったくかみ合わないが、それが諍いに発展することはない。マルリナは観念したように強盗団の指示に従い、夕食を作り、首領の待つ寝室へ向かう。しかしマルリナは夕食に毒を仕込んでおり、食事した男たちはその場で絶命する。マルリナは背中に鉈を隠し持ち、寝室で自分を犯そうとする首領の首を刎ねる。

旅に出るマルリナ――首を遺体から持ち去り弔いを阻止する

殺人者となったマルリナは、水浴びで身を清めてから夫の遺体に体を寄せて一晩過ごす。男たちの遺体は別室に片づけられており、室内には強盗団が来る前の、子どもの墓と夫の遺体を守りながら暮らしていたときと変わらない静けさが漂っている。部屋の暗さと対照的に台所のかまどの火が赤く燃えており、無数に空いた壁の隙間から炎の光が揺らめきながら漏れる。その様子はマルリナと夫が星空の下で身を寄せ合っているように見える。

翌朝、マルリナは首領の首を手にぶら下げて家を出て、通りかかった乗り合いバスに乗りこむ。マルリナはどこに何をするために出かけたのか。

バスが休憩のために停車すると、友人で出産間近のノヴィと二人きりで話す機会を得る。マルリナは我が身に起こったことをノヴィに話す。ノヴィは「教会で告解するのと同じように、警察に自首すればよい」と勧める。マルリナは、自分は罪を犯しておらず、首領の首を持ち歩くのは自分の捕虜だからであり、「いまはただ夫に会いたい」と答える。マルリナがバスに乗ったのは警察に行くためではなかった。遺体の首を持ち去ったのは、亡き子どもと夫の喪中の安寧を奪った強盗の遺体を弔わせないためである。そんなマルリナの目には、首がない姿の首領の亡霊がマルリナのほうを向いてじっと立っている様子が見えている。

強盗の残党がマルリナを探してバスに近づく様子が見えたため、マルリナは姿を隠し、ノヴィだけバスに残る。残党が首領の首を探していることを知ったマルリナは、バスに積まれていた馬に乗って一人で街を目指す。

告解と罪の解消――少女トパンとの出会いと生まれ変わり

第三幕では、マルリナは食堂の少女トパンと出会い、それによって告解と生まれ変わりを達成する。街に着いたマルリナは、警察署わきの食堂の少女に勧められるままサテ（串焼き）を食べる。少女はトパンと名乗る。マルリナが妊娠七か月で死なせてしまった息子と同じ名前だったために名前の由来を尋ね、男の子のように強くなってほしいという少女の母親の願いがこめられていることを知る。マルリナは自分の息子と同じ名前であることを少女に伝える。サテを食べたマルリナは、開けたらお化けが出てくるから中を見ないようにと言って首の入った箱を少女に預ける。少女は「嘘つき」と言いながら箱を受け取る。

日本で公開されたときに第三幕は「自首」と訳されたが、物語の意味を考えると「告解」のほうが適切だろう。少女トパンはマルリナの死んだ子どもと同じ名前であり、トパンはマルリナにとって神の使いすなわち天使の役割を担っている。マルリナはトパンに首が入った箱を渡し、天使に罪の証拠を渡した。これに対して天使は「嘘つき」と言ってマルリナの言葉を否定した。この一連の告解の過程を経て、マルリナは神との関係において自分の罪を解消した。これによってマルリナを追っていた首無しの亡霊はマルリナの視界から姿を消す。

マルリナは警察に行くが、マルリナは強盗と強姦の被害者であることを訴えるだけで殺人については語らない。警察官は被害者のマルリナに労りの言葉をかけるどころか、マルリナの供述が矛盾していると指摘し、強姦の証拠がないと立件できず、証拠を得るには身体検査の道具が届く来月まで待たなければならないと言う。強盗団とマルリナの会話がかみ合わなかったように、警察官とマルリナの会話もかみ合わない。

マルリナは食堂に戻る。マルリナは水浴びをし、それを少女が見守る。少女は「私の母さんも（マルリナのように）美しかったはず」と声をかけ、マルリナも「私の息子も（少女のように）賢かったはず」と言葉を交わす。互いに亡き母親と亡き息子を相手に重ねて思いを確かめ合う二人の姿は夕焼けの中にシルエットとして浮かび上がり、マルリナを樹上から見守る少女は天使のようである。互いに相手をこの世のものではないものに重ねて行われたこのやりとりは、水浴びと合わせてマルリナの生まれ変わりの過程である。

マルリナは昼寝している少女に接吻して別れを告げ、聖母マリアを思わせる青い上衣と赤いスカートに着替えて、首領の首を手にして再び馬上の人となる。

二人のマリア——妊婦と殺人者

マルリナと別れたノヴィは夫に会いに行くが、夫はノヴィが臨月のまま出産に至らないのはノヴィが妊娠中に他の男と交わったためで、お腹の子は自分の子ではないと言い放ってノヴィを道端に放置して姿を消す。それを見つけた強盗団の残党がノヴィを脅してマルリナを呼び出す。マルリナが来るのを待つ間、ノヴィはマルリナの家で青い上衣と赤いスカートに着替える。
強盗団の残党はノヴィに殺され、破水したノヴィはマルリナの介添えで赤ん坊を授かる。室内の陰影のある光の中で青い上衣と赤いスカートの二人の女性が赤ん坊を取り上げる様子が描かれる。二人のマリアの間で生を受けた子は父のいない子であり、父のいない子が二人の女に授けられ、女たちは男抜きで子を産み育て家を守っていく。子には父と母の二人が必要であるという考え方に対して、子の父を問わない（子は父がいなくても産めばよい）こと、そして親は二人いるほうがよいが男と女の組である必要はなく、その二人が性愛関係になくてもよいという考え方が示されている。

『マルリナの明日』では、女が夫以外の男に襲われるが、死んで化けるのではなく人間のまま相手の男を殺すとともに、父のない子を産んで女だけの家族をつくる。夫以外の男に襲われた女を共同体から排除するというスンデルボロンの物語の考え方に挑戦しようにも、ジャワでは女は化けて出るしかない。しかし『マルリナの明日』では、舞台をジャワの外に移すことで、女は殺されも化けもせず、人間のまま犯人を殺して自分を守り子を産む物語が実現した。

『マルリナの明日』では、強盗を殺した妻は公権力が機能していない状況で社会から責めを受けることはなく、神との関係においても告解のプロセスによって赦される。その後の出産も、父なしで生まれたイエス・キリストの姿と重ねた描写を通じて祝福が与えられている。

『マルリナの明日』は、キリスト教の表象を巧みに織り交ぜて、強盗を殺したマルリナを化け物扱いするかわりにマリアの姿に変え、非道な出来事を被った人々に犠牲者や化け物としてではない生き方があることを示している。

第4部 国民的悲劇を語り直し乗り越える

——想像と連帯を促す映画の力

第1章

「国民的悲劇」に向き合う
――九月三〇日事件と「共産主義者狩り」の語り直し

『紅いランタン』、『アクト・オブ・キリング』、『フォックストロット・シックス』

一九六五年の九月三〇日事件は、インドネシア政府による「正史」では共産党による陰謀によるものとされ、共産党関係者は政治犯として逮捕・拘束されて、支持者とみなされた人々は虐殺の犠牲になった。事件後に共産党の関係者が多数殺害されたことは国と国民を守るためとして正当化され、インドネシアでは現在に至るまで共産党関係者やその支持者は「国民の敵」として扱われて差別を受け、政治的・社会的な権利を奪われてきた。事件から五〇年以上が経った現在でも、当時の虐殺や略奪の被害者は、加害者と同じ社会で暮らしている。

社会のなかに加害者と被害者とが共に暮らしており、善悪で裁くことが社会の分断を深めると思われるとき、その出来事については原因と結果を語ることなく自分たちの「社会の傷」として受け止めるしかない。一九九八年政変以降に民主化が進むなか、インドネシア社会は九月三〇日事件をはじめとする大勢の人が命を落としたり行方不明になったりした「社会の傷」である出来事を、「国民的悲劇」として受け止め、乗り越えようと試みている。

この章では、一九六五年の悲劇の語り直しを試みる映画として『紅いランタン』[1]（二〇〇六年）、『アクト・オブ・キリング』[2]（二〇一二年）、『フォックストロット・シックス』[3]（二〇一九年）を紹介する。『紅いランタン』では、ホラー映画の手法を用いて犠牲者の思いを幽霊に代弁させる。そこに登場するのは、一九六五年に共産主義者の疑いをかけられたことをきっかけに命を落とした女子学生の幽霊である。この幽霊の正体が明らかになる過程で、五〇年間隠蔽され続けてきた加害の事実が明らかにされる。

『アクト・オブ・キリング』では、一九六五年の虐殺の加害者にカメラの前で過去の殺人を演じさせ、その様子をカメラで撮影する。加害者は英雄気取りで殺人の様子を再演し、映画はその様子をドキュメンタリー作品として公開することで加害の事実を断罪した。

アクションＳＦ映画の『フォックストロット・シックス』では、過去のある時点で分岐してこの世界とは異なる歴史を歩んだ並行する世界が複数あるというＳＦの手法を使って、九月三〇日事件で何が起こっていたかについて政府の立場と異なる解釈を映像で表現した。

犠牲者の幽霊が求める真相の究明――『紅いランタン』（二〇〇六年）

『紅いランタン』[4]は、現代のジャカルタの学生の視点から一九六五年政変を振り返る。非

▶1　原題は『Lentera Merah (Kebenaran Harus Terungkap)』（ハヌン・ブラマンティヨ監督）。

▶2　原題は『The Act of Killing』（ジョシュア・オッペンハイマー監督）。インドネシア語のタイトルは食肉解体者を意味する『Jagal』。

▶3　原題は『Foxtrot Six』（ランディ・コロンピス監督）。

▶4　副題の題意は「真実は明らかにされなければならない」。

業の死を遂げた犠牲者が幽霊になって復讐するというホラー映画の型を使うことで、犠牲者の無念を映像作品に仕上げている。

舞台は二〇〇六年六月のジャカルタで、名門のインドネシア公立大学▶5では学生誌『紅いランタン』の編集部が次期編集委員を迎え入れる準備を進めており、編集委員のイクバルは次期編集委員のリサに心惹かれる。イクバルたち五人の編集委員の父親は、いずれもかつて『紅いランタン』の編集委員を務めた経験がある。その父親たちのうちイクバルの父親以外の四人はこの半年余りの間に相次いで死亡しており、イクバルの父親も失踪していた。現役の編集委員たちもキャンパス内で次々と不審な死を遂げ、遺体の傍には「六五」という謎の数字が残されていた。

やがて次期編集委員たちは、リサは一九六五年に『紅いランタン』の編集委員だった女子学生で、恨みを晴らすために幽霊になって戻ってきたと気づく。しかしリサに心惹かれるイクバルは、リサの正体に気づかないまま、リサが何者かに狙われていると思ってリサを守ろうとする。そこにイク

『紅いランタン』で、大学構内で相次ぐ不審死の原因として疑われたリサ（中央）は、40年前に共産主義者と疑われて死んだ女子学生の幽霊だった〈Hanung Bramantyo, Rapi Films〉

▶5　実在するインドネシア大学とよく似た名称にすることで、フィクションの体裁をとりながら現実のインドネシアで起こった事柄を想起させる。

バルの父親が姿を現して真相が明らかにされる。

『紅いランタン』編集部は、「真実に寄り添う」をモットーとしながら、かつて大きな嘘をついた。一九六六年当時、リサの父親は共産党傘下の文化団体である人民文化協会（LEKRA）のメンバーで、共産主義者として軍に追われていた。大学同窓会は、『紅いランタン』編集部に共産党の関係者がいるとして、編集委員だったリサの除籍を求めた。編集部はその要求を拒絶できなかったばかりかリサを喘息の発作で死なせてしまい、そのことを隠蔽するためにリサの遺体を編集部の壁に塗りこめた。編集委員たちが幽霊に襲われはじめたのは、リサの死からちょうど四〇年目の同じ日付だった。

当時イクバルの父親はリサと交際していたが、リサが書いた記事について、共産主義的とみなされるから書き直すように求めたことがあり、そのことが共産主義者であると疑わせる原因をつくったと考えるリサの恨みを買っていた。父の世代が行った罪が四〇年後に子の世代に災難となってふりかかるとともに、父の世代に隠蔽された真実がその災難を通じて明らかになる。イクバルの父親は息子とかつての恋人に真実を告白する。イクバルの父親は、リサを追い詰めることになった記事は大学同窓会が捏造したものであり、また真実を伝えるリサの記事を自分は守ろうとしてきたと訴えた。▶6

リサはイクバルの父親の首を絞めながらその告白を聞く。同じ頃、次期編集委員たちがリサの遺体を発見して弔うと、リサはイクバルの父親の首を絞める手を緩めて姿を消す。本作品の副題である「真実は明らかにされなければならない」が満たされたことでリサは昇天

▶6　リサが書いた記事は、インドネシアにアメリカのCIAに通じた組織があり、その組織がインドネシア共産党（PKI）に対する虐殺に関与していたと伝えるもので、草稿はイクバルの父親が保管していた。イクバルの父親はこと切れる前に「リサの記事は正しかった」と言う。

する。イクバルの父親は、リサの幽霊が自分の告白を聞いて姿を消したことを確認して事切れる。▼7

後日談では、イクバルが山道具をリュックサックにつめて一人でジャワの名峰スメル山に向かう。その行動は、スメル山の登山中に事故死したスー・ホックギーの最期を思わせる［➡2部1章77頁］。イクバルの家には母親が一人で残っており、机の上にあるイクバルの両親の写真がリサを思わせる何者かの手によって伏せられる。リサの幽霊は昇天していないことが示され、イクバルと母親にこれから何事かが起こる不吉な予感とともに物語が終わる。

ホラー映画はインドネシアで人気のあるジャンルである。一九六五年の悲劇の物語を現代の大学生を主人公にしたホラー映画に織り込んだことは、自分たちの社会の陰惨な歴史に若い世代の関心を向けさせようとするハヌン・ブラマンティヨ監督の工夫である。▼8一九六五年に学生だった現在の大人たちが幽霊に襲われる様子を描くことで、彼らがかつて行ったことは、殺害に直接関わっていなかったとしても、迫害に加担して隠匿してきたことに他ならないという理解が示される。加害者でも被害者でもなかった人たちは、迫害を目前にしながら残念ながら助けられなかったという中立的な立場にあるのではなく、傍観することで自分も加害に加担していたという立場にあることを突きつけられる。

劇中の学生誌の名前で本作のタイトルでもある『紅いランタン』は、スー・ホックギーの卒業論文のタイトル『紅いランタンの下で』からとられている。スー・ホックギーは、一九六五年政変の後に多くのメディアが沈黙を守るなかで一九六七年にバリの虐殺の報告を執筆し

▶7　イクバルの父親はイクバルに宛てて遺書を残していた。そこには、「ある正しさを唯一のものと人が決めてしまったとき、その正しさは災いになる。おまえには唯一の正しさを信じる人間になってほしくない。私は人間が唯一の正しさを信じすぎたことの犠牲になった」、「この手紙を読んで、なぜ人は良心に従わねばならないかを理解してほしい。良心こそがおまえを真理に向かわせてくれるはずだからだ」とある。

▶8　ホラー映画を用いて過去の出来事を語り直す試みは1998年政変についても行われている。詳しくは「インドネシアのホラー映画に見る恐怖の起源――『ポチョン』と『スンデルボロンの伝説』から」（西芳実、『越境する災い――混成アジア映画研究2020』山本博之編著、京都大学東南アジア地域研究研究所、2021年、pp. 30-41）を参照。

たことで知られる。学生誌『紅いランタン』のモットーは「真実に寄り添う」であり、映画『紅いランタン』は真実に寄り添って過去とその結果である現在に向き合うことへの覚悟を呼びかけている。

なお、ハヌン・ブラマンティョ監督は、『紅いランタン』の翌年に制作した『スンデルボロンの伝説』「➡3部4章230頁」でも、ホラー映画によって一九六五年政変の語り直しを試みている。『スンデルボロンの伝説』の舞台は一九六四年一一月から一九六五年二月までの三か月間であり、一九六五年政変の約半年前にあたる。当時のインドネシアは、スカルノ大統領のもと、国際社会で孤立を深め、経済状況が悪化するとともに、軍と共産党との間の緊張が高まり始めている時期だった。映画の冒頭では当時の世相を示す新聞[9]の切り抜きが何枚か示され、作中で描かれる事件の顛末を説明する次の言葉が字幕で挿入される。「これは四〇年前の事件である。善人は悪人に、悪人は善人になった。人々は他人の権利をやすやすと侵した。人々は互いに似通っており、誰もが自分こそ犠牲になったと感じ、ただ復讐することを願った。」『スンデルボロンの伝説』では、夫の不在中に農園主に強姦され、そのことを隠蔽しようとした村長たちによって非業の死を遂げたイマがスンデルボロンになり、村長たちに復讐する。イスラム教の導師は、村長たちの不審死は「左派の連中」の仕業だと断定し、復讐のためにイスラム寄宿塾の塾生や村人を率いて農園に向かう。

農園では、正当な賃金を支払おうとしない農園主に対して農園労働者たちが不満を募らせており、左派青年が取りまとめ役になって、契約書をつくるよう農園主に要求していた。農

▶9　国軍系の『Berita Yudha』という新聞が使われている。

園主が手下に左派青年を殺させると、農園労働者たちは決起して農園主の館を襲い、農園主を殺す。そこに導師が率いる村人たちがなだれ込み、村人と農園労働者の殺し合いになる。

これは、一九六五年政変後に、九月三〇日事件の背後に共産主義者がいるという説明を信じた民衆が共産主義者と疑われた人々を襲ったこと、とりわけジャワではイスラム寄宿塾がその先頭に立ったことを思わせる。社会の混乱はイデオロギーや経済状況に原因があるのではなく、誰が手を下したのか定かでない不審死に原因があると描く『スンデルボロンの伝説』は、一九六五年政変の前後に生じた大虐殺の原因をイデオロギーの違いや経済危機に帰するインドネシア政府の公式見解に正面から挑む解釈を提示している。[10]

海外の視角が晒した虐殺の加害者の姿――『アクト・オブ・キリング』（二〇一二年）

アメリカ出身のジョシュア・オッペンハイマーが制作した『アクト・オブ・キリング』と続編の『ルック・オブ・サイレンス』[11]（二〇一四年）は、九月三〇日事件後に虐殺を実行しながらもそのことが罪に問われず、むしろ国難を救った英雄として扱われてきた人々に加害当時の様子を再演させることで、加害の実態を映像化した。虐殺の実行者の告白を映像に記録し、これによってインドネシアの正史で無視されてきた虐殺の実態を白日のもとに晒した一方で、加害者に罪を自覚させる性格が色濃く、加害者と被害者との間にある溝の深さを浮き彫りに

▶10 1965年政変の語り直しを試みた映画には、自伝的小説『パルック村の踊り子』（アフマッド・トハリ（山根しのぶ訳）、井村文化事業社、1986年）の映画化で、1960年代のジャワ農村を舞台に幼馴染である踊り子と軍人の悲恋を描いた『聖なる踊り子』（Sang Penari、イファ・イスファンシャ監督、2011年）がある。

▶11 原題は『The Look of Silence』。インドネシア語タイトルは『Senyap』（沈黙）。

する結果ももたらした。

加害者の吐き気の正体――映画の目的は達せられたのか

『アクト・オブ・キリング』は、世界各地の映画祭で二〇一四年までに五二の賞を受けた。虐殺を加害者の視点から描いた異色のドキュメンタリーとして高く評価され、アカデミー賞長編ドキュメンタリー賞にもノミネートされた。日本でも二〇一三年に山形国際ドキュメンタリー映画祭で最優秀賞に選ばれたほか、二〇一四年に劇場公開され、日本語字幕つきのＤＶＤも販売されている。

ドイツ系ユダヤ人の家庭に生まれたオッペンハイマーは、国家と社会による組織的迫害の対象となったユダヤ人の経験と、インドネシアの共産化を防ぐためにその反共政策を支持してきたアメリカという二つの背景を持つ。インドネシアの一九六五年の悲劇はアメリカにとっても他人事ではなく、傍観することで結果として虐殺に加担した道義的責任を問う声もある。

オッペンハイマーは、二〇〇五年から北スマトラ州で行ってきたインタビューを踏まえ、殺人実行グループのリーダーだったアンワル・コンゴに焦点を当てた。一九六五年当時、アンワルは北スマトラ州メダンで映画チケットの転売で生計を立てていたが、軍の要請で共産主義者と疑いのある

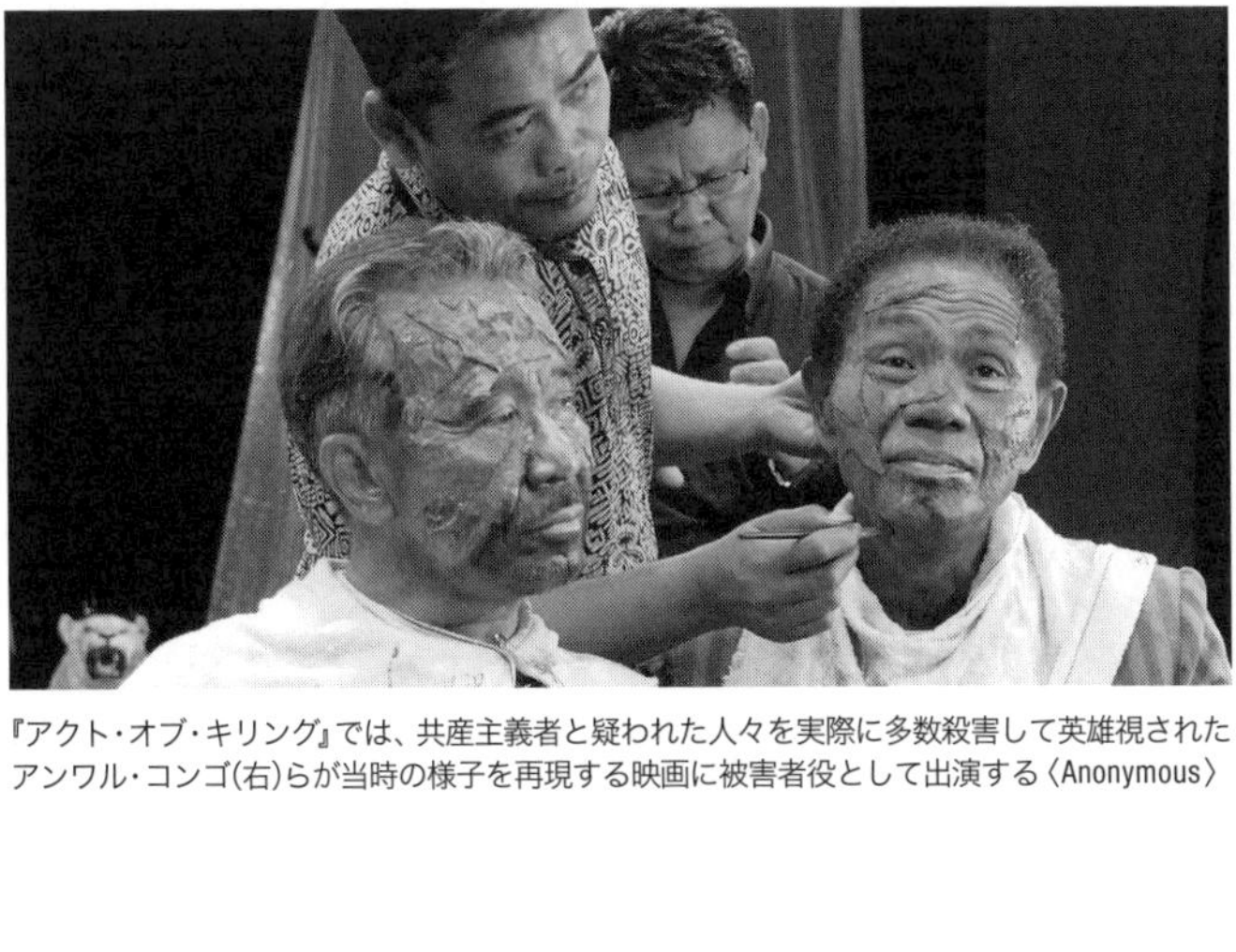

『アクト・オブ・キリング』では、共産主義者と疑われた人々を実際に多数殺害して英雄視されたアンワル・コンゴ（右）らが当時の様子を再現する映画に被害者役として出演する〈Anonymous〉

一〇〇〇人近くを殺害したと語る。オッペンハイマーはアンワルに当時の様子を再現する映画を一緒に撮ろうと持ち掛け、アンワルが得意げに殺害の様子を演じる（アクトする）さまが記録される。アンワルに殺害を指示した人物や、殺人実行グループの表の顔として機能していたパンチャシラ青年団[12]の関係者にも取材し、虐殺を実行したり支えたりした側の人々が自らの行為を悔いるどころか誇らしげに語る様子も記録されている。

『アクト・オブ・キリング』では、アンワルらは嬉々として殺人の再現映画を制作し、完成した映像を大笑いしながら見る。映画好きだったアンワルがアメリカ映画から殺害方法のインスピレーションを得ていたことが明らかにされ、殺害者は何を考えていたのかという監督の問いに答えが与えられる。オッペンハイマーは再現映画でアンワルに犠牲者の役も演じさせる。アンワルが悪夢を見るようになり、あたかもアンワルが無意識下で過去の自分の行為に拒絶反応を起こしているかのような猛烈な吐き気に襲われるシーンが得られたことで、この作品はようやく目的を遂げたかのように幕を閉じる。

日本版劇場公開用パンフレットに寄稿した声明のなかで、オッペンハイマーは観客に「一〇〇〇人を殺したアンワルの中に自分の一部を見出してもらいたいと思っています」と述べている。しかし、吐き気に襲われるアンワルに自分の姿を重ねた人はどれほどいるだろうか。殺害を自慢げに語るアンワルらの姿を見てきた観客にとって、このシーンは、オッペンハイマーのあの手この手の技法によってアンワルがようやく自責の念に囚われ、それが映像に記録されたこと、そしてそれを自分が目撃したことの爽快感をいざなうものであっても、

▶12 インドネシアのほぼ全域に存在する自警団組織。

アンワルに対する共感を誘うものには思えない。そればかりか、猛烈な吐き気に襲われて戸惑っているように見えるアンワルの動きもまた、監督の期待に応えて、アンワルが今度こそアメリカ映画の模倣ではなくオリジナルでつくり出した演技（アクト）であるとも解釈できる。

『アクト・オブ・キリング』の日本語版ＤＶＤには制作総指揮のエロール・モリスによる「ゴンザーゴ殺し」と題された冊子が付録としてついており、そこにはアンワルの嘔吐シーンについてモリスとオッペンハイマーの問答が掲載されている。モリスは「吐いたのは彼自身、そして我々のための演技であったのか、それとも本当の姿なのか。実際、わかることはあるのだろうか」と問い、オッペンハイマーが「両方だ」と答えたのに対し、モリスが再度「私にはわからない」と受けている。オッペンハイマーはアンワルが語った殺戮の体験がすべて虚偽である可能性や、最後の嘔吐のシーンも演技だった可能性について自問自答し、もしそうだったとしたら「私は一体この映画は何が言いたかったのか考え、背筋がぞっとする。想像するだけで悲しい」と語っている。どちらの解釈を取るにしても救いがない。

救済も安寧もない告発——インドネシア映画に突きつけられた課題

同じ事件を被害者の視点から描いた続編の『ルック・オブ・サイレンス』は、前作以上に高い評価を得て、二〇一六年までに世界各地で九〇もの賞に輝いた。

九月三〇日事件に関連して兄が殺された後に生まれた青年アディに密着したこの作品は、一見すると被害者に寄り添ったように見えるが、実際には被害者が加害者を訪問することが加害者たちの動揺を引き出す道具になっている。兄を殺した加害者は村の権力者であるため、アディの母親は兄の虐殺についてアディに語ってこなかった。アディはオッペンハイマーから加害者が自慢げに自らの行為を語る『アクト・オブ・キリング』の映像を見せられ、「殺された兄や現在もおびえて暮らす母親のために加害者に罪を認めさせたい」と語り、加害者を訪問することを提案する。アディは被害者の遺族であることを隠して虐殺の実行者たちを訪問し、虐殺の様子を語らせる。実行者たちは殺害を自慢するが、アディが被害者の遺族だと知ると狼狽し、仕方なかったと弁明を始める。

実行者が自らの行為にうしろめたさを覚えていることを映像に記録してそれを鑑賞することは、一体誰のどのような欲求を満たすのか。ここに被害者と加害者との間の和解はない。被害者は自らの存在が加害者を居心地悪くさせる力を持っていることを確認しただけである。その様子が映像に記録され公開されたことで、両者の関係にそれ以上の変化を期待できなくなった点で断絶は深まっている。ここでも誰も救われていない。

大量虐殺という非人道的な行為に加担した人々が現在も罪を認めていない状況に対して、『アクト・オブ・キリング』では加害者と被害者を演じさせ、『ルック・オブ・サイレンス』では被害者と対面させることで自らの罪を認識させようとした。ここには、加害と被害は明白に分別することが可能で、罪は必ず裁かれるべきものという強い信念がうかがえる。

一九六五年政変を契機に起こった虐殺について、インドネシアでは国を挙げてその事実が歪曲されてきたこと、そしてそのことが現在までインドネシア社会に暗い影を落とし続けていることは否定できない。虐殺の実行者たちは国によっても社会によっても殺人の罪を問われていない。オッペンハイマーが映画を用いて行ったのは、裁かれていない罪を映像で告発し、観客の目にさらすことで間接的に裁くことだった。このことを、インドネシア人にできないことに外国人が手を貸したと見ることも可能だろう。しかし、この二つの作品が裁きに成功しているのであれば実行者も被害者も何らかの救済や安寧にたどりついているはずだが、これらの物語にはそれがない。それがこの二作品の後味を悪くさせている。

エンディング・クレジットで、オッペンハイマーの作品には多くのインドネシア人が匿名で参加したことが示される。「自由な言論が抑圧されているインドネシアでは名前を出すことで身の危険にさらされるため」という説明がなされるが、理由はそれだけだろうか。匿名による参加者の存在を記すことは、表向き虐殺について語らない人々のなかにも加害者に罪の自覚を求める人々がいることを想起させ、この作品の正当性が揺るぎないことを数の力によって念押しする働きがある。このことと、手続きなしに人が人を裁く行為との間に境界線を引くことは難しい。

二つの作品はインドネシアで二〇一四年にあいついで劇場公開され、『ルック・オブ・サイレンス』はインドネシア国家人権委員会の後援によって全国四八〇スクリーンで公開された。外国人のオッペンハイマーがドキュメンタリー映画の手法で虐殺の加害者の姿を世界に暴露したことは、インドネシア社会にとってショック療法になった。インドネシアの映画人たちは、自分たちはこの悲劇をどのように描くのかという問いに直面した。

SFアクションに仮託された語り直しの呼びかけ
——『フォックストロット・シックス』(二〇一九年)

『アクト・オブ・キリング』と『ルック・オブ・サイレンス』が殺害の実行者に目を向けてその行為を明らかにしたのに対し、『フォックストロット・シックス』はハリウッド風SFアクション映画の型を借りることで、一九六五年の国民的悲劇を国際社会のなかに位置づけて捉えようと試みる。

『フォックストロット・シックス』は、「ランボー」や「ターミネーター」のシリーズで製作総指揮を手掛けてきたマリオ・カサールがエグゼクティブプロデューサーを担当し、豪華なSFXと予算をふんだんに使った戦闘シーンが評判になった。監督のランディ・コロンピスは、アメリカで映像制作の経験を積み、自らマリオ・カサールに連絡をとって協力を仰ぎ、八年かけて映画を完成させた。ハリウッド映画のスタイルを借用しているのは、従来のインドネシア映画で描きにくいことがらを描くための工夫である。

舞台は近未来の二〇三一年のインドネシア。気候変動のために世界は原油にかわって食糧が最も価値を持つ商品となっていた。インドネシアは国家支柱党(略してピラニア党)の政権のもとで食糧輸出によって経済大国となる一方、庶民は食糧難に苦しんでいた。庶民の反発に対し、政府はアメリカ製の最新鋭の武器を導入して治安維持を強化することで対応をはかる。元海兵隊員でピラニア党の国会議員であるアンガは国民にモラルと政府への忠誠を守らせる任務を与えられる。任務を進めるなかで改革団を名乗る反政府地下組織に拉致されたアンガは、改革団の拠点で、死んだと思っていた元婚約者でジャーナリストのサリと再会する。サリたちと行動をともにするなかでピラニア党の謀略に気づいたアンガは改革団に合流し、海兵隊員時代の仲間を集め、謎の狙撃手を加えた六人の「フォックストロット（速足の狐）」がピラニア党の陰謀に立ち向かう。

ピラニア党の幹部は、改革団による仕業と見せかけて八人の国会議員を殺害し、改革団のクーデター計画を事前に察知して鎮圧したと発表して、国民を扇動して改革団とその支持者たちを殺害させようとしていた。アンガはピラニア党本部に乗り込み、仲間の死と苦闘の末に手に入れた証拠映像を世界に配信してピラニア党の陰謀を粉砕する。

ピラニア党による陰謀のシナリオは、九月三〇日事件で七人の将校と士官が殺され、その黒幕とされた共産党関係者の弾圧が行われたことと共通点が多い。インドネシア政府が公認する正史では、共産党がクーデターを企画し、それを未然に防いだスハルトが政権を掌握し、その後で国民による共産党関係者への弾圧が起こったとされている。『フォックストロット・シックス』は、ピラニア党の自作自演の様子を映像で見せることで、もしかしたら九月三〇日事件も自作自演で、そ

SFアクション映画の『フォックストロット・シックス』は、架空の事件を描くことで、1965年の9月30日事件が政権の自作自演であり、その裏にアメリカの陰謀があったという解釈を示した〈© Rapid Eye Pictures〉

の後の弾圧も含めてスハルト一派のシナリオだったのではないかと思わせるという意味で踏み込んだつくりになっている。アンガらの奮闘により政府の謀略が阻止されるという映画の結末は、一九六五年に自分たち国民がもっと賢く力を持っていれば虐殺は起こらなかったかもしれないという思いを抱かせる。

戦闘の犠牲者の葬儀の場面では、仲間の一人で華人のオギーの母親が参列し、「息子も国家の英雄になった」と涙する。このシーンは、九月三〇日事件とそれが鎮圧される過程を描いた『インドネシア共産党の九月三〇日運動の裏切り』（以下『裏切り』）〔➡1部2章52頁〕の終幕における英雄たちの葬儀のシーンを思い起こさせる。『裏切り』では、英雄の犠牲が共産主義者と同一視された華人への迫害を招いたが、『フォックストロット・シックス』では、国の敵と戦って犠牲になった華人が英雄に列せられる。観客は、この映画がインドネシアの現代史で疎外されてきた華人がインドネシアの正義のために貢献したことが認知された物語でもあったことを理解する。

ただし、物語はここで終わらない。英雄の再解釈によって華人の名誉回復がなされた後に、英雄を英雄たらしめた事件そのものに外部の第三者の手があったのではないかと冷水が浴びせられる。アンガたちが敵を倒すストーリーに観客が魅了され、共感し、英雄たちの葬儀で大団円を味わった後に、アンガたちとともに戦ってきた謎の狙撃手が星条旗をつけたヘリコプターに乗り込むシーンが挿入され、今まさに観客が目撃し共感してきた勧善懲悪の物語がまったく別の文脈を持つ可能性があることを教えられる。ここで観客は、劇中でピラニア党本部に突入するアンガに敵側の将校から「おまえはこの世界が生む化け物のことをわかっていない。選んだのはおまえだからな」と声がかけられたことの意味を理解する。謎の狙撃手はアメリカの秘密部隊のメンバーであり、アンガたちがピラニア党を壊滅させたのはアメリカの世界戦略に操られてのことだったのではないかと観客が思ったところで物語は終わる。

自分たちの力で悪を倒したと思いきや、より大きな力に操られていたのではないかと知って戸惑う観客の前に、後日談としてジャカルタの街が映し出される。『速足の狐』[13]という童話絵本を手にしたアンガの娘が、（戦闘で絵本の）「最後のページが焼けてしまったので、結末がわからない」とアンガに言い、アンガは「それなら結末は自分たちでつくろう」と答える。フォックストロットの物語に決まった結末はなく、これから自分たちがどのように生きていくかが過去の物語を語り直していくことなのだとインドネシアの観客に呼びかけているかのようだ。

『フォックストロット・シックス』のセリフが全編英語であることは、近未来のインドネシアで英語が共通語になっているという設定のためである。結果として外国映画風になったためか、インドネシアで公開された際に、「一九六五年政変が政府側の陰謀だったのではないか」という過激な説を呈示していることについて取りざたする議論はほとんど見られなかった。国内で不要な議論を巻き起こさないようにすべてのセリフを英語にしたとも理解できる。

▶13 原題は『The Trotting Fox』。

インドネシアの政変の陰にアメリカが存在する可能性を示唆したこの作品は、国内のみならず国際市場、とりわけアメリカでの公開を狙っている。そこには、インドネシア映画の市場を海外に広げようとするビジネス上の戦略だけではなく、自分たちの国で生じている問題を解決するには国内に目を向けるだけでは不十分で、国際社会の問題にも積極的に目を向け、自分たちから国外に出て行って解決をはかる必要があるという野心的な意図もうかがえる。

第２章
失踪と別離に寄り添う
――革命と政変が招いた溝の深さ
『プラハからの手紙』、『他者の言葉の物語』、『ソロの孤独』、『サイエンス・オブ・フィクションズ』

過去の悲劇の語り直しでは、①原因と結果、つまり誰によって何のために何が行われ、誰がどのような被害や影響を被ったのかについて語ることと、②被害者の境遇と思い、つまり悲劇に巻き込まれた人やその関係者が、どのような思いを抱きながらその後の人生を送ってきたかについて語ることの二つがある。

社会のなかに加害者と被害者が共に暮らしていて、善悪で裁くことが社会の分断を深めると考えられるとき、原因と結果を語ることなく自分たちの社会の傷として受け止めるしかない。インドネシア社会は九月三〇日事件とその後の虐殺を社会の傷として受け止めようとしてきた。

革命や政変は、それに巻き込まれて殺されたり行方不明になったりした人だけでなく、残された家族の人生も変える。遺体が見つかっていれば弔うことができるが、遺体が見つからなければ亡くなったかどうかを確かめることもできない。身近な人が突然目の前からいなくなったことをどのように受け止めればよいか、残された人々は答えを見つけられないままになる。

インドネシア映画のつくり手たちは、自分たちの社会の物語として映画をつくってきた。九月三〇日事件とその後の虐殺のように、語りにくいことや語られないことがあるのは、傷を抱えたまま暮らしていかなければならない現実があるためであり、語ることで新たな傷が生まれたり、傷が深まってしまったりすることを避けるためでもある。そうした「語りにくさ」が続くなかでも、一九九八年以降に復興を遂げたインドネシア映画は、一九六五年の国民的悲劇を語るための工夫を積み重ねてきた。五〇年が経ち、政治犯として投獄された人々の遺族の人権回復や、虐殺の犠牲となって集団埋葬された人々の遺骨の再埋葬の動きが活発化するのと並行して、インドネシアの映画人の反応が作品として現れるようになった[14]。表現方法は作品ごとに異なるが、被害と加害が同じ社会のなかで生じているという世界観は共有されている。

この章では、ある日突然家族と連絡がとれなくなった「残された家族」の物語を描いた作品として、『プラハからの手紙』[15]（二〇一六年）、『他者の言葉の物語』[16]（二〇一六年）、『ソロの孤独』[17]（二〇一六年）、そして『サイエンス・フィクションズ』[18]（二〇一九年）を取り上げる。

『プラハからの手紙』は一九六五年政変、『他者の言葉の物語』は一九四〇年代の独立戦争、『ソロの孤独』は一九九八年政変の直前の民主化運動をきっかけに、恋人や夫が消

▶14 映像を通じた1965年の悲劇の語り直しの端緒を開いたのはガリン・ヌグロホの『ある詩人』（Puisi Tak Terkuburkan、1999年）で、その後、元政治犯やその関係者、人権擁護活動を行うNGOによるドキュメンタリーの制作が続いた。*Identity and Pleasure: The Politics of Indonesian Screen Culture* (Ariel Heryanto. NUS Press. 2014) の第4章に詳しい。「映像は国民的悲劇をどう語り継ぐのか――インドネシア映画における9月30日事件」（西芳実、『伝承と国民の物語――混成アジア映画研究2019』山本博之編著、京都大学東南アジア地域研究研究所、2020年、pp.34-44）も参照。

▶15 原題は『Surat dari Praha』（アンガ・ドゥイマス・サソンコ監督）。

▶16 原題はインドネシア語で墓参りや巡礼を意味する『Ziarah』（バグス・ウィラティ・プルバ・ヌガラ監督）。

▶17 原題は『Istilahatlah Kata-Kata』（ヨセップ・アンギ・ヌン監督）で、その意味は「休め、言葉たち」。

▶18 原題は『Hiruk-Pikuk Si Al-Kisah』（ヨセップ・アンギ・ヌン監督）で、その意味は「モノガタリ氏の大混乱」。

息不明になる。恋人や夫の身に危険が及んだのではないかと案じたり、恋人や夫が自分のことを忘れたり嫌ったりしたのではないかと疑ったりと、残された人々の思いは様々だが、恋人や夫に何があったのかを知りたいし、再会の日を信じてそれまで自分がどのような思いで待っていたかを伝えたいという気持ちはいずれの物語にも共通している。

ただし、過去に何が起きていたかを知ることができるとは限らない。当事者が亡くなったり姿を消したりしているためだけではなく、人が語る説明が相手や状況によって変わるためでもある。『ソロの孤独』では、消息を絶った夫の帰りを待つ妻は、夫は官憲に殺されていて自分も襲われるのではないかという恐怖に苛まれながら、その恐怖を誰とも共有できない。『サイエンス・オブ・フィクションズ』では、国家の秘密を目撃した男が自分と家族を守るために正気を失い、息子を失った母親は絶望して自殺する。

取り戻せない五〇年という時間――『プラハからの手紙』（二〇一六年）

『プラハからの手紙』は、ヨーロッパの社会主義圏に留学している最中に九月三〇日事件が起こり、インドネシア国籍をはく奪されて帰国できなくなった人々とその周囲の人々に起こった悲劇を描く。

別離の悲嘆と国外にもいた犠牲者の存在を知る

物語は二〇一五年七月頃、ララサティが病室の母親スラストリを訪ねる場面から始まる。ララサティは母親の容態を慮ることなく、家の権利書を貸してほしいと訴える。ララサティが母親に冷淡なのは、物心ついたときから母親が父親に心を許さず、それが原因で父親の死を招き、自分も温かい家庭を得られなかったと恨みに思っているためである。母親に会いに来た理由は、浮気した夫と離婚するための裁判費用を捻出するためだった。

母親はララサティの訴えに取り合おうとしないまま、ララサティが病室を出ている間に息を引き取る。ララサティは死に目にあえないまま母親を失うが、彼女の関心は母親の遺産に向けられている。しかし、母親の遺産を受け取るには小さな木箱と手紙をジャヤという男性に届けなければならないという遺言が残されていたことを知らされ、ララサティはジャヤがいるチェコのプラハに向かう。

ジャヤはスラストリの元婚約者で、原子力工学を学ぶためにチェコスロバキアに留学した。一九六五年に九月三〇日事件が起こると、ジャヤはスハルト政権への支持を拒んだために政治犯とみなされ、インドネシア国籍をはく奪されて帰国できなくなった。ララサティが

『プラハからの手紙』で、母の遺言にしたがいララサティ（右）はプラハで暮らすジャヤ（左）を訪ね、1965年政変で帰国できないままになったインドネシア人がいることを知る
〈監督：Angga Dwimas Sasongko、撮影：Ferry Rusli、Yanis Rudolf Pratasik〉

持ってきた木箱の中身は、未開封のままに残されたジャヤがスラストリに送った一三六通の手紙だった。スラストリは一九七二年に結婚して、一九八一年にララサティが生まれた。[19]ジャヤの手紙がスラストリの手元に届いたのはスラストリが結婚して一一年目、ララサティが二歳のときだった。母親が父親に心を閉ざして家庭が壊れたのはジャヤから遅れて届いたラブレターのせいだったと知ったララサティは、ジャヤを「共産主義者」となじる。

ジャヤは、「政治犯になった自分がスラストリに手紙を送ればスラストリも関係者と見られて迫害される可能性があり、手紙をすぐに送らなかったのはスラストリを守るためだった」と説明する。ジャヤは「自分はスカルノ支持者で愛国者であって共産主義者ではない」と反論する。ララサティが「共産主義者」を罵倒語として使ったことは、スハルト体制崩壊から二〇年経つ現在でも共産主義者であることが「国民の敵」扱いされていることを示している。

ララサティは、ジャヤのスラストリへの愛が純粋で揺るぎないものであったことを認める。ジャヤが自分に若き日の母親の姿を重ねて見ていることを受け入れ、ソファで眠るジャヤの横にそっと寄り添って、スラストリに再会できたらジャヤが得られたであろう安らぎを束の間ながら与える。それは、長年にわたり母親を否定してきたララサティが母親の存在を自分の身体の中に引き入れたことであり、母親を許して受け入れたということでもあった。

ララサティは九月三〇日事件がもたらした別離と悲嘆を知らない世代を代表している。ララサティがジャヤを理解する過程は、九月三〇日事件がもたらした社会的・政治的変動のために国外に置き去りにされ、親の死に目にもあえず、様々な仕事で糊口をしのいできた同

▶19 スラストリは1946年6月20日生まれで1965年には21歳だった。ジャヤも当時21歳だったと言っている。1981年に生まれたララサティは、劇中の2015年における年齢は34歳となる。

国人の人生[20]を理解する過程である。この作品を通して、インドネシアの観客も九月三〇日事件の犠牲者が国外にもいたことを知る。

わだかまりは解けても訪れない和解

一九六五年の悲劇は親しい人どうしを引き裂き、二度と会えない状況を生み出した。互いを思うがゆえに生きている間に再会も通信もかなわなかった男女の悲劇を描くとともに、時代がかわり、女の娘が男のもとに女のメッセージを伝えに行く様子を描くことで、悲劇がもたらした断絶の修復が試みられている。連絡が途絶えた相手の家族との再会によって過去の経緯が明らかになり、互いを思い合っていたと知ることで疑念や恨みが晴れてわだかまりが解ける。

ただし、このエンディングをハッピーエンドと受け止めることはできない。ジャヤとララサティの出会いは束の間のことで、ジャヤとスラストリの関係が再開するわけではない。スラストリが自分の代わりにジャヤのもとに行かせた血を分けた娘は、ジャヤから見れば、スラストリと面影が似ていたとしてもスラストリと別の男との間の子である。ララサティがジャヤに会いに来たことで、ジャヤはスラストリが自分の手紙を読まなかったことを知り、別の男と家族をつくった事実に直面する。物語上、ララサティたちのわだかまりが解けたように描くことで九月三〇日事件によって引き裂かれた恋人の物語をハッピーエンドとして提示し、後味を悪くさせない工夫をしているが、ジャヤとスラストリとの間の溝はどこまで

▶20 原子力工学の専門家として将来を嘱望されていたジャヤはプラハで掃除夫をしている。劇中にジャヤと同じ境遇のインドネシア人たちが登場し、「メダンから船に乗って出発した」、「当時は東側陣営の国々がインドネシア人の学生に奨学金を出していた」と話す。

も深く、過去は取り戻せないという残酷な現実を突きつけている。

九月三〇日事件は母親と元恋人との間に亀裂をもたらしただけでなく、母と娘との間の世代間の亀裂の原因としても描かれている。そこにはアンガ・ドゥィマス・サソンコ監督の九月三〇日事件をめぐるインドネシア社会の亀裂についての理解が反映されている。ララサティは夫との関係だけではなく母親との関係においても家庭づくりに失敗している。母親が死に、その遺言を得ることでララサティは母親とジャヤを知る旅に出て、ジャヤを通じて間接的に母親との和解に至るが、母親はすでにこの世になく、和解の機会は永遠に失われたままである。

再会を待ち続けた気持ちこそ真実――『他者の言葉の物語』(二〇一六年)

『他者の言葉の物語』は、B・W・プルバ・ヌガラ監督の長編第一作である。この作品を構想したきっかけとして、監督は二〇〇四年インド洋津波の被災地支援のためにアチェを訪れた際に、アチェ独立運動に参加した元ゲリラの家族から話を聞いた経験を挙げている。

他者の話を聞き、不本意な過去と折り合いをつける旅

インドネシア語の原題「ジアラ」は、墓参りや巡礼を意味する。独立戦争(一九四五年〜

一九四九年）に行ったきり行方知れずの夫の墓を探す老女スリと、スリの跡を追う孫を描いたロード・ムービー仕立ての作品である。中部ジャワのジョグジャカルタ市、バントゥル県、ウォノギリ県の村々を訪れて夫の足跡をたどるなかで、インドネシア独立戦争、九月三〇日事件、一九八〇年代のダム建設といった人々の暮らしに大きな影響を及ぼした事件が後景として描かれる。

　第二次世界大戦後、インドネシアの独立を阻もうとするオランダが一九四八年にジャワに軍事侵攻[21]すると、スリの夫のプラウィロ（パウィロ）・サヒドは対オランダのゲリラ戦争に参加すると言って家を出て行った。夫は出かける間際に「ありのままを受け入れよ」[22]という言葉をスリに遺しており、スリはこの言葉を支えに一人で娘を育て上げた。時がたち、齢九〇を超えたスリより先に亡くなった娘は、夫婦並んで埋葬された。それを見て自分も夫の墓の隣に埋葬されたいと思い立ったスリは、夫の墓を探すために孫に黙って姿を消す。

　中年にさしかかる孫のプラプトには婚約者がおり、婚約者の両親に挨拶に行く際にスリに付き添ってもらいたいと考えていた。婚約者と暮らすための土地の購入や住宅建設の資金は、スリの土地を売って用立てようと皮算用している。結婚のことを相談したいプラプトはスリの行方を捜す。

　物語は、スリが夫の消息を探す旅と、プラプトがスリを探す旅とが交錯しながら進む。プラプトはスリを追うためにスリの夫の消息も探すことになり、観客は二人がそれぞれ村人から聴き出すスリの夫に関する様々な話を聞くことになる。スリの夫は同名の人が多く、人々

▶21 1948年12月にオランダがインドネシアに対して行った大規模な軍事行動。第二次警察行動とも呼ばれる。1945年8月にインドネシア共和国の独立宣言が行われると、これを認めないオランダとインドネシアの間で戦争状態が生じた。

▶22 セリフはジャワ語で、インドネシア語の字幕は“mengikhlaskan”、英語の字幕は“let it be”があてられた。

が語る話がスリの夫の話なのか同名の別人の話なのか判然としない。六〇年近くの歳月を経て村の名前が変わっていたり村がダムの下に沈んでいたりして、スリの夫探しは難航する。

様々な人がスリの夫について語る他者の言葉により、スリの夫の人物像は幾度か逆転する。独立のために戦った英雄、オランダに村の情報を横流しした裏切り者、村人を苦しめた国軍兵士など。人物像が食い違うのは、人違いや記憶違いのためもあるが、時代や相手によって人の評価が変わるためでもある。

スリやプラプトが話を聞くのは、九月三〇日事件やダム開発がもたらした不遇をかこちつつも不本意な過去に折り合いをつけながら暮らしている人たちである。インドネシアの日刊紙『コンパス』は、「『巡礼』――過去と折り合いをつける」という映画評を掲載して、中部ジャワの村々に夫の足跡をたどる老女スリの旅が過去と折り合いをつけて和解する旅であると位置づけている。

巡礼の末にたどりつく「妻としての弔い」と「母としての弔い」

事情を知らない男のふと漏らした言葉を手掛かりに、スリが夫の墓があると言われた場所にたどりつくと、一九八〇年代のダム開発

『他者の言葉の物語』では、戦争中に行方不明になった夫の消息を尋ね歩くスリ（左）は、人々が語る夫の物語がいくつもあって異なっていることに戸惑う〈© Purbanegara Films〉

で湖底に沈んだ村だった。そこではダム建設で親の墓が湖底に沈んでしまった村人がボートで湖上に出て、湖面に花を散らして墓参りをしている。プラプトが会った村人は、インドネシア国軍が夜中に突然やってきてダムへの貯水を強行したので慌てて家財を持ち出して逃げたという当時の話を聞かせる。それは中部ジャワのクドゥンオンボ・ダムで実際に起こった実話をもとにしている。クドゥンオンボ・ダムは、日本のODAや世界銀行などの支援を受けて一九八五年に建設が始まり一九八九年に完成した発電・治水ダムで、ダム建設によって三県七郡三七村の約五〇〇〇世帯の土地が湖底に沈んだ。立ち退きを拒否した世帯もあったが、貯水は強行された。

　スリは、夫がある村で大怪我をして治療のためにフソドという人物の家に運び込まれたことがあったと聞いてフソドを探す。その村で尋ねても誰もフソドを知らないが、盲目の女性の導きでフソドの息子トゥレスノに出会う。トゥレスノは、フソドは九月三〇日事件後の混乱のなかで生死不明となっており、以降、村ではフソドの消息はおろかその名を口にすることもタブーになっていると話す。トゥレスノはスリがプラウィロの妻だと知ると、「祖国のために戦った者たちは彼らが守ろうとした土と水のもとに帰った。どこに墓があるかは問題ではない」と語り、墓探しをあきらめさせようとする。「土と水のもとに帰った」というのは、インドネシア語で「祖国（タナアイル）」が「土（タナ）」と「水（アイル）」を合わせた言葉であることによる。

　スリが別の人から夫の本当の墓の場所を教えてもらうと、夫の墓の隣には妻として別の女性の名前が記された墓があった。夫の没年は一九八五年、「妻」の没年は一九八七年であり、夫は独立戦争の後に村に戻ることなく別の地で別の女性と家族をつくり、そこで人生を終えていたことがわかる。劇中では夫の再婚をどう解釈するかに関わる直接的な言及はないが、夫の友人の話から、夫とその友人たちはスリがオランダの攻撃を受けて死んだと思っていたことが示唆される。確かにスリは家にいるときに攻撃を受けたが、家の下に掘った穴に隠れたために死ななかった。スリは夫が遺した「ありのままを受け入れよ」という言葉をかみしめる。

スリは夫の短刀とつがいの短刀を肌身離さず持っていた。スリはトゥレスノの家で夫の短刀を見つけてもらい受け、最初に墓があると言われた湖で二つの短刀を並べて湖に沈める。「妻」と並ぶ墓に眠る夫のことはなかったことにするかのように、ここが墓だと最初に言われた場所に夫と自分の分身を並べて葬ったことは、夫の帰りを待ち続けた妻としての自分の弔いのようだ。弔いをすませたスリは、トゥレスノの村にあったプラウィロとその「妻」の墓を浄めて花を撒く。九〇歳を超えたスリは、三〇年前に亡くなって墓で眠るプラウィロとはすでに親子ほどの歳の差がある。スリがプラウィロの墓に花を手向けるのは、妻による夫の弔いとしてではなく、母の子に対する弔いのような、家族に対するものになっている。

物語は、スリが妻としての弔いと母としての弔いを終えて茫然と座りこむそばで、トゥレスノが地面に棒で二人分の墓の図面を画いている場面で終わる。物語の冒頭でプラプトが、自分たちが住む家の間取りを地面に棒で画いてみせた場面と重なる。

過去に本当は何が起こったのかを突き止めることに常に意味があるとは限らない。ただし、この世に確かなことは何一つなくて何もかもが虚構だということではない。いなくなってしまった人のことを思いながら自分が生きてきたことは確かであり、それまで生きてきたこと自体に価値がある。スリの思いは夫に伝わらなかったが、夫の帰りを妻として誠実に待ち続け、死ぬときは夫の隣に葬られたいと思い続けてきたスリの思いは確かに存在し、それはトゥレスノによって見届けられた。

この作品では、ジャカルタから来た大学生がインドネシア語で話すシーンを唯一の例外として、すべてのセリフがジャワ語で話されている。インドネシアで劇場公開されたときにはインドネシア語の字幕がつけられた。観客は、同じインドネシア人が語っていながら自分たちに理解できない言葉で語られる物語を見ることで、インドネシアには土地ごとに言葉が異なるのと同じように土地ごとに異なる物語があり、そのなかにはまだインドネシア語で語られていないものもあることを感じる。私たちは過去に起こったことを知っているつもりになっているが、歴史として語られてきた事柄は実際に起こったことの一部にすぎない。

恐怖を誰とも共有できない孤独を描く——『ソロの孤独』（二〇一六年）

独立戦争や九月三〇日事件の語り直しがそれらの出来事をきっかけに引き裂かれた家族の再会という形で行われるのと対照的に、一九九八年政変の語り直しでは、それによって引き裂かれた家族のありようが示されるだけで、家族の再会には至らない。

政変前後に行われた反体制派の掃討作戦

映画『ソロの孤独』はヨセップ・アンギ・ヌン監督〔➡320頁〕の長編デビュー作で、スハルト体制末期から一九九八年政変に至る混乱のなかで消息を絶った詩人ウィジ・トゥクルについて、残された断片的な情報をもとにその逃亡生活を描く。

ウィジは一九六三年に中部ジャワのスラカルタでカトリック信徒の家に生まれ、ソロで育った。一九八〇年代にソロやジョグジャカルタを拠点に詩作や演劇活動を開始し、一九九〇年代には中部ジャワの繊維工場による環境汚染に抗議する住民運動を組織する活動家として当局に目をつけられた。中部ジャワの芸術家ネットワークの一つだった人民芸術職業ネットワークは、ウィジが長を務めているときに政治活動への関わりを深め、一九九六年に結成された非合法政党の民主人民党（PRD）に合流した。[▶23]

一九九六年に、政府による野党への介入に反対して死者五名、負傷者一四九名、逮捕者

▶23 当時のインドネシアでは、政党はインドネシア民主党（PDI）、開発統一党、ゴルカルの3政党のみ公認されており、それ以外の政党を結成することは認められていなかった。ウィジ・トゥクルの評伝は、スカルノ大統領やカルティニなどの国民的偉人とともにテンポ社の評伝シリーズから『ウィジ・トゥクル——失踪の謎』（*Wiji Thukul: Teka-Teki Orang Hilang.* Arif Zulkifli. *et al.* Kepustakaan Populer Gramedia. 2017）として刊行された。

一三六名にのぼる騒乱がジャカルタで発生すると、治安当局は騒乱を扇動したとしてPRDの活動家を捜索対象にした。ここからウィジの逃亡生活が始まった。ウィジは友人や知人のもとを転々としながら、ときにはソロにいる妻のもとに帰り、ときにはカリマンタン島で身を隠し、そのさなかもPRDの活動や詩作を続けた。一九九八年五月にジャカルタで暴動が起こるとジャカルタからソロにいる妻に電話をかけ、無事を伝えるとともに家族の安否を尋ねた。それを最後にウィジの消息は途絶え、妻は夫が治安当局から逃亡しているが無事だろうと考えていたが、二〇〇〇年に「行方不明者及び暴力の犠牲者のための委員会」[24]に夫が消息不明であると報告した。

一九九八年政変の前後には、人権活動家や民主化活動家が拉致されて行方不明になる事件が頻発しており、治安当局による掃討作戦が行われているという噂があった。少なくとも二三名の活動家が治安当局によって拉致され、ウィジを含めた一三名の消息が依然不明である。拉致監禁から帰還した者の証言などにより陸軍特殊部隊による組織的な作戦があった可能性が指摘されている。ウィジも作戦の対象となって拉致されたと考えられている。

際立つ恐怖と孤独が伝える体制批判のメッセージ

『ソロの孤独』では、ウィジが友人を頼ってカリマンタンに逃亡し、途中でいったんソロに戻って妻と束の間の時間を過ごし、再び逃亡生活に戻るまでが描かれる。ウィジを助ける友人の名前を除き、地名、人名、組織名などの固有名詞は劇中でほとんど言及されず、場所の

▶24 Komisi untuk Orang Hilang dan Korban Tindak Kekerasaan (KontraS)。KontraSは1998年に人権NGOや学生組織の連合体として設立され、1998年政変前後に失踪した活動家の捜索や真実究明を行うほか、アチェ、パプア、東ティモールなどで軍・警察が行った人権侵害の追及などを行った。設立者の一人で人権擁護活動家のムニールは、2004年にジャカルタからオランダに向かう飛行機の中で何者かによって毒殺された。治安当局の指示による暗殺の可能性が指摘されている。

特定を助ける看板なども極力排除されている。ウィジは吃音とくせ毛が特徴で、その特徴を隠すために逃亡中は髪を刈るか帽子を被るかし、信頼できる人以外と言葉を交わさないようにしていたことが知られており、『ソロの孤独』でもその様子が描かれる。散髪に行った床屋で国軍兵士と隣席どうしになり、些細な会話から身元が判明するのではないかとウィジは口数を少なくするが、それがさらに相手に疑念を与えるのではないかと緊張する。

ウィジが身を隠している村では、兵士になる夢に挫折して心を病み、自分が兵士になったという白昼夢のなかで近隣の住民に異常な行動を繰り返す若者がおり、ウィジの気は休まらない。居候先の友人はウィジを温かく受け入れるが、その妻はウィジの存在に不安を抱いており、それを察知したウィジは孤独感を強める。

ウィジの留守を預かる妻は治安当局の監視下にあり、ウィジの行方や妻の思想が探られる。妻は毅然とした態度をとり続けるが、日々の生活を監視されている窮屈さや、夫の不在の間に妻に懸想する近隣男性の煩わしさに静かに疲れをためている。

ウィジは手持ちのわずかな金で妻に古着の赤いスカートを買い、熱湯で丁寧に消毒する。そのスカートを持ってソロに戻り、街の安ホ

『ソロの孤独』では、治安当局に追われるウィジを通じて、捕まって殺されても誰にも知られることがないという恐怖を誰とも共有できない孤独が描かれる〈©Muara Foundation, KawanKawan Film, Limaenam Films dan Partisipasi Indonesia〉

テルで妻と束の間を過ごす。妻がホテルに出入りしたことが知られ、夫を裏切って浮気をしたか、それとも金のために体を売ったのかと疑われるが、夫に会ったと言えない妻はひたすら侮辱を甘んじて受け入れて夫の身を守る。

劇中ウィジと妻とはほとんど会話を交わさないが、だからこそ二人が互いを強く思い合っている様子が浮かび上がってくる。あからさまな言葉をあえて使わず、二人の交情を静かに際立たせることで、この作品が体制を批判する力をより強いものにしている。

映画のなかでは、ウィジが治安当局の監視を免れているのか、それとも監視下で泳がされているのかは判然としない。そのような状況下で逃亡生活を送る恐怖と孤独が静かに伝わってくる『ソロの孤独』は、自らを監視する者の存在に気づいた者が感じる恐怖と、その恐怖を周囲の人と共有できないことからくる孤独感を的確に伝えている。

人はみな真実と虚構を伝えるメディア――『サイエンス・オブ・フィクションズ』（二〇一九年）

『サイエンス・オブ・フィクションズ』は、『ソロの孤独』で長編デビューしたヨセップ・アンギ・ヌンの長編三作目にあたる。一九六五年の国民的悲劇を社会としてどのように受け止めるべきかについて踏み込んだメッセージを発しており、自らの社会についての物語を提示しようとするインドネシア映画の一つの到達点を示す作品である。

構想七年の末に二〇一九年に完成し、二〇一九年ロカルノ映画祭でスペシャル・メンションを得た。多くの国際映画祭で上映され、台北金馬影展二〇一九では『噤聲漫步』というタイトルで上映されてNETPAC賞を受賞した。インドネシアでは『モノガタリ氏の大混乱』というタイトルで公開され、二〇一九年に『テンポ』誌が選ぶベスト作品賞に選ばれた。

物言えぬ時代の語り部が伝える九月三〇日事件

主人公のシマンは、インドネシアの砂丘◀25でアメリカ人らしき白人たちが人類の月面着陸の映像を撮影している様子を目撃してしまい、舌を切られて言葉を発することができなくなる。その晩以来シマンは、月面を歩く宇宙飛行士のように、あらゆる動作を緩慢に行うようになる。村の呪術師はシマンの精神がおかしくなったと宣告し、悲観したシマンの母親は首吊り自殺する。一人になったシマンは働いて稼いだお金で自宅の裏庭にロケットに似せた建造物をつくり、宇宙服を仕立てて宇宙飛行士になりきる生活を目指す。村人はシマンが狂ったとみなしながらも、シマンとの関係を続ける。

『サイエンス・オブ・フィクションズ』で、舌を切られて口がきけなくなったシマンには、国家の利益に反することを国民が口にできない状況が重ねられている〈© Angka Fortuna Sinema, KawanKawan Media, Limaenam Films〉

▶25 中部ジャワ南岸の海岸近くの砂丘で撮影された。この海岸は南海の女王ニャイ・ロロ・キドゥルの伝承で知られており、シマンが劇中で参加する舞踊団の踊りはニャイ・ロロ・キドゥルに捧げる踊りとして知られている。

シマンに仕事を紹介する者、シマンから金を盗む者、シマンを撮影する者、シマンに体を買われる者、シマンを殴る者。口はきけないけれど耳は聞こえており、感情は持っているけれどそれを人に伝えることができないものとして、シマンはコミュニティ内で時を過ごしていく。

呪術師が後に告白するように、シマンは実際には狂っていない。それはシマンが「ゆっくり動く」という自らに課したルールを時折破ってしまうことからも明らかである。シマンを演じた俳優はシマンについて、「よい人間でも悪い人間でもない。ヒーローでもアンチ・ヒーローでもない。複雑なキャラクターだ」と語っている。シマンはトラウマを抱えているが、精神が壊れてしまっているわけではない。他者に利用され消費される存在であるとともに、欲望を持ち、その実現のために行動する。このようなシマンの人物像は観客に親しみを抱かせる。監督はシマンの名前がシャーマン(霊媒者)に由来するとし、物言えぬ時代の語り部としての役割をシマンに負わせたことを明らかにしている。

劇中の時間の経過は必ずしも現実に即していない。シマンが舌を切られたのは一九六五年だが、時代が下がって二一世紀と思われる現代の場面に登場するときも、シマンの容貌は衰えていない。シマン以外の登場人物についても、一人の俳優が複数の人物を演じており、物語から退場したはずの人物が別の役柄で登場したりする。

冒頭の月面着陸のシーンは、一九六九年にアポロ一一号が月面着陸したというのは嘘で、実際には月に行っておらず、全世界に放送されたアポロの月面着陸の映像はインドネシアで一九六五年に撮影された映像であることを意味している。スカルノ大統領を思わせる風貌の人物が撮影風景を八ミリカメラで撮影しており、「こんな茶番につきあっていられない」と英語で呟いた後に「カット」と叫ぶ。[26] その前後にラジオから「月から採取した石と同じ成分を持つ石がインドネシアの各地で発見されていたことがわかりました。これらの石はスハルト大統領を通じて研究者に提供されます」という音声が挿入される。アメリカが求める茶番をスカルノが拒絶し、失脚したスカルノを引き継いだスハルトが受け入れたという設定を観客はここで理解する。同時に観客は、スカルノが中国と接近して左傾化するのを警戒したアメリカが九月三〇日事件の背後におり、事件後にスカルノから政権を引き継いだスハルトが「共産主義者狩りはアメリカの思惑に沿ったものだった」と言った解釈を思い起こすことになる。

映像と現実の垣根を消し、虚構が生まれる仕組みを晒す

劇中では、出来事が何者かによって記録または記憶され、それが語られて別の人に鑑賞される過程が繰り返し描かれる。時代を下がるにつれて、記録と鑑賞のメディアはラジオ、テレビ、映画、スマートフォンへと変わっていく。テレビドラマのシーンとそのドラマの撮影風景とを連続させた映像が繰り返し示されることで、私たちがスクリーン上の作品を鑑賞している経験もまた、スクリーンの物語と現実世界の連続の中にあると理解される。

　これらの技法が使われているのは、すべての物語が虚構であると見せるためではない。劇中では、呪術師による解釈、外国での出稼ぎ経験についての体験話や噂話、そしてシマンの

▶26 別の場面では、この人物と同じ風貌をした人物が、フィルムを自室のビスケットの缶の中に隠している。そこへ軍人たちがやってきて、この人物はどこかに連行される。

宇宙飛行士の扮装や歩行形態といった生身の人間の身体が、それぞれ経験や体験を記録し記憶して他者に伝えるメディアであることも描かれる。

このことを象徴するのが呪術師の告白である。呪術師はシマンが正気だと認識しながら狂っていると宣告した。そうすることがシマンの命を救うと知っていたためである。しかしその宣告はシマンの母親にとっては絶望を意味しており、シマンの命を救うことはシマンの母親の命と引き換えになることも呪術師は自覚していた。この告白から観客は、呪術師は自分の宣告によって生じた結果であるシマンの母親の自殺を一人で引き受けてきたことを知る。

ヨセップは、カメラが高価で国家機関にしか扱えないものだった時代から、スマートフォンの普及によって一般の人が映像を撮るようになる時代への過程を描くことで、真実と虚構のどちらについても、国家だけでなく一般の人々も語れるようになったことを表現したと話している。この作品はフィクションの科学、すなわち虚構が生み出される仕組みを暴き、映像を用いて真実を語ろうとする営みの相対化をはかっている。ヨセップは、フィクションが複数あることが大事で、フィクションどうしの比較や関係を見ることによって真実への理解が深まるとも語っている。[27]

英語タイトルの『サイエンス・オブ・フィクションズ』（フィクションの科学）には、虚構を暴いて真実を映像に記録することで正義と秩序の回復を試みた『アクト・オブ・キリング』と『ルック・オブ・サイレンス』の方法への対抗が強くうかがえる。

▶27　2019年東京国際映画祭での上映後の質疑応答ならびに2020年2月にジャカルタで著者が行ったインタビューによる。

『プラハからの手紙』では、別離から五〇年後に恋人からの手紙が届けられることで事情を知ってわだかまりが解けるが、五〇年の間に各々が行った選択の結果を突きつけられ、過去を取り戻せないことが浮き彫りになる。『他者の言葉の物語』では、革命で死んだと言われていた夫が革命後も生きていたことがわかるが、事実を明らかにすることが残された家族の安堵に結びつくわけではない。『ソロの孤独』では、官憲に行方を追われて消息を絶った夫のその後の事情がわからないままである。別離や失踪の悲劇に寄り添うも、結果として埋めがたい溝は残り、安寧が訪れる保証はない。それでも寄り添う物語を描き続けることは、不本意な過去に折り合いをつけ、多様な形の和解へとインドネシア社会を導くことに繋がっていく。

第3章

「受難の生」を受け止め生きる
――インド洋津波と東ティモール紛争は国民的悲劇になるか

『デリサのお祈り』、『バスは夜を走る』、『ベアトリスの戦争』

革命や政変に伴って実際に略奪や殺害という悲劇的な事態が起こったのは国内の限られた地方で、インドネシアの全域で起こったわけではない。しかし、加害者も被害者も、それを正当化したり黙認したりした人も、そして名誉の回復や被害者の救済を求める人も、ほかならぬインドネシアのために行ったのであり、そのために苦しんできたと理解されている点で、これらの出来事は国民的悲劇である。

同じように、人々が国家による暴力にさらされ、同じ社会の人々どうしで殺し合いが行われた経験を持つ地域にアチェと東ティモールがある。アチェと東ティモールでは一九七〇年代半ば以降、地元の武装勢力がインドネシア政府による統治を拒否し、インドネシアとは異なる国家の建設を求める運動が行われてきた。その運動に身を投じた人やそれを支えた人には理由があったにしても、インドネシアの他地方の人にとっては、アチェや東ティモールの人々が武装して国家に反抗し、国際社会にインドネシア政府の不正義を訴えることでインドネシアの名誉を傷つけ、国民が一丸となって植民地支配と戦ってインドネシアを建国し発展させてきたというインドネシア国民の物語を壊そうとする厄介者と受け止められてきた。

アチェや東ティモールの運動が訴えようとしてきたことはインドネシア全体に関わることであり、他の地方の人々も自分たち国民の問題として受け止めるべきことだった。しかし、スハルト政権下では報道が制限されていたこともあり、インドネシアの多くの人にとってアチェや東ティモールの人々は「地方の開発を進めようとする政府が差し伸べる温かい支援の手に対して恩を仇で返す人々」と受け止められた。

一九九〇年代以降、外国の報道などを通じてアチェや東ティモールで起こっている事態の情報が国内にも入ってくるようになった。一九九八年政変によって報道が自由化されると、インドネシアの軍・警察によってアチェや東ティモールの市民が傷つけられる姿が映像で伝わった。政変の前後にはジャカルタをはじめとするインドネシアの主要都市で軍・警察が学生や市民に暴力をふるう映像も共有されており、これと重ねて理解することで他地域のインドネシア人の間でアチェや東ティモールの人々に対する連帯感が生まれた。

一九九八年政変の後、アチェや東ティモール以外の地域でも騒乱が多発し、インドネシア各地でインドネシアからの分離独立を求める運動も起こり、インドネシアそのものが解体してしまうのではないかという危惧が生まれた。この状況で、アチェや東ティモールで起こってきたことはインドネシア全体の問題であるという考えも生まれた。

東ティモールは、二〇〇二年に分離独立によって国として歩み始めたばかりであり、「インドネシアが手を差し伸べなければやっていけない人たち」と見られるようになった。二〇〇四年にインド洋津波（スマトラ島沖地震・津波）が発生し、アチェの人々が多数犠牲になったことで、他地域のインドネシア人にとってアチェは、「インドネシアの安定を乱す厄介者」から「助けの手を差し伸べて救うべき可哀そうな人たち」と見られるようになった。こうした変化はアチェや東ティモールを取り上げる映画の内容にも影響を与えている。

東ティモールでは、インドネシアから分離したことによって、一九七五年にインドネシアに併合されたことで止まってしまった東ティモールの再出発がはかられている。アチェでは、アチェの被災と復興の経験が国内のみならず国際的にも価値があることだと誇り、アチェからインドネシアの他地域に経験を伝えようとする考えが生まれている。

このような変化のなかで、アチェや東ティモールで起こった事柄を人々の経験として語り直し、それを社会全体の問題として受け止める映画が制作されるようになった。この章では、『デリサのお祈り』[28]（二〇一一年）、『バスは夜を走る』[29]（二〇一七年）、『ベアトリスの戦争』[30]（二〇一三年）を紹介したい。『デリサのお祈り』では、津波被災を契機に、アチェの人々に対する印象が変わり、アチェは同情と共感が寄せられる対象となった。架空の場所という設定で、バスに乗り合わせた乗客の視点でアチェ紛争を描く『バスは夜を走る』では、互いに紛争状態にある反乱軍と政府軍はともに紛争という災害の犠牲者であり、そのことに気づくことで紛争を終える道が探られる。東ティモールの紛争の歴史を女性の視点から描く『ベアトリスの戦争』で

▶28 原題は『Hafalan Shalat Delisa』（ソニ・ガオカサック監督）。

▶29 原題は『Night Bus』（エミル・ヘラディ監督）。

▶30 原題は『A Guerra da Beatriz』（ルイギ・アキスト監督、ベティ・レイス監督）。英語題は『Beatriz's War』。

は、戦後社会で女たちが誇りを傷つけられながらもその原因となった人々が裁かれないという不正義を抱えながら生きていく道が示される。

健気に祈る津波孤児への共感――『デリサのお祈り』（二〇一一年）

二〇〇四年一二月二六日、インド洋津波が発生して、インド洋沿岸で約二二万人が犠牲になった。被害者数が最も多かったインドネシアでは、震源に最も近いアチェを中心に約一七万三〇〇〇人の犠牲者が出た。アチェではインドネシアからの分離独立を求める武装勢力とインドネシア国軍との間で三〇年に及ぶ内戦が続いていたが、多くの犠牲を出した津波を契機に和平が合意されて内戦が終結した。

国の独立と発展に貢献してきた誇りと自負を持つアチェ

スマトラ島の北西端に位置するアチェはインドネシアで最も西にあり、古くからインド洋を通じてイスラム世界と東南アジアとの交わりの地となっていた。アチェの人々は、東南アジアで最も早くイスラ

2004年のスマトラ島沖地震・津波では、最大の被災地となったアチェに国内外から多くの関心と支援が向けられ、津波被災地を舞台にした『デリサのお祈り』がつくられた〈© Kharisma Starvision Plus〉

ム教を受け入れた人々の子孫として誇りを持っている。また、オランダがインドネシア地域への植民地支配を試みたとき、最後まで頑強に抵抗した地域の一つがアチェだった。

東西交易の要衝にあったアチェは人や物や情報の自由な往来によって栄えていたが、オランダによる植民地化が進むにつれて移動や物流の自由が制限されていった。一九四五年にはオランダによる支配を脱してインドネシアとして独立することに賛同し、インドネシアの独立に大きく貢献したが、独立後、スカルノ大統領はオランダ植民地政府の統治方法を受け継いだため、アチェは移動や物流の自由を十分に回復できなかった。一九六五年の九月三〇日事件を経てスハルト政権が誕生し、インドネシア全土で中央集権的な統治が進められると、アチェのインドネシアからの独立を掲げる自由アチェ運動（GAM）が一九七六年に武装闘争を開始した[31]。

アチェの多くの人々にとって、アチェはインドネシアの独立と発展に貢献してきたという思いが強い。インドネシアの中でアチェが他の地域と違う特徴を持っていることは、インドネシアの多様性を豊かにして国全体の力を高めるものであり、アチェの持つ特殊性が十分に発揮できることが望ましい。同様に、他の地方もそれぞれの持つ特殊性が発揮できることが望ましく、そうすることでインドネシア全体の力が強まり、結果としてそれぞれの地方の力も強まる。この考えにしたがえば、アチェがインドネシアから独立することはアチェの多くの人々にとって問題の解決にはならない。

しかし、インドネシア全土を統一的に治めることで全体の国力が上がると考えたスハルト

▶31 アチェの紛争や津波被災の経験、そしてそれらがインドネシア社会に与えたインパクトの詳細は『災害復興で内戦を乗り越える――スマトラ島沖地震・津波とアチェ紛争』（西芳実、京都大学学術出版会、2014年）を参照。

政権にとって、地方の特殊性を認めることはインドネシアの統一性を損ね、全体の国力を下げると考えられるため、アチェの特殊性を認めることはできなかった。インドネシア政府はアチェに国軍を派遣してＧＡＭを掃討しながら統治を強め、その過程でＧＡＭ支持者と疑われた住民が人権侵害を被った。

他方、アチェの独立を掲げて国軍と戦っていたＧＡＭも、兵士や物資の調達のために住民からの略奪を行った。そのためアチェの住民は国軍とＧＡＭの双方による略奪や拉致・殺害に悩まされた。国軍とＧＡＭの双方から敵側ではないかと疑われる状況で、家族の誰かがどちらの陣営に殺されたとしても、残された家族の安全を守るために怒りも嘆きも表現せずに他人のふりをしなければならなかった。とくに内戦下のアチェでは移動や物流や情報が制限されていたため、アチェの住民が置かれた状況が外部世界に知られず、国軍とＧＡＭによる横暴を許していた。

一九九八年の政変でスハルト体制が崩壊すると、中央政府による統治が弱まったことでアチェの内戦が激化した。インドネシア政府は二〇〇三年にアチェに戒厳令を敷き、アチェは外部世界から完全に閉ざされ、インドネシア国軍によるＧＡＭ掃討作戦が遂行された。

この状況を変えたきっかけとなったのが二〇〇四年のインド洋津波だった。「インドネシアの統一を脅かす紛争地」から「世界が注目する未曽有の災害の被災地」になったことで、アチェには国内外から多くの支援の手が差し伸べられ、閉ざされていたアチェが一気に外部世界に開かれ、このことが紛争の終結を後押しした。アチェの被災はインドネシア全体の被災として受け止められ、被災地支援のためにインドネシア国内外からボランティアがアチェを訪れた。アチェについての情報や経験が他の地方の人々に共有されるようになり、二〇〇四年以降、インドネシアではアチェの津波被災を扱う映画や文学が増えていった。

津波で家族を亡くした人々を労り、心情を共有する

『デリサのお祈り』は、若手作家テレ・リエ[32]によって二〇〇五年に発表された同名の人気小説を原作とする映画で、津波被災から七年を迎えた二〇一一年一二月に公開された。津波で母親を失ったデリサが母親の言い付けを守って礼拝がうまくできるようになり、母親の死を受け入れるまでが描かれる。津波で母親も姉たちも自分の片脚も失いながら健気にお祈りをする少女の物語が反響を呼び、断食月や一二月二六日の津波被災の日の定番の映画として、毎年のようにテレビ放送やネット配信が行われてきた。

六歳のデリサはアチェの海辺の村に母親と三人の姉と暮らしている。デリサは母親と一緒にいるときに津波に襲われ、

『デリサのお祈り』では、津波で母（左）を亡くしたデリサを通じてインドネシアの人々がアチェの被災者の痛みに共感した〈© Kharisma Starvision Plus〉

▶32 ボリウッド映画の挿入歌「テレ・リエ」（あなたのために）と同じペンネームを持つテレ・リエは、スマトラの農民アブドゥラ・パサイの子で本名はダルウィスという。1979年にスマトラ島の内陸部で生まれ、地元の高校を卒業後、インドネシア大学の経済学部に進んだ。『デリサのお祈り』によって国民的人気作家となった。

救出されたものの右脚を失う。外国の仕事から戻った父親との再会の喜びも束の間、デリサは三人の姉の死と母親の行方不明を知らされる。それでもデリサは左脚が残ったことを喜び、松葉杖で歩く練習をして、周囲の大人たちもデリサの頑張りに目を細める。デリサは、母親がどこかで生きているのではないかと思いながら、「一人で礼拝がきちんとできるようになりなさい」という母親の言葉を思い浮かべながら礼拝に励む。津波被災から半年が経ち、映画ではデリサの心の中の風景として、母親や姉たちが現れ、デリサに微笑みを送りながら天国に向かって去っていくシーンが描かれる。◀33

アチェでは津波で遺体が流されたため、多くの人々が家族や友人の遺体と対面できないままになった。津波犠牲者が家族に微笑を送りながら昇天する様子を映像で示したことで、を見つけられないまま家族の死を受け入れざるを得なかった人々の心に労りを示すとともに、津波被災を直接経験しなかった人たちに津波で家族を失った人たちの心情を想像させ、津波被災者への共感をいざなった。

アチェの印象の刷新と描かれない内戦

先述したように、三〇年に及ぶ内戦のためにアチェに関する報道が限られていたため、アチェ以外の地方では、アチェの人々は「武器を手に頑強に闘う狂信的なムスリム」というイメージを持たれていた。『デリサのお祈り』によって、アチェの人々のイメージは健気にお祈りするムスリムの津波孤児の少女の姿へと一新され、これ以降、アチェを描くインドネシア

▶33 原作小説では母親が死んだことが明示されるが、映画ではデリサが母親の遺体を発見するシーンは夢の中の出来事とも思えるような描き方がされている。

の映画は津波孤児を多く取り上げるようになった。

『クマラ』[34]（二〇一二年）では、頑固な娘クマラと写真家ランギットがジャカルタからアチェに向かう船上[35]で出会って恋に落ちる。視力をほとんど失ったクマラがランギットのもとを去ると、ランギットは言葉が話せない人物を装ってクマラに近づき、クマラとの交流を取り戻そうとする。クマラはアチェ出身で、津波で母親を失ったイノンという少女が二人の仲をとりもつ。

『武士道スピリット』[36]（二〇一四年）では、アチェで生まれ育った少年マディが空手の名手である父親と兄を津波で失うが、空手を通じて自信を取り戻す。津波で妻子を失った失意とトラウマで空手をやめていたアズワル先生から特訓を受けたマディは、バリで開かれた国際空手選手権で勝利して東京に向かう。[37]

　アチェの津波の被災と復興を描く映画が増えた一方で、アチェを描いたこれらの映画で内戦のことがまったく言及されないのは、内戦を語ることの難しさを示している。内戦は同じ社会の人々の間の紛争で、それについて語ろうとすれば社会の中の敵対関係を明らかにすることになり、内戦が終結してかつて互いに争った諸勢力が平和裏に暮らしている現在の安寧を脅かしかねない。インドネシア映画でアチェを扱うことが可能になったのは、アチェが津波の被災地となり、それが「インドネシアの被災」と受け止められたことで、敵味方を分けることなく同じ災いの被害者どうしとしてインドネシアの人々がアチェを見るようになったことを意味している。

▶34 原題は『Keumala』（アンディ・プルン・ワルヨ監督）。

▶35 実際にはジャカルタからアチェに直航する船便はなく、ジャカルタから北スマトラ州ブラワンに向かう船をアチェに向かう船に見立てている。

▶36 原題は『Sang Pemberani』（アグン・デワ監督ほか）。

▶37 東京でも撮影され、エンディング・テーマは五輪真弓の「心の友」だった。日本からは武田梨奈らが出演した。

紛争はすべての人にとっての災い――『バスは夜を走る』(二〇一七年)

二〇一七年のインドネシア映画祭は、劇場公開がわずか数日間に終わった『バスは夜を走る』(エミル・ヘラディ監督[38])に作品賞・脚本賞・主演男優賞を与えた。『バスは夜を走る』は二〇一七年四月に劇場公開されたが、制作側の要望[39]で一週間を待たずに公開が中止されてしまい、観客動員数は約二万人と、インドネシア映画祭の作品賞にノミネートされた作品のなかでも少なかった。それにもかかわらずこの作品が三部門で受賞したのは、インドネシアの映画人たちがこの作品の意図と挑戦を理解してその意義を認めたためにほかならない。

実話をもとに架空の地名に託して紛争の理不尽さを描く

物語はアチェを思わせる架空の紛争地サンパルに向かう夜行バスの一夜を描く。反乱軍の中央司令官から現地司令官に宛てた内戦終結の命令書を託された男がバスに乗り込むが、戦闘継続を望む政府軍と反乱軍の双方からバスが狙われ、乗客全員の命が危険にさらされる。紛争終結を望まない第三の勢力の存在も明らかになり、バスと乗客が無事にサンパルにたどりつけるのか、手に汗握る展開が続く。夜行バスという限られた空間で、誰が敵で誰が味方かもわからない。やがて乗り合わせた乗客一人ひとりの過去が明かされていくにつれ、紛争が人々にもたらす様々な理不尽が露わになる。

▶38 ジャカルタ芸術学院出身。代表作に短編『フロンテイラ』[➡ 303頁]や山での遭難により親友を失った女性がネパールのサガルマータ国立公園へ自分探しの旅に出る『サガルマータ』(Sagarmatha、2013年)がある。

▶39 上映する映像に技術上の問題があったためと説明されている。その後、インドネシア映画祭の受賞を受けて2017年12月に一週間にわたって劇場公開された。日本では2018年アジアフォーカス福岡国際映画祭で上映されている。

『バスは夜を走る』は、主演を務めたアチェ出身の俳優リフヌ・ウィカナが自らの実体験をもとに執筆し二〇一二年に発表した短編小説『命拾い』[40]を原作としている。元になった事件は、北スマトラ州メダンの大学生だったリフヌが一九九九年にアチェ州バンダアチェにある実家に帰省するために乗った夜行バスで起こった。小説では地名を架空のものにしていたが、読者の目には内戦中のアチェの話であることは明らかだった。

『命拾い』の話は次のように進む。サンタニ島の端にあるサンパル[41]は、香料や金などの豊かな天然資源に恵まれ、かつて海上交易の中心だったが、現在では開発から取り残されている。そのサンパルの独立を求める反乱軍と政府軍との紛争は数十年にわたって続いている。主人公の乗るバスは政府軍と反乱軍の検問を受けたのち、両者の銃撃戦に巻き込まれ、バスに反乱軍と政府軍の兵士が一人ずつ取り残される。その状況で、バスは反乱軍と政府軍のどちらとも異なる正体不明組織（ＯＴＫ）に襲われる。ＯＴＫは特定の政治的主張を持たず、金のためなら何でもする勢力である。バスから降りた車掌はＯＴＫに頭を撃たれて死ぬ。バス内では乗客と反乱軍兵士と政府軍兵士が連携してＯＴＫを制圧するが、流れ弾に当たって女性乗客の娘が死ぬ。反乱軍兵士はＯＴＫ制圧後にバスを降りようとしたところを撃たれて死ぬ。小説は、乗客を救った反乱軍兵士が国によって手厚く埋葬されたことと、政府軍兵士が軍をやめたことを知らせるラジオ・ニュースで終わる。

『命拾い』の主要な登場人物は主人公とその隣席の女性乗客の二人だが、『バスは夜を走る』ではバスに乗り合わせた他の乗客の事情を丁寧に描くことで、紛争が人々にもたらす理不尽

▶40 原題は『Selamat』(Teuku Rifnu Wikana. *Lentera Timur.* 2012)。

▶41 サンタニ島はスマトラ島、サンパルはアチェを想起させる。

を示す。バスには、かつてカメラマンの妻と取材中に武力衝突に巻き込まれ、負傷者を助けようとした妻が目の前で銃撃されて死んだ記者、誘拐された公務員の父を救おうとして集団強姦された女子医学生などが乗り合わせている。反乱軍への参加を拒否して殺された息子の墓参りに向かう老女や、乗ったバスごとサンパルで消息不明になった仲間を探しに行く人道支援団体のスタッフもいる。リフヌはバスの運転手を助ける車掌を演じた。

紛争を擬人化し関係者の全員が被害者だと示す

『バスは夜を走る』では、小説版のＯＴＫのかわりに、災いの原因として「アンテック・ダジャル」という魔物の名が繰り返し言及される。「ダジャル」はアラビア語起源のインドネシア語で、世界の終末に現れる大きな食人鬼の姿をした悪魔を意味し、「アンテック」はジャワ語起源のインドネシア語で、手先や部下などを意味するため、「アンテック・ダジャル」は「悪魔の手先」という意味になる。[42] 劇中ではアンテック・ダジャルは固有名詞で、聞き慣れない魔物の名前として扱われる。

人道支援団体のスタッフが軍の検問所で行方不明のバスの事件について尋ねると、誰もが「アンテック・ダジャルのせいだ」と言って魔物のせいにする。人道支援団体のスタッフは魔物の存在を信じないが、サンパル出身の他の乗客も「アンテック・ダジャルは存在する」と言う。アンテック・ダジャルは紛争が長期化するとこの世に現れる魔物で、どの陣営の兵士も喰ってしまう。サンパルでは森の中に住んでいて、誰も見たことはないけれど人間の姿

▶42 英語字幕では“Satan's slave”の訳があてられている。

をしていて、とても残酷だという。

物語の中盤でアンテック・ダジャルは人間の姿で現れて次のように語る。「和平が失敗するのは我々のせいだ」、「政府軍には実戦の訓練になる」、「サンパルの者どもはすぐに感情的になるからコントロールしやすい」、「停戦したいと言い出した奴を殺せば紛争は続く」。

政府軍と反乱軍はどちらも暴力と残虐さを持つとはいえ、それぞれの行動を律する論理があり、互いに言葉が通じて対話が成り立つ。それとは対照的に、アンテック・ダジャルには言葉や理屈による交渉が成り立たない。強盗が目的ならば金品を奪えば終わるが、紛争を続けることが目的であるアンテック・ダジャルは金品を奪うだけでなく恐怖を与えて紛争の種を生み出し続ける。

アンテック・ダジャルは紛争を擬人化したものである。紛争自体を意思を持つ主体とすることで、紛争に関わる当事者はいずれの陣営かを問わず紛争の被害者となる。この考え方は紛争当事者の責任を棚上げにするものではあるが、長年の内戦に苦しんできた上に津波による未曽有の被害を経験したアチェの人々が、「紛争では敵も味方もなくともに犠牲者である」という見方に紛争終結の可能性を見出したという意味では、一つの希望が示されている。

『バスは夜を走る』にはアチェ出身の著名な役者が出演し、盲目の詩人として内戦下の人々の苦しみを語る
〈Kaninga Pictures, Nightbus Pictures〉

『バスは夜を走る』で夜行バスがたどりついた街は、アチェ州の州都バンダアチェをモデルにしていると考えられる。バンダアチェでは内戦中に街が破壊されるほどの戦闘が行われなかったにもかかわらず、映画では街が焼き尽くされた様子になっており、これは津波直後の荒廃したバンダアチェの光景を彷彿とさせる。ニュース映像などで繰り返し報じられて人々の記憶に新しいバンダアチェの津波直後の光景と重ねることで、紛争も津波と同じように全ての人が被害を受けるという印象が強調される。『バスは夜を走る』は、内戦をそれに関わる全ての人にとっての災いと理解する解釈を示した。

エンディングでは「紛争は犠牲者を選ばない」という言葉がスクリーンに示される。『バスは夜を走る』は、アチェの人々を苦しめてきた内戦の原因を政治的立場の違いに求めるかわりに、紛争を人の姿をした魔物の仕業とすることで、アチェ独立派とインドネシア国軍とが同じ立場で協力しあえる可能性を示そうとした。

ただし、災いをどのように受け止めるか、そしてそのような災いをどのようにして防ぐのかという問いへの回答は示されない。夜行バスはサンパルに到着し、内戦終結の命令書は反乱軍の現地司令官の手に届けられた。しかし、内戦によって身近な人を失い、あるいは自身

『バスは夜を走る』の一場面。バスは政府軍からも反乱軍からも襲われる〈Kaninga Pictures, Nightbus Pictures〉

の尊厳を奪われた乗客たちのように内戦で被害を受けた個人にとって、責めるべき相手はアンテック・ダジャルではなく、それぞれの現場で殺人や強奪などを行った特定の個人であり、それらの行為を黙認することで人権侵害を許してきた上官たちである。責任を負うべき人々は今も同じ社会の内部におり、そのことについて語る言葉は失われたままである。

悲劇をいかに受容して生きるか
——「東ティモール映画」の変遷と『ベアトリスの戦争』（二〇一三年）

二〇〇二年、東ティモールがインドネシアから独立した。後で紹介するようにこれを「独立」と呼ばないという考え方もあるが、東ティモールの将来を決める住民投票が行われて住民の多くが独立を選び、インドネシアがそれを認めたことで東ティモールの独立が実現した。

インドネシア国軍による破壊と虐殺にさらされた地

経緯だけを聞くと円満に独立したようだが、現実は、インドネシアが東ティモールを併合して二〇年以上も統治し、東ティモールをインドネシアから切り離す過程で、東ティモールの住民に対する深刻な人権侵害が行われた。東ティモールの人々は過去のことを十分に清算しきれないでいるし、インドネシアの人々にとっても、かつてインドネシアの名のもとで起こったことに道義的な責任を感じないわけにはいかない。そこには日本も間接的に関わっている。

ティモール島は一六世紀にポルトガルの植民地にされ、一九世紀にはポルトガルとオランダによって島を東西に分けて支配された。オランダ領の西ティモールは第二次世界大戦後にインドネシアの一部として独立し、東ティモールはポルトガルによる支配が続いた。

一九七四年にポルトガルで革命が起こると、東ティモールでは、ポルトガルとの関係を維持するか、独立するか、それともインドネシアの一部になるかが議論された。ところがインドネシア軍は一九七五年に東ティモール全土を軍事制圧した。国連は即時撤退を求める決議を行ったが、インドネシアは東ティモールの併合を宣言し、欧米やオーストラリアや日本は併合を黙認した。

東ティモールの人々は併合に抵抗したが、スハルト政権は国軍によって抵抗運動を激しく弾圧したため、東ティモールでは殺戮や飢餓によって多くの人が命を落とした。このときのインドネシア国軍の武力弾圧で「功績」を挙げて国軍内部で評価が高まった人物が、スハルト大統領の義理の息子のプラボウォ［➡2部3章108頁］である。

一九九八年にスハルトが退陣すると、一九九九年八月に東ティモー

『ベアトリスの戦争』の一場面。村の男たちがインドネシア軍によって全員殺され、女たちは黒い服を着て喪に服す〈© FairTrade Films〉

ルで住民投票が行われた。東ティモールが特別自治権を与えられてインドネシアに留まることの賛否を問うもので、投票率九八・六パーセントのうち八割近くがインドネシアからの独立を選んだ。しかし、住民投票の結果が判明すると、インドネシアは東ティモールに国軍を増兵して破壊と虐殺を行った。多国籍軍の介入などにより二〇〇二年に東ティモールは独立したが、この間に多数の難民が東ティモールからインドネシア領に逃れた。

一九七六年のインドネシアによる併合を認めない立場では、東ティモールはインドネシアの一部であったことはなく、したがって二〇〇二年には主権を回復したのであって「独立」したわけではないということになる。

危険を顧みずに統合のため赴く場所として――併合から独立まで

インドネシアが一九七六年に東ティモールを併合して以降、インドネシアで制作された映画で東ティモールが関わるものは少なくとも一〇本ある（これをここでは「東ティモール映画」と呼ぶ）。そのうちスハルト体制期につくられた三本では、東ティモールは観客が暮らす場所から遠く離れた辺境で問題が多く、インドネシアの若者が自己犠牲や奉仕に向かう場所という扱いがされている。

小説を原作とする『将軍の娘』[43]（一九八一年）では、結婚間近だった将軍の娘が事故に遭って意識不明の重体となる。将軍から娘の結婚相手として好ましくないと思われていた婚約者が油田開発の仕事で長期出張に出ている間、意識を取り戻した娘は東ティモール勤務の経験が

▶43 原題は『Putri Seorang Jendral』（ウィム・ウンボ監督）。

ある担当医と結婚する。この映画において東ティモールは、一九七六年の併合後に治安・医療・教育などの面でインドネシア社会に統合するという使命を背負った医者、軍人、役人が抵抗運動による攻撃の危険を顧みずに赴く場所として描かれている。

抵抗運動に対する軍事作戦のために東ティモールへの出入りを制限していたインドネシア政府は、一九八九年に治安が回復した地域から順に出入りを認めるようになった。東ティモールとインドネシアの他の地方との往来の制限がなくなり、同年一〇月にはローマ法王が東ティモールを訪問した。

『青が空に戻る』[44]（一九九一年）は、東ティモールのインドネシアへの統合に反対する東ティモール独立革命戦線（フレテリン）を支持して森でゲリラ活動を行う青年マヌエルと、フレテリンに批判的な一族の娘アナの恋愛物語である。統合派と独立派の対立のために二人の交際は反対されるが、マヌエルが統合派に立場を変えることでアナと結ばれる。アナ役はインドネシア政府から任命された東ティモール州知事の娘が演じた。東ティモール独立の主張を放棄してインドネシアとの統合を受け入れることで恋人どうしの関係もインドネシアと東ティモールの関係も円満な結果を迎えるという、統合派の主張に沿った物語になっている。

一九九一年一一月に、東ティモール州の州都ディリでサンタクルス墓地事件が起こった。インドネシア国軍に殺された独立派の青年がサンタクルス墓地に埋葬された際に、献花に集まった群衆にインドネシア国軍が発砲して多数の犠牲者が出た。この様子が映像で海外に伝えられたことで、インドネシアによる東ティモール統治が大規模な人権侵害を引き起こしてい

▶44 原題は『Langit Kembali Biru』（ディマス・ハリン監督）。

ることがインドネシア国内でも議論されるようになり、ジャカルタで政府に対する抗議デモが行われた。

この時期に制作された『戻ってきたね』[45]（一九九三年）は、人気テレビシリーズ『ドゥル』〔➡2部4章132頁〕の主演で知られるラノ・カルノ演じるジョハンと、スローロック歌手で女優のニケ・アルディラ演じるヨハナの悲恋を描いて観客の涙を誘った。ジョハンはヨハナの父親に認めてもらうためにインドネシア国軍に入り、派遣先の東ティモールで孤児を養子にとるが戦死してしまう。ヨハナは何者かに襲われて身ごもり、事故で死んで赤子のヨシアナだけ助かる。ヨハナの父親とジョハンの母親は和解し、亡くなった二人にかわってジョハンの養子とヨシアナを育てる。

『戻ってきたね』では、親どうしの対立が子らの幸福な結婚を阻み、娘と息子はどちらも死んでしまう。ヨハナが残した子は父親を知らず、ジョハンの養子は戦場で両親を失った孤児である。東ティモールに派遣された軍人が地元の子を養子にしてジャカルタで育てるという部分だけ取り上げれば、インドネシアによる東ティモール統合を後押しする物語に見える。しかし、ジョハンを死に追いやるきっかけをつくったのはジョハンとヨハナの親の不和であり、また、安全なジャカルタで父親の庇護下にいたはずのヨハナが襲われていることと考えあわせれば、この作品には子を正しく守り導くことのできなくなった親世代に対する若者世代からの無言の異議申し立てを見てとることもできる。

▶45 原題は『Kembali Lagi』（サンディ・スワルディ・ハッサン監督）。

住民投票後の騒乱と人権侵害――独立から現在まで

住民投票を経て二〇〇二年に東ティモールが独立したことは、インドネシアの人々に複雑な感情を起こさせた。次々に明らかになるインドネシア統治下での様々な人権侵害について、スハルト体制下の過ちと受け止めて東ティモールの独立を妥当だと考える人がいる一方で、東ティモールの独立は、長年にわたってインフラ整備や医療・教育サービスの充実や治安維持のための人員投入と犠牲を払ってきたインドネシアの恩義を仇で返す行為と捉える人もいた。

東ティモールが独立してから二〇二〇年までに、東ティモールを取り上げたインドネシア映画は少なくとも七本ある。[46] 二〇〇九年には、ジャカルタ芸術学院映画テレビ学部によって東ティモールの軍人とインドネシアの軍人が同じ地雷原に囚われる様子を描いた短編『フロンテイラ』[47]が制作され、二〇一〇年には、東ティモール独立によって離れ離れになった二人の兄妹を描いた『私の祖国』[48]が劇場公開された。『私の祖国』では、住民投票後の混乱のため、一家が州外の難民キャンプの母親・妹と、東ティモールの叔父・兄とに分かれる。子どもの視点で難民キャンプの様子が描かれ、兄との再会を強く願う妹の思いに大人たちが動かされていく。一方、独立から一〇年後の二〇一二年にリリ・リザ［➡317頁］が制作した『アタンブア39℃』[49]は、東ティモールの難民が流入した西ティモール[50]の国境の町アタンブアを舞台に、住民投票後の騒乱によって引き裂かれた家族が再会する。

▶46 東ティモールを描いた2002年以降の映画については、「東ティモール独立後に制作された作品」（亀山恵理子『たたかうヒロイン――混成アジア映画研究2015』、山本博之編著、京都大学東南アジア地域研究研究所、2016年、pp.107-110）も参照。

▶47 原題は『Fronteira』、監督は『バスは夜を走る』のエミル・ヘラディである。

▶48 原題は『Tanah Air Beta』（アリ・シハサレ監督）。

▶49 原題は『Atambua 39 Derajat Celcius』。

▶50 西ティモールはティモール島の西側のインドネシア領を指す。州としては東ヌサトゥンガラ州に属する。

二〇一六年には東ティモールに関わる三つの作品が制作された。『アイシャ――私たちを姉妹に』[51]では、キリスト教徒が多く住む西ティモールにムスリムの女性教師が派遣される。『ノカス』[52]では、東ティモール出身の女性と結婚したいと願うインドネシア人青年ノカスが、東ティモールの伝統文化にしたがって必要な婚資を準備するのに苦労する。ドキュメンタリー映画『メモリア』[53]では東ティモールで暴力の犠牲になってきた女性たちの記憶が語られる。第二次世界大戦中の日本軍に始まり、暴力の主体は変わりながらも常に女性が暴力の犠牲になってきた様子が描かれている。『私の祖国』の監督によって二〇一九年につくられた『紅白の家』[54]では、インドネシアと東ティモールの国境地域でインドネシアの独立記念日が祝われる。

不正義の生き証人として暮らす女性を描く――『ベアトリスの戦争』

独立後の東ティモールでつくられた『ベアトリスの戦争』では、家族と財産と尊厳を奪われ続けた東ティモールの女性たちが、生まれ育った土地に留まり、相手が敵か味方かにかかわらず受け入れて子を産み育てて生きていくことで、過去に起こった不正義を自身の身をもって伝えている。

舞台は一九七〇年代末の東ティモール。村長の娘ベアトリスはインドネシア軍の侵攻で父親を亡くし、母親と二人で森に避難する。ベアトリスの村と避難先の村は長年対立関係にあったが、対立する強い家庭に入ることで身を守るようにと母親に言われ、一一歳のベア

▶51 原題は『Aisyah: Biarkan Kami Bersaudara』（ヘルウィン・ノフィアント監督）。

▶52 原題は『Nokas』（マヌエル・アルベルト・マイア監督）。

▶53 原題は『Memoria』。監督のカミラ・アンディニは1990年代のインドネシア映画を牽引してきたガリン・ヌグロホ［➡321頁］の娘である。

▶54 原題は『Rumah Merah Putih』（アリ・シハサレ監督）。

トリスは、避難先の村長の子でまだ幼いトーマスとままごとのような結婚式を挙げる。インドネシア軍の攻撃が森に及んでベアトリスの母親が殺され、ベアトリスたちは山に逃げて抵抗運動に加わる。ベアトリスは泣き虫のトーマスをかばって武器を手に戦い、トーマスの姉のテレサと助け合って暮らす。

一九八三年に停戦合意が結ばれ、ベアトリスたちは山から降りてビケケ県クララスにあるインドネシア軍の収容キャンプに入る。このときベアトリスはトーマスの子を身ごもっており、その後男の子を出産する。収容キャンプではスミトロ大尉が我が物顔でベアトリスたち収容者を精神的にも身体的にも苦しめる。山中に潜伏している抵抗勢力を掃討したいスミトロは、抵抗運動側を挑発して停戦合意を破らせるために収容キャンプの女たちに乱暴する。収容キャンプの人々はインドネシア軍を襲撃するが鎮圧され、男たちは河原に連行されて全員銃殺される。◀55 このときトーマスも連行されるが、遺体は見つからない。男は幼子であっても殺されると思い知らされた女たちは、軍人との間

『ベアトリスの戦争』の一場面。停戦合意を受けて山から下り、インドネシア軍の収容キャンプに移動するベアトリス（右）、トーマス（中央）、テレサ（左）〈© FairTrade Films〉

▶55 ここで描かれている「クララスの虐殺」は1983年8月に実際に起こった。インドネシア国軍によりクララスの住民が攻撃され、子どもから老人まで少なくとも55人が殺されたほか、川辺に連れていかれた男たち141人がその場で射殺された。亀山恵理子「紛争はいかに語り継がれるのか——映画『ベアトリスの戦争』に描かれた女たちの経験」（山本博之編著『伝承と国民の物語——混成アジア映画研究2019』京都大学東南アジア地域研究研究所、2020年、pp.45-49）を参照。

の子ならば殺されないだろうと考え、テレサがスミトロの妻になって娘を産み、他の女たちも軍人の相手をする。しかしトーマスの遺体が見つからないベアトリスは軍人の妻になることを拒み続ける。虐殺から一年が経ち、テレサは弟トーマスを死者として弔おうとするが、ベアトリスは「トーマスはまだ生きているはずだ」と言って弔いに反対する。

ある日、トーマスが村に帰ってくる。泣き虫の面影はなくなり、逞しい男になっていた。ベアトリスは本物のトーマスなのか疑いながらも心を許していくが、通りかかった別の村の男がトーマスの顔を見て、国軍のプラボウォ［➡2部3章108頁］の手下で神父や一般の人々を殺した民兵のペドロだと言う。ベアトリスはペドロがトーマスに成りすまして自分を騙したことについて慣習法による裁判に訴える。ベアトリスを愛していると言って許しを乞うペドロに対し、ベアトリスは自分もペドロを愛しているけれどペドロが犯した罪は裁かれなければならないと言って和解を拒み、ペドロを有罪にする。

『ベアトリスの戦争』が描くのは東ティモールの女たちの戦い方である。弟の死を受け入れることで今を生きようとするテレサは、憎むべきインドネシア軍人と結婚することで女たちの暮らしを守ろうとする。夫の死を認めないことで今を生きようとするベアトリスは、インドネシア軍人との再婚を拒むことで尊厳を守ろうとする。二人がときに互いを責めてしまうのは、二人がどちらも自分の選択に後ろめたさを抱えていることの表れである。極限の状況で二人が選んだ道にはどちらも正解がないという現実が示される。

住民投票を経て東ティモールの独立が決まり、軍人がインドネシアに引き上げることになると、テレサの娘は夫によってインドネシアに連れ去られる。占領下の女たちの暮らしを守ったテレサの労苦は娘を失うという報いを受けた。

再婚を拒否して夫を待ち続けるというベアトリスの誇りは、やがて夫を名乗る男を夫として受け入れることを招き寄せてしまう。自分が受け入れた男が夫ではないことを再会の晩に理解したベアトリスの怒りは、想像するにあまりある。しかし、ベアトリスはその男が夫ではないことを確信しながらもそのことを誰にも言わない。ベアトリスはそれが夫ではないかもしれないと思いながらも受け入れたことで自分で自分の尊厳を傷つけたという思いを抱えながら、それを認めないことで尊厳を守ろうとする。

「帰ってきた夫」に対するベアトリスの態度は、他の国に見られる同じ型の物語と比べて大きく異なっている。近世のフランスを舞台にした映画『マルタン・ゲールの帰還』[56]では、「帰ってきた夫」は別人に成りすましたことを村人に咎められて訴えられるが、妻は「夫」をかばおうとする。南北戦争期のアメリカを舞台にした「帰ってきた夫」の物語である映画『ジャック・サマースビー』(一九九三年)では、本物の夫の過去の罪が露見すると、妻は「夫」を救うために「夫」は偽物だと言うが、「夫」は妻を愛するがゆえに本物の夫として裁かれることを受け入れる。『ベアトリスの戦争』の「帰ってきた夫」は、内戦で傷ついた人生をやり直そうとしていたが、自分が過去に犯した罪に決着をつけていなかったために妻によって裁かれ追放される。

「帰ってきた夫」の子を妊娠したベアトリスは女の子を産む。トーマスの死を知って絶望

▶56 原題は『Le Retour de Martin Guerre』(Daniel Vigne 監督、フランス、1982年)。16世紀にフランスのバスク地方で実際に起こったマルタン・ゲール事件を映画化した作品。マルタン・ゲール事件については『帰ってきたマルタン・ゲール——16世紀フランスのにせ亭主騒動』(ナタリー・Z・デーヴィス、成瀬駒男訳、平凡社、1993年)に詳しい。

したベアトリスは偽の「夫」との間の子を手放そうとするが、テレサは子に名前を付けてベアトリスに渡す。テレサが名付け親になったことで、この女の子はベアトリスとテレサの二人を親に持つことになった。テレサが付けた名前はベアトリスの母親の名前だった。対立する村の男と結婚することで家族を守るように言いつけたベアトリスの母親の血筋がここに継承される。

女たちは、何十年にもわたり何重もの略奪と辱めを受けているが屈しない。自分が生まれ育った地に留まり、子をなし育て、生きた証を残し伝えることが、略奪と辱めという不正義の告発であり、不正義に屈しないという姿勢なのである。この物語をどのようにして自分の問題として受け止めるのかは、インドネシア社会に突きつけられた問題であるとともに、同時代を生きる私たちすべてにも投げかけられている。

ベアトリス（右）の息子にはトーマスの父親の名前が付けられ、娘にはベアトリスの母親の名前が付けられる〈© FairTrade Films〉

おわりに

インドネシアは、西洋人の植民地支配の都合でたまたま引かれた国境線に囲まれた地域として生まれた。しかし、植民地支配や戦争を経験する中で、そこに住む人々は、自分たちは同じ運命を共有するかけがえのない一つの社会だと自覚するようになった。

こうしてインドネシアという社会が想像されていく過程で、多文化・多宗教の共生や階級差がない社会など、当時の世界で考えられていた理想的な価値がインドネシアではどれも実現可能だと確信されていった。そして、インドネシアが国として発展していくことで、そこに暮らす自分たちがそれらの価値の実現という理想の状態に近づくとともに、世界も理想の状態に近づけるという夢が実現すると信じられていた。

インドネシアの発展を通じて、そこに暮らす自分たちが一人ひとりの理想の実現とともに世界における理想の実現の一端を担うことができるという考え方と生き方を、「インドネシアという物語」を生きると呼ぶことにしよう。

一九四五年にインドネシアの独立が宣言されたとき、インドネシアという物語はその絶頂にあった。これから自分たちの手でインドネシアという物語を織り上げていくことになったとき、インドネシアの人々はその役目をスカルノ大統領に委ねた。

スカルノ大統領は国内のバランスに配慮しながらインドネシアという物語を織り上げていこうとした。しかし、スカルノの後継者となったスハルト大統領のもとで、インドネシアという物語は政府による統制を受けて自由度を失い、理想の物語としての輝きを失っていった。

スハルト政権によって示される物語のもとでは自分たちの理想は実現できないと考える人たちが増えたことで、スハルト大統領は辞任に追い込まれた。一九九八年政変では、大統領を誰が継ぐかという問題とともに、インドネシアという物語を誰がどのようにして織り直すのかという問いを与えた。

一九九〇年代半ばの停滞期を経て、一九九八年以降に国民的なメディアとして成長していく映画は、インドネシアという物語の織り直しに重要な役割を担うことになった。本書は、一九九八年以降のインドネシア映画がインドネシアという物語の織り直しにどのように挑戦して来たのかを、家族主義と父親の役割、規範意識と信仰・女性、国民の受難と地方の受難の三つのテーマから検討してきた。

一九九八年政変でスハルト大統領を否定したインドネシアは、スハルト政権が統治の基礎としてきた家族主義、すなわち強い父が子たちを教え導くという考え方を見直すことになった。映画の分野でその幕開けとなったのが、都会の若者たちによる『クルドサック』だった（第2部第1章）。父には頼れないという考え方は、女性の視点から家族づくりを語り直し、女たちが父や夫への依存をやめて家を切り盛りする映画を生み出した（第2部第2章）。

これに対し、亡くなった父へのわだかまりを抱えた子どもたちが亡き父の思いを理解する姿を描いた映画や、父権主義をまとわない父になることを肯定的に描く映画が登場した（第2部第3章）。さらに、スハルト政権期の人気テレビドラマのリメイク映画がつくられ、自分の弱さを認めてまわりから助けてもらう父の姿が描かれた（第2部第4章）。

一九九八年政変で「強い父」が否定されると、それまで「強い父」のもとで隠れていた二つの規範的な考え方が表面化した。二〇〇二年のバリ島爆弾テロ事件は、自分たちの社会に暴力を肯定する考え方があるのではないかという疑いをインドネシアの人々に投げかけた。『楽園への長き道』は、信仰と暴力の結びつきを否定する。その上で、「強い父」にならって自分の強さを示そうとしたとき、本当に強い相手にはかなわないため社会の弱い部分に暴力が向けられるという仕組みを示した（第3部第1章）。

これに対し、「強い父」をめざすかわりに、インドネシアのイスラム教徒男性が世界を舞台に知性で活躍する姿を描くことで、宗教共生を実践してきたインドネシアに中東や欧米に引けを取らない価値があることを示す映画が多くつくられた（第3部第2章）。

また、「強い父」の裏側に張り付いていた「よき娘、よき妻、よき母」の規範にしたがい、女性は親元で親が勧める相手と結婚して家族をつくるのが幸せであるという考え方があったが、これに対して、親元を離れて世界に羽ばたく娘こそよい娘だとする映画もつくられるようになった（第3部第3章）。

男たちによる暴力の犠牲になった女は、映画ではお化けとなって恨みを晴らすものの、共同体の秩序を乱す存在として成敗されてきた。これに対し、我が身に降りかかった不正義に抵抗し告発する女たちを肯定的に描く映画もつくられている（第3部第4章）。

一九九八年政変後のインドネシアの物語の織り直しは、かつてインドネシアの名のもとで社会内部に向けられた不正義をどのように受け止めるかという課題に直面した。インドネシア全体に関わる一九六五年の政変とそれに伴う大虐殺は、社会的に救済されていない被害者が多くいるが、スハルト政権によってつくられた語りが強く、それと異なる語りを公に語るのは難しい。映画では、言葉で直接語るかわりに、ホラー映画、ドキュメンタリー映画、SFアクション映画の方法を採ることで、公の語りと異なる語りが試みられている（第4部第1章）。

政変や革命に参加し、巡り合わせで敗者になったために社会から排除され、経験や思いを語ることが許されてこなかった人々の存在に映画で目が向けられ、語りにくさをどのように表現するかという問いに対する挑戦が続けられている（第4部第2章）。

インドネシア全体に関わる政変や革命ではなく、インドネシアの名のもとに特定の地方で不正義が行われてきた場合、それらの地方をどのようにしてインドネシアの物語に織り直すかが問われる。長く内戦状態にあったアチェに対しては、アチェを舞台とする映画制作を通じて、アチェを津波被災地と位置付け直すことでインドネシアの物語に織り込もうとしている。これに対して東ティモールでは、インドネシアによる暴力の対象となった人々の経験が東ティモールの物語として語られ始めている（第4部第3章）。

インドネシアという物語の織り直しは今後も続いていく。フィクションと現実を結びつけ、それを他者と共有することを可能にする映像は、今後も夢みるインドネシアの推進力になるとともに、夢みるインドネシアの姿も映し続けることだろう。

WARKOP DKI REBORN
31 AGUSTUS 2017 DI BIOSKOP

Love for Sale
GADING MARTEN
DELLA DARTYAN
15 MARET 2018

DI BIOSKOP
30 AGUSTUS 2018
WIRO SABLENG
PENDEKAR KAPAK MAUT NAGA GENI

資料

監督紹介
映画でインドネシアの語り直しに取り組む一五人

インドネシア映画研究ガイド
映画からインドネシア社会を読み解く一〇冊

インドネシア映画関連年譜

観客動員数が100万人を超えたインドネシア映画
(1999年～2019年)

監督紹介

映画でインドネシアの語り直しに取り組む一五人

本書では、年間制作本数が一桁まで落ち込んだインドネシアの国産映画産業が一九九八年以降に復活を遂げ、制作本数が年間一〇〇本を超える今日に至る約二〇年余りのインドネシア映画の挑戦を見てきた。

一九九八年政変後に民主化が進んだインドネシアでは、自分たちが暮らす国であるインドネシアを一つの物語と見て、家族、信仰、国難のように多くの国民にとって重要なテーマを織り込んだ映画がつくられ、見られ、語られることで、社会全体でインドネシアという物語の語り直しが試みられてきた。

本書では二〇二〇年の新型コロナウイルス感染症の感染拡大の前までの時期を対象にしたが、それ以降も、コロナ禍をともに受け止めて乗り越えていく経験を含めて、インドネシアという物語の語り直しは続けられていくことだろう。今後のインドネシア映画のさらなる挑戦を読み解く手がかりの一つとして、注目すべき一五人の監督を紹介する。

まず、本書で取り上げたテーマに密接に関連している八人の監督を本文に登場した順番に紹介する。八人のうち四人がジャカルタ出身、三人がジャワ（中部ジャワ、ジョグジャカルタ）出身、一人がそれ以外の地方（南スラウェシ）の出身で、八人中三人が女性である。

リリ・リザ（一九七〇年、南スラウェシ州マカッサル出身、Riri Riza/Mohammad Rivai Riza）

スハルト政権末期に制作した『クルドサック』（一九九七年）により、スハルト政権のもとで閉鎖的な文化空間に閉じ込められてきたインドネシアの若者たちの物語に終止符を打ち、二〇〇〇年代以降のインドネシア映画の再興を牽引した立役者の一人。ジャカルタ芸術学院を卒業後、ロンドン大学ロイヤル・ホロウェイ校でシナリオ制作の修士号を取得し、ミラ・レスマナとともにマイルズ・フィルム社を率いる。最初の長編映画監督作品は、誘拐事件に巻き込まれた少女の冒険を描いたミュージカル映画『シェリナの大冒険』（一九九九年）。

作品数は多く、いずれの作品も国内外で高く評価されており、今日のインドネシア映画を代表する監督と言える。映画を通じたインドネシアの再生を強く意識しており、首都偏重になりがちなインドネシア映画界にあって国内の各地方を舞台にした作品の制作に積極的に取り組んでいる。子どもを主人公にした作品や、ミュージカル、評伝、恋愛、ロードムービーなど作風は幅広く、その根底には過去のインドネシア映画に対する理解と敬意がうかがえる。コロナ禍を踏まえて制作されたサスペンスの『パラノイア』（二〇二一年）では父から逃げる母と娘を描いた。

本名はムハンマド・リファイ・リザだが、映画制作ではリリ・リザの名前を使っている。

ニア・ディナタ（一九七〇年、ジャカルタ出身、Nia Dinata/Nurkurniati Aisyah Dewi）

リリ・リザとほぼ同じ頃に映画監督のキャリアを歩み始めた。作品は都会的で洒脱なセンスを持つとともに、鋭い皮肉や諧謔性が光る。学生時代にアメリカで映像制作を学び、帰国して一九九〇年代半ばからビデオ・クリップやテレビドラマの制作に携わった。一九九九年に映画制作会社カルヤナ・シラ・フィルムを設立し、長編『茶房館』（二〇〇一年）で監督デビューして以来、華人、性的マイノリティ、一夫多妻などの挑戦的で論争的なテーマを取り上げている。プロデューサーとしても活躍し、プロデュース作品には、『楽園への長き道』(二〇〇六年)のほか、暴力や差別と闘うパプア人女性を描いた『ママの土』(二〇一五年)や、性的マイノリティの主人公が正義の味方となる『マダムX』がある。仕事上は、本名のヌルクルニアティ・アイシャ・デウィではなく、名前の一部をとったニアと父方の家系名の一部のディナタを合わせたニア・ディナタを名乗っている。

ヌルマン・ハキム(一九七四年、中部ジャワ州スマラン出身、Nurman Hakim)

ジャワのイスラム寄宿塾で学んだ後にジャカルタ芸術学院で映像制作を学び、インドネシアのムスリムの実情を若者の視点で活写する作品で知られる。長編監督デビュー作品の『三つの祈り、三つの愛』(二〇〇八年)を筆頭に、日常生活の中にテロへの誘惑がある様子をしばしば描く。作品には父権性への批判が見られるが、父権性の抑圧的な側面を批判的に描くだけでなく、父権性が実は別の危機への対応として現れていることと、抑圧される側の人々によって父権制が支えられてきた面があることをあわせて描く点で、父権性を断罪するだけの作品と一線を画している。明白なハッピーエンドにしない作風が批判されることもあるが、それは絶妙なバランス感覚と現実を知る監督の誠意の現れである。

アンガ・ドゥイマス・サソンコ(一九八五年、ジャカルタ出身、Angga Dwimas Sasongko)

インドネシア大学在学中から映画制作を始め、卒業後の二〇〇八年に映像制作会社フィシネマ・ピクチャーズを設立。テレビ番組の制作と並行して進む男女の恋模様を描いた『写真、箱、窓』(二〇〇六年)を皮切りに、二〇二〇年までに長編一二作品を監督し、ほかに長編五作品をプロデュースしている。社会問題、恋愛、ホラー、アクションと幅広いジャンルを手掛ける。アンガにとって映画制作は社会活動の一環であり、時事問題をタイムリーに取り上げ、多くの観客に受け入れられる完成度の高い物語にして提供してきた。『モルッカの光』（二〇一四年）には紛争地アンボンの平和構築、『珈琲哲学』（二〇一五年）にはインドネシアのコーヒーの地場産業振興や若者の起業を盛り立てる狙いがあった。『いつか今日の日のことを話そう』（二〇二〇年）では、一九九八年のある出来事をきっかけに歪んでしまった家族の再生の物語を描いた。コロナ禍で映画の劇場公開が困難な状況で、オンライン配信による新作の公開を積極的に展開している。

ハヌン・ブラマンティヨ（一九七五年、ジョグジャカルタ出身、Hanung Bramantyo）

ジャカルタ出身者が多いインドネシア映画界において、ジョグジャカルタ出身で活躍している映画監督。舞台芸術に憧れ、地元の大学を中退してジャカルタのトゥグ・カルヤの劇団に入門し、トゥグ・カルヤの勧めでジャカルタ芸術学院で映画制作を学んだ。インドネシア映画が産業として注目を集め始めた二〇〇〇年代半ばに監督のキャリアを開始した。長編監督デビュー作『ブラウニーズ』（二〇〇四年）でインドネシア映画祭の最優秀監督賞を受賞。大手制作会社の依頼を受けて商業的な娯楽映画を監督することが多く、制作側から求められる売れる作品づくりと自分の作りたい作品の間の葛藤や、メディア産業の主要な担い手であるジャカルタの中上流階級の嗜好とジョグジャカルタ育ちの自分の趣向の間の葛藤をしばしば語っている。本書で紹介したイスラム恋愛映画、歴史・評伝大作、ホラーのほか、庶民家庭のティーンを活写した『卒業日記』（二〇〇四年）、『君こそ唯一の人』（二〇〇七年）、『結婚する！』（二〇〇七年）など、幅広い分野の作品を制作している。

ロラ・アマリア（一九七七年、ジャカルタ出身、Lora Amalia）

女優としてテレビや映画で活躍した後、映画制作会社を設立して監督・プロデューサーに転身し、女性問題やマイノリティ問題を扱う社会派の映画を制作してきた。日本とインドネシアの合作映画『ムルデカ１７８０５』（二〇〇一年）

への出演では、インドネシア独立闘争史を歪める外国のプロパガンダ映画に協力したとして国内で非難を受けた。拉致された男の妻と娘の狂気を描く『娘』（二〇〇六年）で長編映画の監督デビューを果たした。香港で働くインドネシア人女性出稼ぎ労働者を描く『日曜日にビクトリア公園で』（二〇一〇年）や、視覚障碍者の若者たちの自立を描く『ジンガ』（二〇一六年）のように、恋愛やコメディを主流とする従来の商業映画では取り上げられなかった社会的弱者に光をあてる作品が多い。

モーリー・スルヤ（一九八〇年、ジャカルタ出身、Mouly Surya）

芸術性と社会批評性をあわせ持ち、インドネシア映画界で独特の存在感を放っている。オーストラリアの大学でメディア・文学を専攻し、映画・テレビの修士号を取得。帰国後、映画の助監督の経験を経たのちに初めて監督した『フィクション。』（二〇〇八年）で、インドネシア映画祭で女性初の最優秀監督賞を受賞した。長編作品には『フィクション。』、『愛を語るときに、語らないこと』（二〇一三年）、『マルリナの明日』（二〇一七年）の三作品があり、いずれも映像とストーリーの両面で斬新な趣向が凝らされ、国内外で高い評価を受けている。『フィクション。』は低所得者向けの高層集合住宅、『愛を語るときに、語らないこと』は身体障碍者の学校、『マルリナの明日』は乾燥したサバンナ気候のスンバ島を舞台に虚構性の高い設定を作りこみ、純真さ、従順さ、か弱さといったステレオタイプの女性像を裏切り、生身の女性たちの狂気、欲望、生理、胆力、力強さを説得的に描く。

ヨセップ・アンギ・ヌン（一九八三年、ジョグジャカルタ出身、Yosep Anggi Noen）

人間関係の機微から社会の構造までを繊細な感性で映像表現に映しとり、仕草や行動に託された対話を丁寧に描くことで定評がある。ジョグジャカルタの名門ガジャマダ大学でコミュニケーション学を学んだ。短編映画やドキュメンタリー作品で実績を積み、初めての長編監督作品『ソロの孤独』（二〇一六年）でインドネシア映画祭最優秀監督賞を受賞。『ソロの孤独』は、政府批判のため治安当局に監視された活動家とその家族にフォーカスし、常に監視される不安を誰とも共有できない孤独を描いた。一九六五年政変で人生を翻弄された男を主人公にした『サイエンス・オブ・フィクションズ』（二〇一九年）は、自分の物語を自分で語る術を失った主人公の人生を時代の移り変わりとともに静かなタッチで描き、作品に鋭い社会批評を託すとともに、人間に対する信頼と希望も見せている。

映画を通じた国民の物語の語り直しを行う上では、国民の多くにとって取るに足らないと思われるが一部の人々にとって深刻で切実な問題にも目を向ける必要があり、そのためにはジャンルや表現手法の開拓が欠かせない。この点を意識して映画制作に取り組んでいる四人の監督を、監督デビューが早い順に紹介する。

ガリン・ヌグロホ（一九六一年、ジョグジャカルタ出身、Garin Nugroho Riyanto）

スハルト政権のもとで斜陽産業になっていたインドネシア映画界にあって、国際的に評価される作品を作るとともに、後進の育成に力を注いだ人物。ジャカルタ芸術学院の映画制作学部を卒業した後、インドネシア大学法学部に入学して法学士を取得。当初はドキュメンタリー制作や映画批評を中心に活動していた。

ドキュドラマシリーズ「千の島の子」（一九九六年）でリリ・リザら次世代の映画人を育て、一九九八年政変の前と後の映画界を結びつける役割を果たした。監督作では表現手法の開拓に挑戦し続けている。長編初監督作品の『一切れのパンの愛』（一九九〇年）は、都会の中上流階層の若者のロードムービーで、若者の内面を描いたと評価された。また、スハルト政権期には、地方を舞台に子どもの視点からインドネシア国家の特質を露にする『天使への手紙』（一九九二年）や『枕の上の葉』（一九九七年）で鋭い社会批判を行った。アチェが舞台の『ある詩人』（一九九九年）やパプアが舞台の『君に一度だけ口づけしたい』（二〇〇二年）で地方の課題を先駆的に取り上げてきた。『オペラ・ジャワ』(二〇〇六年)、『ニャイ』(二〇一六年)、『サタン・ジャワ』(二〇一六年)、『メモリーズ・オブ・マイ・ボディ』(二〇一八年)では、舞踏や演劇などの上演芸術の要素を取り入れた映像表現の開拓に挑戦している。著作活動も活発で、インドネシア映画史の時代ごとの特徴を整理した『インドネシア映画の危機とパラドックス』[1](二〇一五年)や、一九九八年以降のインドネシア映画の魅力を綴った『ガリン・ヌグロホ自伝——インドネシア映画の黄金時代 一九九八−二〇一九』[2](二〇二〇年)などを通じて、インドネシア映画の課題と歩みの次世代への継承に取り組んでいる。

ウピ(一九七二年、ジャカルタ出身、Upi/Sartri Dania Sulfiati)

インドネシアの女性監督の中でも商業的な実績で群を抜く一人。映画制作スタッフ(メイクアップ担当)から脚本家を経て監督になった。仕事では本名のサルトリ・ダニア・スルフィアティではなく愛称のウピを名乗る。俳優に品行方正とは正反対の型破りな人物を演じさせ、大人たちが眉をしかめるような若者文化をスクリーンで伸び伸びと展開させる。『三〇日で愛を探す』(二〇〇三年)は劇中で使用した人気ロックバンドの楽曲とともに大ヒットした。マレーシアとの合作『うちのおバカ社長』(二〇一六年)は、マレーシアの会社で働くインドネシア人女性が理不尽な上司の下で奮闘する様子を描いたコメディ作品で、続編はベトナムを舞台にしており、東南アジア諸国との合作や撮影に積極的に取り組んでいる。

ジョコ・アンワル(一九七六年、北スマトラ州メダン出身、Joko Anwar)

映画批評から映画制作に転身した理論派。スマトラの商業都市メダンで生まれ、インドネシア内外の映画を見て育った。バンドン工科大学の宇宙工学部を卒業後、ジャカルタの新聞社で映画批評を担当していたと

▶1 Garin Nugroho & Dyna Herlina S. (2015) *Krisis dan Paradoks Film Indonesia*. Penerbit Buku Kompas.

▶2 Garin Nugroho. (2020) *Memoar Garin Nugroho: Era Emas Film Indonesia 1998-2019*. Warning Books.

きにニア・ディナタの『アリサン！』（二〇〇三年）の脚本を任され、そこから映画制作のキャリアが始まった。監督デビューは、映画フィルムを劇場から劇場に運搬する青年を主人公にした『ジョニの約束』（二〇〇五年）。コメディ、ホラー、サスペンス、ヒューマン、芸術系まで幅広いジャンルを手掛け、シニカルで洒脱なテイストにホラー／サスペンス／スリラーが加味された作風に特徴がある。

『時』（二〇〇七年）、『禁じられた扉』（二〇〇九年）、『偏差モード』（二〇一二年）は、いずれも主人公が謎を解き明かしていく犯罪サスペンスである。アメリカのマーベル・シリーズのようにインドネシアのコミック・ヒーローの世界を映像化するブミ・ランギット・プロジェクトでは第一作『グンダラ　ライズ・オブ・ヒーロー』（二〇一九年）の監督を担当した。また、『呪われた地の女』（二〇一九年）はホラー映画としてインドネシア映画祭で初めて最優秀監督賞を受賞し、ホラーを国民映画の地位に引き上げた。

エドウィン（一九七八年、東ジャワ州スラバヤ出身、Edwin）

ジャワ島東部の商業都市スラバヤで生まれ育った華人系の監督。ジャカルタ芸術学院出身。シニカルで時に露悪的にも感じられるブラックユーモアを効かせつつも哀愁も感じさせる短編で、早くから海外で高く評価されていた。作品は芸術的でシュールと評価されることも多いが、インドネシアで華人が置かれた社会的文脈を踏まえた明確なストーリーとメッセージを持つ。初の長編監督作の『空を飛びたい盲目のブタ』（二〇〇八年）は、先祖伝来の文化や名誉を失ってでも血統を継承するために子作りをする父親、女性であるために先祖を弔う役割を任せてもらえない娘など、男性が家系を継承する縛りのなかで苦闘する華人の切実な課題が洗練された形で表現されている。『動物園からのポストカード』（二〇一二年）にも、華人の視点から多民族国家インドネシアの理想と現実に対する批評精神が込められている。商業性のある映画も手掛け、恋人間の暴力を含めた高校生男女の恋愛模様を綿密な取材をもとに描いた『ひとりじめ』（二〇一七年）はインドネシア映画祭で最優秀監督賞を受賞した。『復讐は神にまかせて』（二〇二一年）がロカルノ国際映画祭で最優秀賞（金豹賞）を受賞した。

今日のインドネシア映画の隆盛は、一九九八年より前のインドネシア映画の発展によっても支えられている。地元制作映画が最初に制作・上映されてから約百年になるインドネシア映画史において重要な足跡を残し、現在の映画制作でも繰り返し参照されている三人の監督を、監督デビューが早い順に紹介する。

ウスマル・イスマイル（一九二一年～一九七一年、西スマトラ州ブキティンギ出身、Usmar Ismail）

芸術性と娯楽性を兼ね備えた国民映画の制作に尽力した「インドネシア映画の父」。オランダ植民地時代に医学校教師の息子として生まれ、オランダ語で教育を受けた。学生時代から文学活動を始め、第二次世界大戦中の日本軍占領期に日本が設立した文化センターの啓民文化指導所に勤め、インドネシア人文学者たちと劇団を結成したほか、ジャーナリストとしても活躍した。第二次世界大戦後、インドネシア独立戦争の最中に、オランダの監督下に置かれた映画会社で映画制作を手伝った。これをきっかけに映画制作を開始した。初監督作品はフランス文学を翻案した『隠された財産』（一九四九年）。一九五〇年にインドネシア国民映画社を設立し、その初制作作品である『血と祈り』（一九五〇年）は最初のインドネシア国民映画とされ、制作開始日の三月三〇日はインドネシア国民映画の日となっている。監督した作品数は二七作品にのぼる。

シュマン・ジャヤ（一九三四年～一九八五年、ジャカルタ出身、Sjuman Djaja）

オランダ植民地時代に民族主義運動の拠点だったタマン・シスワ学校で学んでいた頃に演劇や文学を始めた。俳優として映画に出演するうちに制作にも関わるようになり、奨学金を得てモスクワで映画制作を学び、帰国後は情報省映画局長として一九六五年政変後のインドネシア映画の興隆を牽引した。『真夜中を過ぎて』（一九七一年）で初監督。ロシアの作家チェーホフの作品を翻案した『ママッド氏』（一九七三年）やインドネシアの国民文学を映画化した『無神論者』（一九七四年）のような文芸ものに手腕を発揮したほか、若く美しい寡婦のまわりで起こる騒動を描いた『紫の絹の霧』（一九七九年）や、ジャワ貴族の娘で女性解放運動の先駆者であるカルティニを描いた『R・A・カルティニ』（一九八二年）、日本軍占領下の慰安婦を描いた『欲望の奴隷』（一九八三年）など、女性の視点から時代を描く作品も多く手掛けた。ミュージカル仕立ての作品には庶民の子の成長物語『ブタウィの子ドゥル』（一九七三年）がある。長編監督第一五作目にあたる『オペラ・ジャカルタ』（一九八五年）の完成を目前に亡くなった。

トゥグ・カルヤ（一九三七年〜二〇〇一年、西ジャワ州バンテン出身、Teguh Karya/Steve Lim Tjoan Hok）

西ジャワ出身の華人系。一九五〇年代にジョグジャカルタの芸術映画学校とジャカルタの国立演劇学校で学んだ後、ハワイ大学で演劇・映画を学び、帰国して一九六八年に劇団テアトル・ポプレールを設立。劇団活動と並行して劇団の俳優を起用した映画制作を始め、一九七〇年代から一九八〇年代にかけてほぼ毎年映画を制作し、シュマン・ジャヤとともに一九七〇年代のインドネシア映画の隆盛を牽引した。長編の第一作は『ある男の顔』（一九七一年）。第二作の『初恋』（一九七三年）は恋愛映画でありながら、一九六五年政変で人生を狂わされた青年たちによる大人への怒りが表現された名作で、クリスティン・ハキムやラノ・カルノなど後にインドネシア映画界を担う俳優たちを輩出した。舞台俳優を起用した会話劇や劇中劇に特徴があり、都会を舞台に家族のしがらみや若者たちの葛藤を描く『蚊帳の中』（一九八二年）や『母』（一九八六年）、オランダ植民地支配への抵抗を描いた歴史映画『一八二八年一一月』（一九七八年）などがある。アルスウェンド・アトモウィロト［➡146頁］の小説を原作とする『汽車に乗り遅れた恋人』（一九八八年）まで、生涯で一三作品を監督した。

インドネシア映画研究ガイド

映画からインドネシア社会を読み解く一〇冊

多彩な文化や歴史を持つインドネシアは、多くの研究の対象になってきた。映画を含む様々な分野で研究の蓄積があり、映画の産業や作家や作品に関する研究もあれば、映画の制作や表象を通してインドネシアの社会を「読み解く」研究もある。本書もそれらの蓄積を踏まえて書かれている。本書の枠組のもとになっている主な研究のうち、英語で書かれたものを紹介する（原題は333頁を参照）。

まず、映画以外を含む公式・非公式のメディアを通じて社会を「読み解く」ことに関連して、インドネシアの社会と思想に関する研究に次の三冊がある。

ベネディクト・アンダーソン

『言葉と権力——インドネシアの政治文化探求』（一九九〇年）

ベネディクト・アンダーソンは、インドネシアの政治思想を理解するうえで、記念碑、儀礼、マンガ、映画、広告などの視覚による政治的コミュニケーションを分析することの重要性を指摘する。政治的コミュニケーションは、印刷された公的資料だけでなく、ゴシップ、討論、論争、陰謀など、記録に残らない発話でやりとりされているものが含まれる。ただし、話し言葉でやりとりされる内容は、その場に居合わせて聞くことができる機会が限られているし、聞く機会があったとしてもそれを理解して記録するには熟練したスキルが求められる。これに対して、記念碑やマンガや映画はやりとりの形が残るため、私的な会話よりも分析の対象にしやすい。

白石さや

『若き英雄たち――政治の中のインドネシアの家族』（一九九七年）

白石さやは、インドネシアの社会秩序の基盤に家族原理があること、そして政変や革命をきっかけに家族原理の解釈や運用が変容してきたことを論じる。植民地支配を脱して自分たちの手で社会を作り出そうとする時期には、幼く未熟な子を成長させて一人前の大人にさせるという家族主義の考え方が、国として幼いインドネシアが一人前の国になっていくという考え方と重なって、人々を導く役割を果たした。しかしスハルト大統領の統治が長期化すると、家族主義の考え方は、強い父の意向を汲み取って父に逆らわない子たちの物語へと変容した。

白石の観察や分析の対象は、教科書、子ども雑誌の童話、ラジオ演説、広告、若者雑誌、大衆紙のゴシップ記事、スハルトの自伝など多岐にわたり、自身がフィールドで見聞した情景があたかも映画の読み解きのように分析されていく。テレビや写真などの図像資料も分析の対象であり、『インドネシア共産党の九月三〇日運動の裏切り』の語りの構造にも触れられている。

ローリー・シアーズ編

『インドネシアにおける女性性の夢想化』（一九九六年）

本書は、公文書からテレビドラマまであらゆるメディアで女性がどのように描かれているか、そしてメディアを越えてどのように語り直されているかという観点からインドネシア社会における女性の位置づけを論じている。本書は複数の著者の論考から成り、インドネシアの女性研究の基本書である。所収のジーン・テイラーやシルビア・ティウォンの論考は、小説、映画、テレビドラマとメディアを変えて、オランダ植民地期からスハルト政権期まで時代を越えて語り直されてきた物語に注目し、作品が映し出している女性認識やマイノリティ認識の特徴、問題、変容を明らかにする。テイラーは伝承・小説・映画における『ニャイ・ダシマ物語』から愛人女性の表象を分析し、ティウォンは、インドネシア国民の理想の母像と妻像がカルティニに仮託される過程を分析している。

植民地時代に初めて上映されたとき以来、映画は世の中のことを知るメディアとしてインドネシアの人々の間で受け入れられていった。映画と社会の関わりを対象とする研究を四冊紹介する。

ダフナ・ルピン

『コメディ・ビオスコープ——植民地期インドネシアの初期映画』（二〇一六年）

インドネシア映画史は、多くの場合、現在のインドネシアが東インドと呼ばれたオランダ植民地時代に初めて映画が制作された一九二六年を起点に語られる。ただし、東インドにおける映画上映の歴史はそれより前から始まっており、オランダ以外の国や地域から映画がもたらされていた。

ダフナ・ルピンの研究は、東インドで初めて商業映画が上映された一八九六年から第一次世界大戦までの時期について、新聞の映画レビュー記事や広告をもとにスラバヤ、バンドン、ジャカルタ、メダンの四都市の映画事情を描き、映画を上映・興行することと観客が映画を見に行くことをめぐる制度と文化がどのように発展したかを明らかにする。当時、映画は単独の娯楽ではなく巡回遊園地の出し物の一つであり、ワヤン（影絵芝居）のように、スクリーンの前方からだけでなく裏側からも見ることができた。観客にはさまざまな人種や階級の人々がおり、映画上映は東インドの人々に交流と娯楽の場を提供し、世界の文物が紹介される場だった。

クリシュナ・セン

『インドネシア映画――新秩序をフレーミングする』（一九九四年）

一九九八年以前のスハルト政権時代の映画研究にクリシュナ・センの研究がある。映画を通じてスハルト政権がもたらす秩序を理解するアプローチを取り、映画の制作・表現が受ける制度的な制約を論じた前半と、映画の内容を分析して物語の型を見出す後半の二つの部分からなる。国家によるメディア統制が強かったスハルト政権時代、映画は検閲等によって為政者に都合の悪い物語を映さないよう介入を受けてきたことを、歴史、暴力、階級、女性の四つの要素の描かれ方に注目して明らかにする。

スハルト政権時代の映画は、ジャンルやテーマの違いを越えて、秩序が混乱した後で秩序が回復される過程を描くという物語の型を持つ。これは、一九六五年に共産主義者によって乱された秩序がスハルト政権によって回復されたというスハルト政権の存立根拠の物語を、映画が繰り返し語らされてきたことを意味する。政権からの指示のためではなく、検閲や圧力を回避するために映画制作者たちが自主検閲を重ねていった結果として、制作者の意図にかかわらず、結果としてスハルト政権の正統性を支える映画が作られてきた。

『ボイの日記』のような若者向けの映画シリーズ、『一八二八年一一月』のような歴史ものなど、幅広い作品を分析の対象にしている。センは本書のほかにも映画の内容分析を多く行っており、メロドラマとしての『母』（トゥグ・カルヤ監督）と『子』（ウスマル・イスマイル監督）の比較などを論じている。

カール・ハイダー

『インドネシア映画――スクリーン上の国民文化』（一九九一年）

カール・ハイダーは、インドネシアの国民文化を見る上で映画がうってつけの資料であることを明言した。本書は文化人類学者によるインドネシア映画研究の端緒である。開発途上にある新興の多民族国家であるインドネシアでは、国民文化なるものが存在しうるかが問われてきた。ハイダーは、映画がインドネシア国内に住む多様な人々を聴衆として想定し、国語であるインドネシア語によって作られている点に注目し、映画を分析することでインドネシアの国民文化の特色を捉えようとする。映画には文化や時代への関心や解釈が反映されており、秩序、協調、国民統合、近代化などの課題への関心が映画のプロットを作り出しているとし、近代化、歴史、民話、フェミニズム、個人対集団といった切り口から映画に示される物語を整理・分析する。欧米映画との比較を通じてインドネシア映画に固有の文化規範を抽出し、それをインドネシアの在地の文化規範の反映と捉える点に特徴がある。

デイビッド・ハナン

『インドネシア映画における文化的特異性
――統一の中の多様性』（二〇一七年）

カール・ハイダーが欧米映画との比較によってインドネシア映画にインドネシアの国民文化を見出すのに対し、デイビッド・ハナンは、インドネシアの在地文化との比較を通じてインドネシア映画の文化的特徴を見る。独立期からスハルト政権期までを対象に、インドネシアの地方文化や伝統文化が映画にどのように映し出され、また変容してきたかを明らかにする。映画に映し出される人々の仕草や文化芸術事象を文化人類学的にフィールドワークしたかのような研究手法に特徴があり、インドネシア国民文化は存在するのか、するとしたら何によって構成されたどのようなものなのかを論じている。

一九九八年の政変以降、映画は大衆文化の主流の地位を占めるようになっただけでなく、映画を作ることと見ることが世の中をよくする社会運動でもあるという認識も生まれている。一九九八年以降のインドネシアで映画が社会変革に果たす役割を議論する研究を三冊紹介する。

トマス・ベイカー

『新秩序体制後のインドネシア映画
――主流を歩む』（二〇一九年）

トマス・ベイカーは国産映画市場の形成に目を向け、一九九八年以降にインドネシア映画が大衆文化の主流になったことを示した。ベイカーは、インドネシアの文化シーンにおいてインドネシア映画が若者文化とポップ・カルチャーの二つの点で主流化したと論じる。スハルト政権時代にも音楽、小説、ラジオ、映画など文化はいろいろあったが、若者たちの憧れや消費や表現の対象は外国映画に向けられた。ショッピングモールの映画館で上映されるのはもっぱら外国映画で、若者はインドネシア映画に期待を抱いていなかった。一九九八年以降、若者が映画を作るようになり、若者たちがそれを映画館で見るようになると、大手企業も若者向けの映画制作に参入し、インドネシア映画の市場が形成されていった。

　ベイカーは、一九九八年以降のインドネシアで若者向けの映画を誰がどのように作り、どのように消費しているのかを明らかにした。こうして、映画産業について知ることは若者の嗜好を探ることであり、若者文化を調べることはインドネシアの文化産業の動向を知ることを意味するようになった。

　二〇一一年以降にインドネシア政府が創造経済振興を国策として進める中、映画はその中核を担う産業部門としていっそう期待されるようになっており、そのことを踏まえた映画の制作・流通・消費の環境についても論じている。

アリエル・ヘルヤント

『アイデンティティと愉悦——インドネシアのスクリーン文化の政治』（二〇一四年）

　アリエル・ヘルヤントは、一九九八年以降のインドネシア映画がアイデンティティと娯楽の両立、すなわち、そこに自分が表現されていると思えることと見て楽しめることとの両方が期待されるコンテンツになり、インドネシア映画が国民による国民のためのメディアになったと論じる。

　映画がアイデンティティを表現する場であるという観点からは、イスラム教、一九六五年政変と虐殺、華人、歴史など、スハルト政権時代に抑圧され周縁化されていたものが一九九八年以降の映画でどのように表象されているか、あるいは、映画で表象するにあたってどのような闘争が見られるかに関心が向けられる。映画が社会運動の場になっていることを強く意識し、スハルト政権時代にはありえなかったような革新的な物語や図像が映画のスクリーンに映し出されることを路上に出てデモを行うことと連続したものと捉えている。

映画は見て楽しめることで観客の消費欲求にも応えることが期待されるという観点からは、インドネシアにおける韓国ドラマの流行や、都市の中上流層によるイスラム教の信仰実践への関心の高まりについて考察している。

カティンカ・ファンヘーレン

『現代インドネシア映画――改革の精神と過去の亡霊』（二〇一二年）

カティンカ・ファンヘーレンは、映画は本来的に社会闘争の手段であるという立場に立ち、一九九八年以降のインドネシア映画は真の意味で社会的な闘争の場になっているかを問う。

スハルト政権時代の抑圧が解けて映画はどのようになったのかという関心に基づき、一九九八年政変以降のインドネシア映画を言論の民主化の観点から読み解く。スハルト政権期には映画を制作・公開する機会が一部の人に限定されていたが、一九九八年以降は自主映画が制作・公開の場を得られるようになった。しかし、首都ジャカルタの映画制作者と地方の映画制作者との間の格差がしだいに明らかになり、一九九八年政変の頃に見られた首都と地方の自主映画制作者の連帯が見られなくなっていった。そのことを残念がる論調で描くカティンカは、資金・技術・情報の点で恵まれている首都の映画制作者たちが商業化やメジャー化の道を進んだことを批判的に見ている。

また、カティンカは、一九九八年政変後も映画は決して自由な表現の場に成りえておらず、国家からは検閲、社会からは購買・非購買や抗議運動といった形で圧力にさらされており、両者への対応と調整の場になっていると見る。

原題一覧

Anderson, Benedict R. O'G. (1990) *Language and Power: Exploring Political Cultures in Indonesia*. Cornell University Press. （ベネディクト・アンダーソン（中島成久訳）『言葉と権力——インドネシアの政治文化探求』日本エディタースクール出版部、1995年）

Shiraishi S. Saya. (1997) *Young Heroes: The Indonesian Family in Politics*. Cornell University Press.

Sears, Laurie J. (ed.). (1996) *Fantasizing the Feminine in Indonesia*. Duke University Press.

Ruppin, Dafna. (2016) *The Komedi Bioscoop: Early Cinema in Colonial Indonesia*. John Libbey Publishing.

Sen, Krishna. (1994) *Indonesian Cinema: Framing the New Order*. Zed Books.

Heider, Karl G. (1991) *Indonesian Cinema: National Culture on Screen*. University of Hawaii Press.

Hanan, David. (2017) *Cultural Specificity in Indonesian Film: Diversity in Unity*. Springer.

Barker, Thomas A. C. (2019) *Indonesian Cinema after the New Order: Going Mainstream*. Hong Kong University Press.

Ariel Heryanto. (2014) *Identity and Pleasure: The Politics of Indonesian Screen Culture*. NUS Press.

van Heeren, Katinka. (2012) *Contemporary Indonesian Film: Spirits of Reform and Ghosts from the Past*. KITLV Press.

インドネシア映画関連年譜

年	メディア史	政治・社会（＊は世界のできごと）
一八九六	シネマトグラフで映画が上映される	
一九〇一		倫理政策が始まる
一九〇八		ジャワで民族主義団体ブディ・ウトモが結成される
一九一一		オランダ人によってカルティニ書簡集が刊行される 大衆組織イスラム同盟が結成される
一九一二		アチェ戦争（一八七三〜）を経てアチェがオランダに制圧される
一九一四		＊第一次世界大戦（〜一九一八）
一九一六	映画館条例が施行される	
一九二〇		インドネシア共産党が結成される
一九二五	ラジオ放送が開始される	
一九二六	最初の地元制作映画『ルトゥン・カサルン』が制作される	インドネシア青年会議で「青年の誓い」が宣言される

一九二八	最初の商業映画『ジャワのユリ』が制作される	インドネシア国民党がスカルノらにより結成される
一九二九	最初のトーキー映画が制作される	＊世界恐慌
一九三八	『月の光』が外国で商業上映される	
一九三九		＊第二次世界大戦（〜一九四五）
一九四二	日本映画社が宣撫工作の映画を制作	日本軍による占領統治（〜一九四五）
一九四五		スカルノとハッタがインドネシア共和国の独立を宣言、スカルノが初代大統領に就任 オランダの軍事侵攻に対して武装闘争を開始（インドネシア独立戦争）
一九四九		オランダがインドネシアに主権を移譲
一九五〇	独立・主権獲得後の最初の国産映画『血と祈り』が制作される 国民映画社と映像芸術家映画社が設立される	
一九五四	インドネシア映画制作者協会が結成される 国産映画振興のためインドネシア映画祭が始まる	
一九五五		バンドンでアジア・アフリカ会議が開催される

年	メディア史	政治・社会(＊は世界のできごと)
一九五七		スカルノが「指導される民主主義」を提唱
一九六二	国営テレビ放送が開始される	
一九六三		マレーシア対決政策(〜一九六五)
一九六四	外国映画の輸入が禁止される(〜一九六六)	国連脱退
一九六五		九月三〇日事件
一九六六		スカルノが大統領の権限をスハルトに委譲 インドネシア共産党が非合法化される
一九六七		東南アジア諸国連合(ASEAN)を結成
一九六八	国立映画制作評議会が設置される	スハルトが第二代大統領に就任
一九六九		西イリアン(パプア)を併合
一九七〇	ジャカルタ芸術学院が設置され、映画学部が開設される	スカルノ死去
一九七四		ジャカルタで反日暴動が起こる(マラリ事件)
一九七五	国内の映画館に国産映画の上映枠が設けられる	

一九七六		東ティモールを併合 アチェで独立運動が始まる
一九八四	国策映画『インドネシア共産党の九月三〇日運動の裏切り』が公開される	
一九八五		＊プラザ合意 政治関連五法が成立、スハルト体制が強化される
一九八六	最初のシネマコンプレックスが開館する	
一九八九	民間テレビ放送が開始される	
一九九〇	雑誌『モニトール』の編集部が襲撃される	
一九九四	雑誌『テンポ』、『デティク』、『エディトール』が発禁処分を受ける	
一九九五	ＭＴＶの放送が開始される	
一九九六	郵便局によるインターネット通信サービスが開始される	
一九九七		＊アジア通貨危機
一九九八	自主制作映画『クルドサック』が商業上映される	政府への抗議運動が暴動に発展（ジャカルタ暴動）、スハルト大統領が辞任 ハビビ副大統領が第三代大統領に就任

年	メディア史	政治・社会（＊は世界のできごと）
一九九九	報道の自由を明記した報道法が施行される	東ティモールの独立の是非を問う住民投票を実施 ワヒドが第四代大統領に就任
二〇〇一		スハルト死去 メガワティが第五代大統領に就任 ＊米国同時多発テロ
二〇〇二		東ティモール民主共和国が樹立 バリ島爆弾テロ事件
二〇〇三		アチェ州で独立運動が激化、戒厳令が布告される
二〇〇四		大統領直接選挙制が導入される ユドヨノが第六代大統領に就任 ＊インド洋大津波 アチェが津波で甚大な被害を受ける
二〇〇五		アチェ独立運動とインドネシア政府が和平合意
二〇〇八	ポルノ規制法が施行され、映画業界から表現の規制への懸念が表明される	
二〇〇九	映画業界からの反対運動にもかかわらず映画法が施行される	

二〇一一	観光創造経済省が設置され、文化産業がインドネシア経済の主軸に位置づけられる	
二〇一四		ジョコ・ウィドドが第七代大統領に就任
二〇一六	Netflixの動画配信サービスが開始される	反ＬＧＢＴ運動が全国に広がる ジャカルタ州知事の「宗教冒涜発言」に対する大規模な抗議デモ
二〇二〇		＊新型コロナウイルス感染症の感染が拡大
二〇二一	『復讐は神にまかせて』(エドウィン監督)がロカルノ国際映画祭で金豹賞を受賞する 「インドネシア映画の父」ウスマル・イスマイルが国家英雄に認定される	

制作年	タイトル	原題	監督	観客動員数（人）	ジャンル
2017	愛の章２	Ayat-Ayat Cinta 2	Guntur Soeharjanto	2,840,159	ドラマ
	ダヌル：私は幽霊が見える	Danur: I Can See Ghosts	Awi Suryadi	2,736,157	ホラー
	ジャイランクン	Jailangkung	Jose Poernomo, Rizal Mantovani	2,550,271	ホラー
	通信困難	Susah Sinyal	Ernest Prakasa	2,172,512	ドラマ
	望まれざる天国２	Surga Yang Tak Dirindukan 2	Hanung Bramantyo	1,637,472	ドラマ
	サードアイ＊	Mata Batin	Rocky Soraya	1,282,557	ホラー
	人形２	The Doll 2	Rocky Soraya	1,226,864	ホラー
	スタラへのラブレター	Surat Cinta untuk Starla the Movie	Rudi Aryanto	1,218,317	ドラマ
	スイート20	Sweet 20	Ody C. Harahap	1,044,045	コメディ
2018	ディラン1990	Dilan 1990	Fajar Bustomi, Pidi Baiq	6,315,664	ドラマ
	よみがえったスザンナ＊	Suzzanna: Bernapas dalam Kubur	Rocky Soraya, Anggy Umbara	3,329,640	ホラー
	ダヌル２：マッダ	Danur 2: Maddah	Awi Suryadi	2,572,672	ホラー
	ドゥル	Si Doel the Movie	Rano Karno	1,757,653	ドラマ
	アシ	Asih	Awi Suryadi	1,714,798	ホラー
	＃友達だけど結婚する	#Teman tapi Menikah	Rako Prijanto	1,655,829	ドラマ
	ウィロ・サブレン：竜頭斧の勇者	Wiro Sableng: Pendekar Kapak Maut Naga Geni 212	Angga Dwimas Sasongko	1,552,014	アクション
	ジャイランクン２	Jailangkung 2	Rizal Mantovani, Jose Poernomo	1,498,635	ホラー
	アホックと呼ばれた男	A Man Called Ahok	Putrama Tuta	1,465,145	ドラマ
	サブリナ	Sabrina	Rocky Soraya	1,337,510	ホラー
	クンティラナック	Kuntilanak	Rizal Mantovani	1,236,000	ホラー
	悪魔に呼ばれる前に＊	Sebelum Iblis Menjemput	Timo Tjahjanto	1,122,187	ホラー
	エッフェル塔に恋したの２	Eiffel… I'm In Love 2	Rizal Mantovani	1,008,392	ドラマ
2019	ディラン1991	Dilan 1991	Fajar Bustomi, Pidi Baiq	5,253,411	ドラマ
	二本の蒼い線	Dua Garis Biru	Gina S. Noer	2,538,473	ドラマ／ヤングアダルト
	ダヌル３：スニャルリ	Danur 3: Sunyaruri	Awi Suryadi	2,411,036	ホラー
	不完全：仕事に愛に体重に	Imperfect: Karier, Cinta & Timbangan	Ernest Prakasa	2,373,615	ドラマ
	ハビビとアイヌン３	Habibie & Ainun 3	Hanung Bramantyo	2,185,697	ドラマ
	うちのおバカ社長２	My Stupid Boss 2	Upi	1,876,052	ドラマ／コメディ
	呪われた地の女	Perempuan Tanah Jahanam	Joko Anwar	1,795,068	ホラー
	クンティラナック２	Kuntilanak 2	Rizal Mantovani	1,726,570	ホラー
	マツの木の家族＊	Keluarga Cemara	Yandy Laurens	1,701,498	ドラマ
	グンダラ ライズ・オブ・ヒーロー＊	Gundala: Negeri Ini Butuh Patriot	Joko Anwar	1,699,433	アクション／ドラマ
	人間の大地	Bumi Manusia	Hanung Bramantyo	1,316,583	ドラマ
	引退ギャング	Preman Pensiun	Aris Nugraha	1,147,469	ドラマ／コメディ
	成金	Orang Kaya Baru	Ody C. Harahap	1,118,738	ドラマ／コメディ
	ゴースト・ライター	Ghost Writer	Bene Dion Rajagukguk	1,116,676	コメディ／ホラー
	ヨイス・ベン２	Yowis Ben 2	Fajar Nugros, Bayu Skak	1,031,856	ドラマ／コメディ

典拠：http://filmindonesia.or.id/より2020年２月に筆者作成。

※１ タイトル欄の＊印は日本公開作品（映画祭上映、劇場公開、DVD販売、インターネット配信のいずれか）を示す。邦題は日本公開時のものに従い、日本未公開のものは拙訳による。

※２ 観客動員数が100万人を超える映画がない年は記載していない。

観客動員数が100万人を超えたインドネシア映画（1999年〜2019年）

制作年	タイトル	原題	監督	観客動員数（人）	ジャンル
1999	シェリナの大冒険＊	Petualangan Sherina	Riri Riza	1,250,000	ミュージカル
2001	ジュランクン	Jelangkung	Rizal Mantovani	1,150,000	ホラー
2002	ビューティフル・デイズ＊	Ada Apa dengan Cinta?	Rudi Soedjarwo	2,700,000	ドラマ／ヤングアダルト
	ジュランクンの一突き	Tusuk Jelangkung	Dimas Djayadiningrat	1,300,000	ホラー
2003	エッフェル塔に恋したの	Eiffel I'm in Love	Nasri Cheppy	2,043,404	ヤングアダルト
2006	呪歌 JUKA*	Kuntilanak	Rizal Mantovani	1,200,000	ホラー
	ポチョン2	Pocong 2	Rudi Soedjarwo	1,200,000	ホラー
	ハート	Heart	Hanny R Saputra	1,100,000	ドラマ
2007	結婚する！	Get Married	Hanung Bramantyo	1,389,454	ドラマ／コメディ
	ナガボナール・パート2＊	Nagabonar Jadi 2	Deddy Mizwar	1,246,174	ドラマ／コメディ
	カサブランカ・トンネル	Terowongan Casablanca	Nanang Istiabudi	1,200,000	ホラー
	クイッキー・エクスプレス	Quickie Express	Dimas Djayadiningrat	1,000,000	コメディ
2008	虹の兵士たち＊	Laskar Pelangi	Riri Riza	4,631,841	ドラマ
	愛の章	Ayat-Ayat Cinta	Hanung Bramantyo	3,676,210	ドラマ
	娘のポチョンの紐	Tali Pocong Perawan	Arie Azis	1,082,081	ホラー
	XL：特大	XL: Extra Large	Monty Tiwa	1,032,160	コメディ
2009	愛が祝福されるとき	Ketika Cinta Bertasbih	Chaerul Umam	3,100,906	ドラマ
	愛が祝福されるとき2	Ketika Cinta Bertasbih 2	Chaerul Umam	2,003,121	ドラマ
	夢追いかけて＊	Sang Pemimpi	Riri Riza	1,742,242	ドラマ
	ぼくの胸のガルーダ	Garuda Di Dadaku	Ifa Isfansyah	1,371,131	ドラマ／子ども
	結婚する！2	Get Married 2	Hanung Bramantyo	1,199,161	ドラマ／コメディ
	花嫁の滝	Air Terjun Pengantin	Rizal Mantovani	1,060,058	ホラー
2010	光照らす人	Sang Pencerah	Hanung Bramantyo	1,206,000	ドラマ
2012	ハビビとアイヌン＊	Habibie dan Ainun	Faozan Rizal	4,488,889	ドラマ
	5 cm*	5 cm	Rizal Mantovani	2,392,210	冒険／ドラマ
	ザ・レイド＊	The Raid	Gareth H. Evans	1,844,817	アクション／サスペンス
2013	ファンデルヴェイク号の沈没	Tenggelamnya Kapal Van Der Wijck	Sunil Soraya	1,724,110	ドラマ
	欧州に輝く99の光	99 Cahaya di Langit Eropa	Guntur Soeharjanto	1,189,709	ドラマ
2014	コミック8	Comic 8	Anggy Umbara	1,624,067	アクション／コメディ
	ザ・レイド GOKUDO*	The Raid 2 : Berandal	Gareth H Evans	1,434,272	アクション／サスペンス
2015	望まれざる天国	Surga yang Tak Dirindukan	Kuntz Agus	1,523,570	ドラマ
	シングル	Single	Raditya Dika	1,318,238	ドラマ／コメディ
	コミック8：カジノ王1	Comic 8 : Casino Kings part 1	Anggy Umbara	1,211,820	アクション／コメディ
2016	ワルコップ DKI 再生	Warkop DKI Reborn: Jangrik Boss! Part 1	Anggy Umbara	6,858,616	コメディ
	再会の時〜ビューティフル・デイズ2*	Ada Apa Dengan Cinta 2	Riri Riza	3,665,509	ドラマ
	うちのおバカ社長＊	My Stupid Boss	Upi	3,052,657	ドラマ／コメディ
	HANGOUT ハングアウト＊	Hangout	Raditya Dika	2,452,657	コメディ／サスペンス
	ルディ・ハビビ	(rudy habibie)	Hanung Bramantyo	2,008,846	ドラマ
	ぼろぼろのコアラ	Koala Kumal	Raditya Dika	1,863,541	コメディ
	コミック8：カジノ王2	Comic 8 : Casino Kings Part 2	Anggy Umbara	1,835,644	アクション／コメディ
	隣のお店を確かめろ	Cek Toko Sebelah	Ernest Prakasa	1,601,908	コメディ
	3万8000フィート上空から愛してる	ILY from 38.000 Ft	Asep Kusdinar	1,574,576	ドラマ
	ロンドン・ラブストーリー	London Love Story	Asep Kusdinar	1,124,876	ドラマ
2017	悪魔の奴隷＊	Pengabdi Setan	Joko Anwar	4,206,103	ホラー
	ワルコップ DKI 再生2	Warkop DKI Reborn: Jangkrik Boss Part 2	Anggy Umbara	4,083,190	コメディ

あとがき

アチェ戦争の女性英雄を描いた『チュッ・ニャッ・ディン』という映画がある。スハルト政権末期の一九九〇年代半ば、大学院に進んでインドネシアに留学した私は、友人に紹介してもらって『チュッ・ニャッ・ディン』のエロス・ジャロット監督を訪問した。

エロスは映画の話のほかに『デティク』という雑誌の話をしてくれた。エロスが刊行した雑誌で、一九九四年に『テンポ』などとともにスハルト政権によって発禁処分を受けていた。私が訪問したのはエロスが『デティク』を再び刊行する準備を進めていた頃だった。

大学の寮に戻り、エロスにもらった『チュッ・ニャッ・ディン』のビデオを見て、芸術家であるとともに社会運動家でもあったエロスの思いについて考えた。『チュッ・ニャッ・ディン』は、オランダの植民地支配に屈せずに戦い続けたアチェの女性チュッ・ニャッ・ディンの物語である。映画からは、相手がどれほど強大でも屈せず、理不尽な支配や抑圧に抵抗し続けるという強いメッセージを受け止めた。しかし、映画はチュッ・ニャッ・ディンがオランダ兵に捕らえられて幕が閉じる。チュッ・ニャッ・ディンの植民地支配への抵抗は長く苦しく、そして結果として失敗に終わっている。それでは、この映画はいった何を描こうとしたのか。

映画に詩人が登場する。はじめチュッ・ニャッ・ディンに同行するが、途中で闘争から離脱する。このエピソードには、美しいものを形にする芸術を目指す気持ちと、自分たちの言葉や表現を抑圧する理不尽さには断固戦うという気持ちとの葛藤が託されていると感じられた。
エロスは音楽を中心とする芸術家で、『チュッ・ニャ・ディン』をつくり、『デティク』で政府を批判して刊行停止命令を受けた。映画で闘いから離脱する道を選んだ詩人の姿がエロスに重なって見えた。不正や圧政に憤る心と芸術や喜びを求める心は繋がっており、映画制作も雑誌刊行も同じ線上にある。しばらくしてエロスは政治家になった。政治活動を行うことも映画や雑誌をつくることと同じ線上にあるのだろうと思った。

調査のため長期滞在したアチェでも社会運動と芸術の結びつきを経験した。私がアチェに滞在した一九九〇年代末、アチェではインドネシアからの分離独立の賛否が熱く議論されており、私は関係者を訪ねては話を聞く日々を送っていた。

州都バンダアチェで学生として暮らしながら出身地のピディ県で住民支援を行っていたザキルという青年がいた。彼はしだいに独立派ゲリラとの連絡役を担うようになっていった。何度かインタビューするうちに親しくなり、あるときザキルは私をシアクアラの墓所に誘い、そこでギターの弾き語りを聞かせてくれた。

シアクアラは一六世紀のイスラム神学者で、バンダアチェの海辺に墓所がある。海を通じて世界とつながるアチェは、かつて東南アジアにおけるイスラム学の中心として栄えた。シアクアラの墓所はアチェの誇りある歴史を思い起こさせる場所である。

ところが、そこでザキルが弾き語りしたのはイワン・ファルスの歌だった。インドネシアの国民的なフォークソング歌手で、庶民の心に寄り添って社会を風刺する歌を多く作っている。インドネシアの最西端のバンダアチェで、インドネシアからの分離独立にシンパシーを感じて活動している青年が、首都ジャカルタに背を向けるかのように海を臨み、そうして歌ったのがイワン・ファルスであったことに、彼の心の奥底にはインドネシア的なるものが確固として存在し、彼が闘っている相手はインドネシアという国や政府ではなく、インドネシアという理想を壊そうとしている何者かなのだと感じて、私はやりきれない思いがした。

自分たちが置かれた政治状況のためにやむにやまれず政治運動に参加していく青年たちが、文化や芸術が伝える何かに心を掴まれ、そこに安らぎを得たり憧れたりしていた。私はその後も彼らの演説を聞き、声明を読み、インタビューへの答えを集めたが、それだけでは政治運動を担う人々の心持ちはわからないという思いが強まっていった。誰も好んで闘争や抵抗をしているわけではない。社会に不正や抑圧がなかったならば、彼らは政治活動に参加することなく芸術や文化をゆっくり楽しんでいたはずだ。

このような体験を重ねる中で、インドネシアの人たちが映画をつくり、それを見て、感想を語り合いながら共有することの意味を考えるようになった。映画にはどのような思いが託されているのか。映画は社会のどのような課題に対応しようとして、映画を通じて社会にどのようなメッセージを発しようとしているのか。これらの問いへの答えを探しながら、インドネシアの人々がどのような状況に置かれており、これからどこに向かおうとしているのかを考えるようになった。

このような問題関心を踏まえて、本書では、インドネシア映画の個別の作品の内容を紹介するとともに、全体で「インドネシア映画」という一つの物語として語ることを試みた。そのため、本書では、厳選した少数の作品を深く読み解くのではなく、国際映画祭に出品されるようなアート性の高い作品も、もっぱらインドネシア国内で上映されて外国の観客には存在も知られていないような作品も、幅広く取り上げている。インドネシアではジャンル横断型の作品も多いため、ジャンルに縛られずに本書の主題に照らして作品を取り上げた。また、インドネシアの映画制作が首都ジャカルタに偏重する傾向があることを踏まえて、ジャカルタやジャワではない地方の映画も取り上げるようにも心掛けた。ただし、百科事典にするのではなく、社会との関わりを踏まえたインドネシア映画の見取り図を示すことを目的としたため、本書で取り上げなかった作品もある。読者のみなさんには、本書で取り上げていない作品を見たら、その作品は本書が示す見取り図のどこに位置付けられるかを考えていただければと思う。

本書を執筆しながらインドネシア留学中のことを思い出し、メディアの技術が発達したことで情報収集の方法が大きく変わったことを改めて意識した。留学中は毎日のように文書館に通って独立戦争期以降の新聞や雑誌を紙媒体で読み、その経験が映画を社会に位置付ける上で役立ったが、今では新聞や雑誌をオンラインで読むことができるようになっている。

映像資料の研究環境は格段によくなった。初めの頃は監督に会いに行ってＶＨＳビデオにダビングしてもらうしかなかったが、ビデオＣＤやＤＶＤが販売されるようになり、現在ではオンライン配信も利用できるようになった。

日本でも、映画祭や上映会でインドネシア映画が上映される機会が増え、オンライン配信でインドネシア映画を見る機会も増えている。それらの作品を単体で楽しむことに加えて、そのような作品を作り出したインドネシアはどのような社会で、どのような課題にどのように取り組もうとしているのかを考える読み解きの楽しみもある。本書をガイド役として、インドネシアの映画と社会のさらなる探究に向かっていただければと思う。

本書ができるまでに多くの方に助けていただいた。インドネシア映画の視聴、制作者や観客とのディスカッション、資料の収集にあたっては、インドネシアのシネマテーク、キネフォーラム、キノサウルスに便宜をはかっていただいた。

二〇〇四年にアチェを襲ったスマトラ沖地震・津波の復興をまとめた本を出版した後、混成アジア映画研究会に声をかけていただき、映画から社会を捉える研究に本格的に取り組むようになった。研究会のメンバーには本書の原稿を読んで不明な点を指摘していただいた。大阪アジアン映画祭、国際交流基金アジアセンター、日本インドネシア協会のイベントではインドネシア映画を紹介する機会を与えていただき、インドネシア映画に対する関心の高さを感じて本書の執筆の励みになった。

本研究はＪＳＰＳ科研費２０Ｈ０１２０１（東南アジア映画の物語と表現を読み解く――地域研究と映画史研究の連携）の助成を受けた。

二〇二一年一一月

西芳実

福島真人(2002)『ジャワの宗教と社会――スハルト体制下インドネシアの民族誌的メモワール』ひつじ書房。

プラムディヤ・アナンタ・トゥール[押川典昭訳](1986)『人間の大地』(上・下)めこん。

前田俊子(2006)『母系社会のジェンダー――インドネシア　ロハナ・クドゥスとその時代』ドメス出版。

増原綾子(2010)『スハルト体制のインドネシア――個人支配の変容と一九九八年政変』東京大学出版会。

松野明久(1995)「インドネシア映画の物語世界」松野明久編『インドネシアのポピュラー・カルチャー』めこん、pp. 83-103。

松野明久(2002)『東ティモール独立史』早稲田大学出版部。

松村智雄(2017)『インドネシア国家と西カリマンタン華人――「辺境」からのナショナリズム形成』慶應義塾大学出版会。

見市建(2014)『新興大国インドネシアの宗教市場と政治』NTT出版。

ミスバ・ユサ・ビラン(1991)「インドネシア映画の歩み」佐藤忠男・松岡環ほか『映画で知るアジアのこころ』アジア書房、pp.119-167。

ミスバッハ・ユサ・ビラン(1982)「インドネシア映画小史」佐藤忠男編『映画が王様の国』話の特集、pp. 171-210。

モリス, エロール(2014)『ゴンザーゴ殺し』株式会社バップ。

森山幹弘・塩原朝子編著(2009)『多言語社会インドネシア――変わりゆく国語、地方語、外国語の諸相』めこん。

山口裕子・金子正徳・津田浩司編著(2017)『「国家英雄」が映すインドネシア』木犀社。

山田満編著(2006)『東ティモールを知るための50章』明石書店。

ローサ, ジョン、アユ・ラティ(2009)「日本語版のための序章」ローサ, ジョンほか編[藤目ゆき監修]『インドネシア九・三〇事件と民衆の記憶』明石書店、pp. 15-69。

津田浩司(2011)『「華人性」の民族誌——体制転換期インドネシアの地方都市のフィールドから』世界思想社。

土屋健治(1991)『カルティニの風景』めこん。

ディー・レスタリ［福武慎太郎監訳］(2019)『珈琲の哲学——ディー・レスタリ短編集、1995-2005』上智大学出版。

ディー・レスタリ［福武慎太郎監訳］(2021)『スーパーノヴァ　エピソード1——騎士と姫と流星』上智大学出版。

富永泰代(2019)『小さな学校——カルティニによるオランダ語書簡集研究』京都大学学術出版会。

永積昭(1982)『インドネシア民族意識の形成』東京大学出版会。

永渕康之(2007)『バリ・宗教・国家——ヒンドゥーの制度化をたどる』青土社。

ナタリー・Z・デーヴィス(1993)『帰ってきたマルタン・ゲール——16世紀フランスのにせ亭主騒動』平凡社。

西芳実(2013)「世界にさらされる小さな英雄たち」『地域研究』13(2)、pp. 304-312。

西芳実(2013)「信仰と共生——バリ島爆弾テロ事件以降のインドネシアの自画像」『地域研究』13(2)、pp. 176-200。

西芳実(2014)『災害復興で内戦を乗り越える——スマトラ島沖地震・津波とアチェ紛争』京都大学学術出版会。

西芳実(2020)「映像は国民的悲劇をどう語り継ぐのか——インドネシア映画における9月30日事件」山本博之編著『伝承と国民の物語——混成アジア映画研究2019』京都大学東南アジア地域研究研究所、pp. 34-44。

西芳実(2021)「インドネシアのホラー映画に見る恐怖の起源——『ポチョン』と『スンデルボロンの伝説』から」山本博之編著『越境する災い——混成アジア映画研究2020』京都大学東南アジア地域研究研究所、pp. 30-41。

西芳実(2021)「ポスト・スハルト体制期のインドネシア映画における家族主義」『インターカルチュラル』19、pp. 119-133。

野中葉(2015)『インドネシアのムスリムファッション——なぜイスラームの女性たちのヴェールはカラフルになったのか』福村出版。

服部美奈(2001)『インドネシアの近代女子教育——イスラーム改革運動のなかの女性』勁草書房。

服部美奈(2015)『ムスリマを育てる——インドネシアの女子教育』山川出版社。

日夏もえ子(2011)『越境の映画監督　日夏英太郎』文芸社。

福岡まどか(2016)『ジャワの芸能ワヤン——その物語世界』スタイルノート。

福岡まどか・福岡正太編著(2018)『東南アジアのポピュラーカルチャー——アイデンティティ・国家・グローバル化』スタイルノート。

大形里美（2019）「インドネシアにおける結婚――一夫多妻婚、秘密婚、異教徒間の婚姻」長澤栄治監修『結婚と離婚』明石書店、pp. 176-198。

凱風社編（1992）『サザン・ウィンズ　アジア映画の熱い風』凱風社。

亀山恵理子（2016）「東ティモール独立後に制作された作品」山本博之編著『たたかうヒロイン――混成アジア映画研究2015』京都大学東南アジア地域研究研究所、pp. 107-110。

亀山恵理子（2020）「紛争はいかに語り継がれるのか――映画『ベアトリスの戦争』に描かれた女たちの経験」山本博之編著『伝承と国民の物語――混成アジア映画研究2019』京都大学東南アジア地域研究研究所、pp. 45-49。

北村由美（2014）『インドネシア　創られゆく華人文化――民主化以降の表象をめぐって』明石書店。

倉沢愛子（1989）「日本軍政下のジャワにおける映画工作」『東南アジア　歴史と文化』18、pp. 41-69。

倉沢愛子（2014）『9.30 世界を震撼させた日――インドネシア政変の真相と波紋』岩波書店。

倉沢愛子（2020）『インドネシア大虐殺――二つのクーデターと史上最大級の惨劇』中央公論新社。

倉沢愛子（2020）『楽園の島と忘れられたジェノサイド――バリに眠る狂気の記憶をめぐって』千倉書房。

小池誠（2005）『東インドネシアの家社会――スンバの親族と儀礼』晃洋書房。

小池誠（2020）「映画とインスタグラムが誘うスンバ――インドネシア東部における観光の発展」『桃山学院大学総合研究所紀要』46(2)、pp. 61-80。

小林寧子（2008）『インドネシア　展開するイスラーム』名古屋大学出版会。

小林寧子（2018）「国家・英雄・ジェンダー：カルティニ像の変遷」小泉順子編『歴史の生成――叙述と沈黙のヒストリオグラフィ』京都大学学術出版会、pp. 23-73。

貞好康志（2016）『華人のインドネシア現代史――はるかな国民統合への道』木犀社。

白石さや（2005）「国民統合と家族イメージ――国民文化としての家族の構築」田中真砂子ほか編著『国民国家と家族・個人』早稲田大学出版部、pp. 203-218。

竹下愛（2000）「ポピュラー小説『ルプス』シリーズを読む――インドネシアのベストセラー小説にみる「開発の落とし子」たちの心象」『東南アジア　歴史と文化』29、pp. 27-53。

竹下愛（2018）「「ラヤール・タンチャップ」の現在――変容するインドネシア野外映画上映の「場」」福岡まどか・福岡正太編著『東南アジアのポピュラーカルチャー――アイデンティティ・国家・グローバル化』スタイルノート、pp. 412-439。

田口理恵（2002）『ものづくりの人類学――インドネシア・スンバ島の布織る村の生活誌』風響社。

田子内進（2012）『インドネシアのポピュラー音楽　ダンドゥットの歴史――模倣から創造へ』福村出版。

Nugroho Notosusanto & Ismail Saleh. (1968) *The Coup Attempt of the September 30 Movement in Indonesia*. Pembimbing Masa.

Rahabi Mandra. (2015) *Night Bus: Conflict Doesn't Choose Its Victims*. (5th Draft). [screenplay.]

Rano Karno. (2016) *Rano Karno: Si Doel*. Gramedia Pustaka Utama.

Rifnu Wikana, Teuku. (2012) "Selamat." *Lentera Timur*.

Rosihan Anwar. (2014) *Sejarah Kecil Petite Histoire Indonesia*. (Jilid 2). Kompas Gramedia.

Sen, Krishna. (ed.). (1988) *Histories and Stories: Cinema in New Order Indonesia*. Monash University.

Sen, Krishna. (1994) *Indonesian Cinema: Framing the New Order*. Zed Books.

Sen, Krishna & David T. Hill. (2007) *Media, Culture and Politics in Indonesia*. Equinox Publishing.

Shiraishi S. Saya. (1997) *Young Heroes: The Indonesian Family in Politics*. Cornell University Press.

Tere Liye. (2005) *Hafalan Shalat Delisa*. Republika.

Wilger, Maren. (2016) " 'Sundelbolong' as a Mode of Femininity: Analysis of Popular Ghost Movies in Indonesia." Braunlein, Peter J. & Andrea Lause. (eds.) *Ghost Movies in Southeast Asia and Beyond: Narratives, Cultural Contexts, Audiences*. Brill. pp.101-120.

日本語文献

相沢伸広（2010）『華人と国家――インドネシアの「チナ問題」』書籍工房早山。

青木恵理子（2005）『生を織りなすポエティクス――インドネシア・フローレス島における詩的語りの人類学』世界思想社。

アフマッド・トハリ［山根しのぶ訳］（1986）『パルック村の踊り子』井村文化事業社。

アンダーソン，ベネディクト［中島成久訳］（1995）『言葉と権力――インドネシアの政治文化探求』日本エディタースクール出版部。

アンドレア・ヒラタ［加藤ひろあき・福武慎太郎訳］（2013）『虹の少年たち』サンマーク出版。

石坂健治編（1993）『インドネシア映画祭』国際交流基金アジア文化センター。

内海愛子・村井吉敬（1987）『シネアスト許泳の「昭和」――植民地下で映画づくりに奔走した一朝鮮人の軌跡』凱風社。

大形里美（2019）「インドネシアにおけるLGBT運動を取り巻く状況――LGBT運動の展開と近年の対立の構図」『九州国際大学国際・経済論集』3、pp.47-78。

参考・参照文献一覧

英語・インドネシア語文献

Abidah El Khalieqy. (2001) *Perempuan Berkalung Sorban*. Yayasan Kesejahteraan Fatayat.

Aishworo Ang. (2011) *MARS: Betapa Berartinya Sosok Ibu dalam Hidupku*. Safirah.

Aman Dt. Madjoindo. (2001) *Si Dul Anak Jakarta*. Balai Pustaka.

Ariel Heryanto. (2014) *Identity and Pleasure: The Politics of Indonesian Screen Culture*. NUS Press.

Arif Zulkifli, *et al*. (2017) *Wiji Thukul: Teka-Teki Orang Hilang*. Kepustakaan Populer Gramedia.

Arswendo Atmowiloto. (2018) *Keluarga Cemara 1*. Gramedia Pustaka Utama.

Arswendo Atmowiloto. (2018) *Keluarga Cemara 2*. Gramedia Pustaka Utama.

Asma Nadia. (2007) *Istana Kedua*. Gramedia Pustaka Utama.

Asma Nadia. (2013) *Assalamualaikum, Beijing!*. Noura Publishing.

Asma Nadia. (2014) *Surga Yang Tak Dirindukan*. AsmaNadia Publishing House.

Asma Nadia. (2015) *Jilbab Traveler: Love Sparks in Korea*. AsmaNadia Publishing House.

Clark, Marshall. (2010) *Maskulinitas: Culture, Gender and Politics in Indonesia*. Monash University Press.

Dee Lestari. (2006) "Filosofi Kopi [1996]." *Filosofi Kopi: Kumpulan Cerita dan Prosa Satu Dekade*. Truedee Books & Gagas Media. pp. 1-30.

Habiburrahman El Shirazy. (2004) *Ayat Ayat Cinta*. Penerbit Republika.

Habiburrahman El Shirazy. (2007) *Ketika Cinta Bertasbih*. Penerbit Republika.

Hanum Salsabiela Rais & Rangga Almahendra. (2011) *99 Cahaya di Langit Eropa*. Gramedia Pustaka Utama.

Ika Natassa. (2015) *Critical Eleven*. Gramedia Pustaka Utama.

Izharuddin, Alicia. (2017) *Gender and Islam in Indonesian Cinema*. Palgrave Macmillan.

Kristanto, J.B. (2007) *Katalog Film Indonesia 1926-2007*. Nalar.

Loven, Klarijin. (2008) *Watching Si Doel: Television, Language, and Cultural Identity in Contemporary Indonesia*. KITLV Press.

Misbah Yusa Biran. (2009) *Sejarah Film 1900-1950*. Komunitas Bambu.

M. Aan Mansyur. (2016) *Tidak Ada New York Hari Ini*. Gramedia Pustaka Utama.

	原題	邦題（本文表記）
T	The Jungle Princess	『ジャングルの女王』
	The Last Barongsai	『最後の獅子舞』
	The Man from the Sea	『海を駆ける』
	The Look of Silence	『ルック・オブ・サイレンス』
	The Window	『窓』
	Three Smart Girls	『天使の花園』
	Three Smart Girls Grow Up	『庭の千草』
	Through Songs, We Share Stories	『私たちは歌で語る』
	Tiga Dara	『三人姉妹』
	Tjoet Nja' Dhien	『チュッ・ニャッ・ディン』
	Tonari Gumi	『隣組』
	Tuti Koto: A Brave Woman	『トゥティ・コト――勇敢な女性』
	Tutur Tinular: Pedang Naga Puspa	『トゥトゥル・ティヌラル：竜華剣』
U	Urban Legend Sundelbolong	『スンデルボロンの都市伝説』
	Usia 18	『18歳』
W	Wadjah Seorang Laki-Laki	『ある男の顔』
	Warkop DKI Reborn: Jangkrik Boss! Part 1	『ワルコップ DKI 再生』
	Warkop DKI Reborn: Jangkrik Boss! Part 2	『ワルコップ DKI 再生２』
Y	Yang Tidak Dibicarakan Ketika Membicarakan Cinta	『愛を語るときに、語らないこと』
Z	Ziarah	『他者の言葉の物語』

	3 Doa 3 Cinta	『三つの祈り 三つの愛』
	30 Hari Mencari Cinta	『30日で愛を探す』
	6,9 Detik	『6.9秒』
	99 Cahaya di Langit Eropa	『欧州に輝く九九の光』
	99 Cahaya di Langit Eropa 2	『欧州に輝く九九の光２』

	原題	邦題（本文表記）
P	Perempuan Tanah Jahanam	『呪われた地の女』
	Petualangan Sherina	『シェリナの大冒険』
	Pintu Terlarang	『禁じられた扉』
	Posesif	『ひとりじめ』
	Postcards from the Zoo	『動物園からのポストカード』
	Puisi Tak Terkuburkan	『ある詩人』
	Putri Seorang Jendral	『将軍の娘』
R	R. A. Kartini	『R. A. カルティニ』
	Raja Dangdut	『ダンドゥット王』
	Rodrigo de Villa	『ロドリゴ・デ・フィラ』
	Rumah Merah Putih	『紅白の家』
S	Sagarmatha	『サガルマータ』
	Sang Pemberani	『武士道スピリット』
	Sang Pemimpi	『夢追いかけて』
	Sang Penari	『聖なる踊り子』
	Sang Pencerah	『光照らす人』
	Semesta Mendukung	『宇宙が支えてくれる』
	Senja di Pulau Simping	『シンピン島の黄昏』
	Seperti Dendam, Rindu Harus Dibayar Tuntas	『復讐は神にまかせて』
	Serangan Fajar	『夜明けの攻撃』
	Setan Jawa	『サタン・ジャワ』
	Si Doel Anak Betawi	『ブタウィの子ドゥル』
	Si Doel Anak Gedongan	『お屋敷住まいのドゥル』
	Si Doel Anak Modern	『モダンの子ドゥル』
	Si Doel Anak Pinggiran	『崖っぷちのドゥル』
	Si Doel Anak Sekolahan	『学校出のドゥル』
	Si Doel the Movie	『ドゥル』
	Si Doel the Movie 2	『ドゥル２』
	Si Mamad	『ママッド氏』
	Sombo dan Lando	『ソンボとランド』
	Sommersby	『ジャック・サマースビー』
	Sundel Bolong	『スンデルボロン』
	Supernova: Ksatria, Putri, & Bintang Jatuh	『超新星』
	Surat Cinta untuk Kartini	『カルティニへのラブレター』
	Surat dari Praha	『プラハからの手紙』
	Surat untuk Bidadari	『天使への手紙』
	Surga yang Tak Dirindukan	『望まれざる天国』
	Surga yang Tak Dirindukan 2	『望まれざる天国２』
	Suzzanna: Bernapas dalam Kubur	『スザンナ――墓の中で息をする』
T	Tanah Air Beta	『私の祖国』
	Tanah Mama	『ママの土』
	Terang Boelan	『月の光』
	Test Pack: You Are My Baby	『妊娠検査』
	The Act of Killing	『アクト・オブ・キリング』

	原題	邦題（本文表記）
L	Le Retour de Martin Guerre	『マルタン・ゲールの帰還』
	Legenda Sundel Bolong	『スンデルボロンの伝説』
	Lentera Merah (Kebenaran Harus Terungkap)	『紅いランタン』
	Lewat Djam Malam	『外出禁止令のあとで』
	Lewat Tengah Malam	『真夜中を過ぎて』
	Lily van Java	『ジャワのユリ』
	Lima	『5』
	Loetoeng Kasaroeng	『ルトゥン・カサルン』
	Long Road to Heaven (Makna di Balik Tragedi)	『楽園への長き道』
	Lovely Man	『ラブリー・マン』
M	Madame X	『マダムＸ』
	Marlina Si Pembunuh dalam Empat Babak	『マルリナの明日』
	Mars: Mimpi Ananda Raih Semesta	『ＭＡＲＳ――我が子の夢は宇宙を手にする』
	Mata Tertutup	『目隠し』
	Memoria	『メモリア』
	Mengaku Rasul: Sesat	『我は使徒』
	Milea: Suara dari Dilan	『ミレア：ディランの声』
	Minggu Pagi di Victoria Park	『日曜日にビクトリア公園で』
	Modus Anomali	『偏差モード』
	Moonrise over Egypt	『エジプトに上る月』
	My Stupid Boss	『うちのおバカ社長』
	My Stupid Boss 2	『うちのおバカ社長２』
N	Nanti Kita Cerita tentang Hari Ini	『いつか今日の日のことを話そう』
	Negeri Tanpa Telinga	『耳のない国』
	Night Bus	『バスは夜を走る』
	Nokas	『ノカス』
	November 1828	『1828年11月』
	Nyai	『ニャイ』
O	Opera Jakarta	『オペラ・ジャカルタ』
	Opera Jawa	『オペラ・ジャワ』
	Operasi X	『Ｘ作戦』
P	Pacar Ketinggalan Kereta	『汽車に乗り遅れた恋人』
	Pai Kau	『牌九』
	Paranoia	『パラノイア』
	Pendekar Tongkat Emas	『ゴールデン・アームズ　導かれし者』（『黄金杖秘聞』）
	Pengabdi Setan	『悪魔の奴隷』
	Pengkhianatan G 30 S/PKI	『インドネシア共産党の九月三〇日運動の裏切り』
	Perahu Kertas	『紙の舟』
	Perahu Kertas 2	『紙の舟２』
	Perburuan	『追跡』
	Perempuan Berkalung Sorban	『ターバンを巻いた女』

	原題	邦題（本文表記）
F	Fiksi.	『フィクション。』
	Filosofi Kopi the Movie	『珈琲哲學～恋と人生の味わい方』（『珈琲哲学』）
	Filosofi Kopi the Movie 2 : Ben & Jody	『ベンとジョディ～珈琲哲学第二章～』
	Foto, Kotak dan Jendela	『写真、箱、窓』
	Foxtrot Six	『フォックストロット・シックス』
	Fronteira	『フロンテイラ』
G	Garasi	『ガレージ』
	Get Married	『結婚する！』
	Gie	『ＧＩＥ』
	Golden Egg ／金蛋	『金の卵』
	Gundala: Negeri Ini Butuh Patriot	『グンダラ　ライズ・オブ・ヒーロー』
H	Habibie dan Ainun	『ハビビとアイヌン』
	Haflan Shalat Delisa	『デリサのお祈り』
	Hantu Ambulance	『救急車のお化け』
	Harta Karun	『隠された財産』
	Hijab	『ヒジャーブ』
	Hiruk-Pikuk Si Al-Kisah	『サイエンス・オブ・フィクションズ』
	Humba Dreams	『フンバ・ドリーム』
I	Ibunda	『母』
	Ini Kisah Tiga Dara	『三人姉妹（2016年版）』
	Intan Berduri	『棘のある宝石』
	Istilahatlah Kata-Kata	『ソロの孤独』
J	Jaka Sembung Sang Penakluk	『ジャカ・スンブン』
	Jangan Panggil Aku Cina	『私をチナと呼ばないで』
	Janji Joni	『ジョニの約束』
	Janur Kuning	『黄色いヤシの葉』
	Jilbab Traveler: Love Sparks in Korea	『ジルバブ・トラベラー』
	Jingga	『ジンガ』
K	Kabut Sutra Ungu	『紫の絹の霧』
	Kala	『時』
	Kamulah Satu-satunya	『君こそ唯一の人』
	Kartini	『カルティニ』
	Keluarga Cemara	『チュマラの家族』
	Keluarga Cemara: Kembali ke Asal	『チュマラの家族――元の場所に戻る』
	Kembali Lagi	『戻ってきたね』
	Ketika Cinta Bertasbih	『愛が祝福されるとき』
	Ketika Cinta Bertasbih 2	『愛が祝福されるとき２』
	Ketika Hari Kelahiran J.M.M. Tenno-Heika di Tanah Djawa	『ジャワの天長節』
	Keumala	『クマラ』
	Khalifah	『カリファーの決断』
	Kucumbu Tubuh Indahku	『メモリーズ・オブ・マイ・ボディ』
	Kuldesak	『クルドサック』
L	Langit Kembali Biru	『青が空に戻る』
	Laskar Pelangi	『虹の兵士たち』

本書で取り上げた映像作品一覧（原題アルファベット順）

	原題	邦題（本文表記）
A	A Guerra da Beatriz	『ベアトリスの戦争』
	Ada Apa Dengan Cinta 2	『再会の時～ビューティフル・デイズ2』
	Ada Apa dengan Cinta?	『ビューティフル・デイズ』
	Aisyah: Biarkan Kami Bersaudara	『アイシャ――私たちを姉妹に』
	Akhir Kisah Cinta Si Doel	『ドゥル――愛の物語の結末』
	Aku Ingin Menciummu Sekali Saja	『君に一度だけ口づけしたい』
	Ananda	『子』
	Antara Bumi dan Langit	『天と地の間に』
	Arisan!	『アリサン！』
	Assalamualaikum, Beijing	『アサラムアライクム北京』
	Atambua 39 Derajat Celcius	『アタンブア39℃』
	Atheis	『無神論者』
	Ayat-Ayat Cinta	『愛の章』
B	Babi Buta Yang Ingin Terbang	『空を飛びたい盲目のブタ』
	Beranak dalam Kubur	『墓場での出産』
	Berbagi Suami	『分かち合う愛』
	Berdjoang (Hope of the South)	『南の願望』
	Bernafas dalam Lumpur	『泥の中で息をする』
	Betina	『娘』
	Bid'ah Cinta	『愛の逸脱』
	Brownies	『ブラウニーズ』
	Budak Nafsu	『欲望の奴隷』
	Bulan Terbelah di Langit Amerika	『アメリカの空に浮かぶ割れた月』
C	Ca-Bau-Kan	『茶房館』
	Cahaya dari Timur: Beta Maluku	『モルッカの光』
	Catatan Akhir Sekolah	『卒業日記』
	Catatan Si Boy	『ボイの日記』
	Cinta dalam Sepotong Roti	『一切れのパンの愛』
	Cinta Pertama	『初恋』
	Critical Eleven	『魔の11分』
D	Dalam Mihrab Cinta	『ミフラブのなかの愛』
	Darah dan Doa (The Long March)	『血と祈り』
	Daun di atas Bantal	『枕の上の葉』
	Dendam Si Anak Haram	『私生児の復讐』
	Denias, Senandung di Atas Awan	『デニアス、雲の上の歌声』
	Di Balik Kelambu	『蚊帳の中』
	Di Bawah Lindungan Ka'bah	『カアバ神殿の守護のもとで』
	Dilan 1990	『ディラン1990』
	Dilan 1991	『ディラン1991』
	Djakarta 1966	『ジャカルター九六六』
E	Enam Djam di Djogdja	『ジョグジャカルタの六時間』
	Eumpang Breuh	『ウンパン・ブルエ』

『ロドリゴ・デ・フィラ』	Rodrigo de Villa	Rempo Urip, Gregorio Fernandez	1952	Persari, LVN Studio

わ／ワ

邦題（本文表記）	原題	監督	制作年	制作会社
『分かち合う愛』	Berbagi Suami	Nia Dinata	2006	Kalyana Shira Films, Investasi Film Indonesia, Cinekom, Wall Works
『私たちは歌で語る』短	Through Songs, We Share Stories	Dony Putro Herwanto	2018	
『私の祖国』	Tanah Air Beta	Ari Sihasale	2010	Alenia Pictures
『私をチナと呼ばないで』	Jangan Panggil Aku Cina	Doddy Djanas	2002	Prima Entertainment
『ワルコップDKI再生』	Warkop DKI Reborn: Jangkrik Boss! Part 1	Anggy Umbara	2016	Falcon Pictures
『ワルコップDKI再生２』	Warkop DKI Reborn: Jangkrik Boss! Part 2	Anggy Umbara	2017	Falcon Pictures
『我は使徒』	Mengaku Rasul: Sesat	Helfi C.H. Kardit	2008	Starvision Plus

数字

邦題（本文表記）	原題	監督	制作年	制作会社
『18歳』	Usia 18	Teguh Karya	1980	Garuda Film, Interstudio, Dharma Putra Jaya Film
『1828年11月』	November 1828	Teguh Karya	1978	Interstudio, Gemini Satria Film, Garuda Film
『30日で愛を探す』	30 Hari Mencari Cinta	Upi	2003	Rexinema Multimedia Pratama
『5』	Lima	Adriyanto Dewo, Harvan Agustriansyah, Lola Amaria, Tika Pramesti, Shalahuddin Siregar	2018	Lola Amaria Production
『6.9秒』	6,9 Detik	Lola Amaria	2019	Lola Amaria Production, Federasi Panjat Tebing Indonesia

A～Z

邦題（本文表記）	原題	監督	制作年	制作会社
『GIE』	Gie	Riri Riza	2004	SinemArt Pictures, Miles Productions
『MARS――我が子の夢は宇宙を手にする』	Mars: Mimpi Ananda Raih Semesta	Sahrul Gibran	2016	Multi Buana Kreasindo, Leica Production, Harry Global Production, Silent D Picture
『R. A. カルティニ』	R. A. Kartini	Sjuman Djaya	1982	Nusantara Film
『X作戦』	Operasi X	Misbach Jusa Biran	1968	

『三つの祈り、三つの愛』	3 Doa 3 Cinta	Nurman Hakim	2008	Triximages, Investasi Film Indonesia
『南の願望』	Berdjoang (Hope of the South)		1944	日本映画社ジャカルタ製作所
『ミフラブのなかの愛』	Dalam Mihrab Cinta	Habiburrahman El Shirazy	2010	SinemArt Pictures
『耳のない国』	Negeri Tanpa Telinga	Lola Amaria	2014	Lola Amaria Production
『ミレア：ディランの声』	Milea: Suara dari Dilan	Fajar Bustomi, Pidi Baiq	2020	Max Pictures
『無神論者』	Atheis	Sjuman Djaya	1974	Matari Film
『娘』	Betina	Lola Amaria	2006	9 Palm Pictures, Tits Film Workshop
『紫の絹の霧』	Kabut Sutra Ungu	Sjuman Djaya	1979	Matari Artis Jaya Film
『ムルデカ 17805』外	ムルデカ 17805	藤由紀夫	2001	東京映像制作
『目隠し』	Mata Tertutup	Garin Nugroho	2011	SET Film, Maarif Production
『メモリーズ・オブ・マイ・ボディ』	Kucumbu Tubuh Indahku	Garin Nugroho	2018	fourcolors films, Go-Studio
『メモリア』	Memoria	Kamila Andini	2016	Hivos Indonesia, Treewater Productions
『モダンの子ドゥル』	Si Doel Anak Modern	Sjuman Djaya	1976	Matari Artis Film
『戻ってきたね』	Kembali Lagi	Sandy Suwardi Hassan	1993	Sandy Film
『モルッカの光』	Cahaya dari Timur: Beta Maluku	Angga Dwimas Sasongko	2014	Visinema Pictures, Ancora Foundation, Silo, Pemerintah Kota Ambon

や

邦題（本文表記）	原題	監督	制作年	制作会社
『夢追いかけて』	Sang Pemimpi	Riri Riza	2009	Miles Films, Mizan Productions
『夜明けの攻撃』	Serangan Fajar	Arifin C. Noer	1981	PPFN
『欲望の奴隷』	Budak Nafsu	Sjuman Djaya	1983	Soraya Intercine Film

ら／ラ

邦題（本文表記）	原題	監督	制作年	制作会社
『楽園への長き道』	Long Road to Heaven (Makna di Balik Tragedi)	Enison Sinaro	2006	Kalyana Shira Films, Teleproduction International
『ラブリー・マン』	Lovely Man	Teddy Soeriaatmadja	2011	Investasi Film Indonesia, Karuna Pictures
『ルック・オブ・サイレンス』	Senyap (The Look of Silence)	Joshua Oppenheimer	2014	Anonymous, Britdoc Foundation, Final Cut for Real
『ルトゥン・カサルン』	Loetoeng Kasaroeng	H. Heuveldorp	1926	Java Film

『フォックストロット・シックス』	Foxtrot Six	Randy Korompis	2019	Rapid Eye Pictures, East West Synergy, MD Pictures
『復讐は神にまかせて』	Seperti Dendam, Rindu Harus Dibayar Tuntas	Edwin	2021	Palari Films, Phoenix Films, E&W Films, Match Factory Productions, Bombero International, Kaninga Pictures
『武士道スピリット』	Sang Pemberani	Agung Dewa, Alyandra, Ryuken Raissa	2014	Eclipse Films, B Edutainment
『ブタウィの子ドゥル』	Si Doel Anak Betawi	Sjuman Djaya	1973	Matari Film
『ブラウニーズ』	Brownies	Hanung Bramantyo	2004	SinemArt Pictures
『プラハからの手紙』	Surat dari Praha	Angga Dwimas Sasongko	2016	Visinema Pictures, Tinggikan Production, 13 Entertainment
『フロンテイラ』短	Fronteira	Emil Heradi	2009	Fakultas Film dan Televisi IKJ
『フンバ・ドリーム』	Humba Dreams	Riri Riza	2019	Miles Films
『ベアトリスの戦争』外	A Guerra da Beatriz	Luigi Acquisto, Bety Reis	2013	Dili Film Works, FairTrade Films
『偏差モード』	Modus Anomali	Joko Anwar	2012	Lifelike Pictures
『ベンとジョディ～珈琲哲学第二章～』	Filosofi Kopi the Movie 2: Ben & Jody	Angga Dwimas Sasongko	2017	Visinema Pictures, 13 Entertainment
『ボイの日記』	Catatan Si Boy	Nasri Cheppy	1987	Bola Dunia Film

ま／マ

邦題（本文表記）	原題	監督	制作年	制作会社
『枕の上の葉』	Daun di atas Bantal	Garin Nugroho	1997	Christine Hakim Film
『マダムX』	Madame X	Lucky Kuswandi	2010	Kalyana Shira Foundation
『窓』	The Window	Nurman Hakim	2016	Triximages, Dash Pictures
『魔の11分』	Critical Eleven	Robert Ronny, Monty Tiwa	2017	Starvision, Legacy Pictures
『ママッド氏』	Si Mamad	Sjuman Djaya	1973	Matari Film
『ママの土』	Tanah Mama	Asrida Elisabeth	2015	Kalyana Shira Foundation
『真夜中を過ぎて』	Lewat Tengah Malam	Sjuman Djaya	1971	Allied Film of Indonesia
『マルタン・ゲールの帰還』外	Le Retour de Martin Guerre	Daniel Vigne	1982	S.F.P.C., Production Marcel Dassault, France 3 (FR 3)
『マルリナの明日』	Marlina Si Pembunuh dalam Empat Babak	Mouly Surya	2017	Cinesurya, Shasha & Co Production, Cinesurya Pictures, Kaninga Pictures, Astro Shaw, HOOQ, Purin Pictures

『トラン・ブーラン 月の光』外	トラン・ブーラン 月の光	松林宗恵	1954	新東宝
『泥の中で息をする』	Bernafas dalam Lumpur	Turino Djunaidy	1970	Sarinande Films

な／ナ

邦題（本文表記）	原題	監督	制作年	制作会社
『虹の兵士たち』	Laskar Pelangi	Riri Riza	2008	Miles Films
『日曜日に ビクトリア公園で』	Minggu Pagi di Victoria Park	Lola Amaria, Titien Wattimena	2010	Pic[k]lock Production
『ニャイ』	Nyai	Garin Nugroho	2016	Garin Nugroho Workshop, Treewater Productions, Super 8 mm Studio
『庭の千草』外	Three Smart Girls Grow Up	Henry Koster	1939	Universal Pictures
『妊娠検査』	Test Pack: You Are My Baby	Monty Tiwa	2012	Starvision Plus
『ノカス』	Nokas	Manuel Alberto Maia	2016	Komunitas Film Kupang
『望まれざる天国』	Surga yang Tak Dirindukan	Kuntz Agus	2015	MD Pictures
『望まれざる天国２』	Surga yang Tak Dirindukan 2	Hanung Bramantyo	2017	MD Pictures
『呪われた地の女』	Perempuan Tanah Jahanam	Joko Anwar	2019	Base Entertainment, CJ Entertainment, Rapi Films, Ivanhoe Pictures

は／ハ

邦題（本文表記）	原題	監督	制作年	制作会社
『牌九』	Pai Kau	Sidi Saleh	2018	Archipelago Pictures
『墓場での出産』	Beranak dalam Kubur	Awaludin, Ali Shahab	1971	Tidar Jaya Film
『バスは夜を走る』	Night Bus	Emil Heradi	2017	Nightbus Pictures, Kaninga Pictures
『初恋』	Cinta Pertama	Teguh Karya	1973	Jelajah Film
『母』	Ibunda	Teguh Karya	1986	Satria Perkasa Esthetika Film, Sufin
『ハビビとアイヌン』	Habibie dan Ainun	Faozan Rizal	2012	MD Pictures
『パラノイア』	Paranoia	Riri Riza	2021	Miles Films
『光照らす人』	Sang Pencerah	Hanung Bramantyo	2010	Multivision Plus Pictures
『ヒジャーブ』	Hijab	Hanung Bramantyo	2015	Tim Dapur Film, Ampuh Entertainment, MVP Pictures
『一切れのパンの愛』	Cinta dalam Sepotong Roti	Garin Nugroho	1990	Prasidi Teta Film, Eranusa Film
『ひとりじめ』	Posesif	Edwin	2017	Palari Films
『ビューティフル・デイズ』	Ada Apa dengan Cinta?	Rudi Soedjarwo	2001	Miles Productions
『フィクション。』	Fiksi.	Mouly Surya	2008	Cinesurya Production

『ダンドゥット王』	Raja Dangdut	Maman Firmansjah	1978	Cipta Permai Indah Film
『血と祈り』	Darah dan Doa (The Long March)	Usmar Ismail	1950	Spectra Film Exchange
『チュッ・ニャッ・ディン』	Tjoet Nja' Dhien	Eros Djarot	1986	Kanta Indah Film, Ekapraya Film
『チュマラの家族』連	Keluarga Cemara	Ed Pesta Sirait	1996-2003	Atmo Chademas Persada
『チュマラの家族』	Keluarga Cemara	Yandy Laurens	2019	Visinema Pictures, Ideosource, Kaskus
『チュマラの家族 ——元の場所に戻る』連	Keluarga Cemara: Kembali ke Asal	Deddy Stockoent	2004-2005	Atmo Chademas Persada
『超新星』	Supernova: Ksatria, Putri, & Bintang Jatuh	Rizal Mantovani	2014	Soraya Intercine Films
『追跡』	Perburuan	Richard Oh	2019	Falcon Pictures
『月の光』	Terang Boelan	Albert Balink	1937	ANIF
『ディラン 1990』	Dilan 1990	Fajar Bustomi, Pidi Baiq	2018	Max Pictures
『ディラン 1991』	Dilan 1991	Fajar Bustomi, Pidi Baiq	2019	Max Pictures
『デニアス、雲の上の歌声』	Denias, Senandung di Atas Awan	John de Rantau	2006	Alenia Pictures, EC Entertainment
『デリサのお祈り』	Haflan Shalat Delisa	Soni Gaokasak	2011	Kharisma Starvision Plus
『天使の花園』外	Three Smart Girls	Henry Koster	1936	Universal Pictures
『天使への手紙』	Surat untuk Bidadari	Garin Nugroho	1992	Mutiara Eranusa Film, TPI, PPFN
『天と地の間に』	Antara Bumi dan Langit	Huyung	1950	Stichting Hiburan Mataram, PFN
『トゥティ・コト ——勇敢な女性』短	Tuti Koto: A Brave Woman	Riri Riza, Yvonne Yuen Han Ng, Tran Anh Phuong, Do Doan Thanh	1999	Alley Kat, Electric Pictures
『動物園からの ポストカード』	Postcards from the Zoo	Edwin	2012	Babibutafilm, Pallas Film, The Match Factory
『ドゥル』	Si Doel the Movie	Rano Karno	2018	Falcon Pictures, Karnos Film
『ドゥル ——愛の物語の結末』	Akhir Kisah Cinta Si Doel	Rano Karno	2020	Falcon Pictures, Karnos Film
『トゥトゥル・ティヌラル：竜華剣』	Tutur Tinular: Pedang Naga Puspa	Nurhadie Irawan	1989	Kanta Indah Film, Kalbe Farma
『ドゥル 2』	Si Doel the Movie 2	Rano Karno	2019	Falcon Pictures, Karnos Film
『時』	Kala	Joko Anwar	2007	MD Pictures
『棘のある宝石』	Intan Berduri	Turino Djunaidy	1972	Sarinande Films
『隣組』	Tonari Gumi		1944	日本映画社

『写真、箱、窓』	Foto, Kotak dan Jendela	Angga Dwimas Sasongko	2006	SinemArt Pictures, Spidol Hitam Production
『ジャック・サマースビー』外	Sommersby	Jon Amiel	1993	Canal+, New Regency Productions, Alcor Films
『ジャワの天長節』	Ketika Hari Kelahiran J.M.M. Tenno-Heika di Tanah Djawa		1942	日本映画社 ジャカルタ製作所
『ジャワのユリ』	Lily van Java	Nelson Wong	1928	South Sea Film
『ジャングルの女王』外	The Jungle Princess	Wilhelm Thiele	1936	Paramount Pictures
『将軍の娘』	Putri Seorang Jendral	Wim Umboh	1981	Sanggar Film, Garuda Film
『ジョグジャカルタの６時間』	Enam Djam di Djogdja	Usmar Ismail	1951	Perfini
『ジョニの約束』	Janji Joni	Joko Anwar	2005	Kalyana Shira Films
『ジルバブ・トラベラー』	Jilbab Traveler: Love Sparks in Korea	Guntur Soeharjanto	2016	Rapi Films
『ジンガ』	Jingga	Lola Amaria	2016	Lola Amaria Production
『シンピン島の黄昏』	Senja di Pulau Simping	Lo Abidin	2012	Metta Video Studio
『スザンナ――墓の中で息をする』	Suzzanna: Bernapas dalam Kubur	Rocky Soraya, Anggy Umbara	2018	Soraya Intercine Films
『スンデルボロン』	Sundel Bolong	Sisworo Gautama Putra	1981	Rapi Film
『スンデルボロンの伝説』	Legenda Sundel Bolong	Hanung Bramantyo	2007	Rapi Film
『スンデルボロンの都市伝説』テ	Urban Legend Sundelbolong	Purnomo A. Chakill	2009	
『聖なる踊り子』	Sang Penari	Ifa Isfansyah	2011	KG Productions, Salto Films
『卒業日記』	Catatan Akhir Sekolah	Hanung Bramantyo	2004	Rexinema Multimedia Pratama
『空を飛びたい盲目のブタ』	Babi Buta Yang Ingin Terbang	Edwin	2008	Babibutafilm
『ソロの孤独』	Istilahatlah Kata-Kata	Yosep Anggi Noen	2016	Yayasan Muara, Partisipasi Indonesia, Limaenam Films, KawanKawan Film
『ソンボとランド』	Sombo dan Lando	Ema Gadi Seda	2006	

た／タ

邦題	原題	監督	制作年	制作会社
『ターバンを巻いた女』	Perempuan Berkalung Sorban	Hanung Bramantyo	2009	Kharisma Starvision Plus
『他者の言葉の物語』	Ziarah	Bagus Wirati Purba Negara	2016	Purbanegara Film, Limaenam Films, Hide Project Films, Lotus Cinema, Super 8mm Studio, Goodwork, Padi Padi Creative

『クルドサック』	Kuldesak	Nan Triveni Achnas, Mira Lesmana, Rizal Mantovani, Riri Riza	1997	Mediatama Inisiatif Lensa Karya
『グンダラ ライズ・オブ・ヒーロー』	Gundala: Negeri Ini Butuh Patriot	Joko Anwar	2019	Screenplay Films, Bumilangit Studios, Legacy Pictures, Ideosource Entertainment
『結婚する！』	Get Married	Hanung Bramantyo	2007	Kharisma Starvision Plus
『子』	Ananda	Usmar Ismail	1970	Perfini, Pemda DKI Jaya
『紅白の家』	Rumah Merah Putih	Ari Sihasale	2019	Alenia Pictures
『珈琲哲學～恋と人生の味わい方』（『珈琲哲学』）	Filosofi Kopi the Movie	Angga Dwimas Sasongko	2015	Visinema Pictures, Torabika
『ゴールデン・アームズ 導かれし者』（『黄金杖秘聞』）	Pendekar Tongkat Emas	Ifa Isfansyah	2014	Miles Films, KG Studio

さ／サ

邦題	原題	監督	制作年	制作会社
『サイエンス・オブ・フィクションズ』	Hiruk-Pikuk Si Al-Kisah	Yosep Anggi Noen	2019	Kawankawan Media, Angka Fortuna Sinema, Limaenam Films, Andolfi, Astro Shaw, Go Studio, Focused Equipment
『再会の時～ビューティフル・デイズ2』	Ada Apa Dengan Cinta 2	Riri Riza	2016	Miles Films, Legacy Pictures, Tanakhir Films
『最後の獅子舞』	The Last Barongsai	Ario Rubbik	2017	Karnos Film
『サガルマータ』	Sagarmatha	Emil Heradi	2013	Sinema Kelana, Cangkir Kopi, Add Word Productions
『サタン・ジャワ』	Setan Jawa	Garin Nugroho	2016	SET, Asia Topa, Bakti Budaya Foundation
『茶房館』	Ca-Bau-Kan	Nia Dinata	2001	Kalyana Shira Films
『三人姉妹』	Tiga Dara	Usmar Ismail	1956	Perfini
『三人姉妹（2016年版）』	Ini Kisah Tiga Dara	Nia Dinata	2016	SA Films, Kalyana Shira Films
『シェリナの大冒険』	Petualangan Sherina	Riri Riza	1999	Mediatama Inisiatif Film, Miles Productions
『私生児の復讐』	Dendam Si Anak Haram	Sisworo Gautama Putra	1972	Daya Istri Film
『ジャカ・スンブン』	Jaka Sembung Sang Penakluk	Sisworo Gautama Putra	1981	Rapi Film
『ジャカルタ 1966』	Djakarta 1966	Arifin C. Noer	1982	PPFN

『欧州に輝く九九の光』	99 Cahaya di Langit Eropa	Guntur Soeharjanto	2013	Maxima Pictures
『欧州に輝く九九の光２』	99 Cahaya di Langit Eropa 2	Guntur Soeharjanto	2014	Maxima Pictures
『おしゃべりクロモおじさん』	〔不明〕		1943?	
『オペラ・ジャカルタ』	Opera Jakarta	Sjuman Djaya	1985	Gramedia Film
『オペラ・ジャワ』	Opera Jawa	Garin Nugroho	2006	SET Film Production, New Crowned Hope
『お屋敷住まいのドゥル』テ	Si Doel Anak Gedongan	Rano Karno	2005	Karnos Film

か／カ

邦題	原題	監督	制作年	制作会社
『カアバ神殿の守護のもとで』	Di Bawah Lindungan Ka'bah	Hanny Saputra	2011	MD Pictures
『外出禁止令のあとで』	Lewat Djam Malam	Usmar Ismail	1954	Perfini, Persari
『隠された財産』	Harta Karun	Usmar Ismail	1949	South Pacific Film
『崖っぷちのドゥル』テ	Si Doel Anak Pinggiran	Rano Karno	2011	Karnos Film
『学校出のドゥル』連	Si Doel Anak Sekolahan	Rano Karno	1994-2003	Karnos Film
『紙の舟』	Perahu Kertas	Hanung Bramantyo	2012	Starvision Plus, Bentang Pictures, Dapur Film Production
『紙の舟２』	Perahu Kertas 2	Hanung Bramantyo	2012	Starvision Plus, Bentang Pictures, Dapur Film Production
『蚊帳の中』	Di Balik Kelambu	Teguh Karya	1982	Sukma Putra Film
『カリファーの決断』	Khalifah	Nurman Hakim	2011	Frame Ritz Picture, Triximages
『カルティニ』	Kartini	Hanung Bramantyo	2017	Legacy Pictures, Screenplay Films
『カルティニへのラブレター』	Surat Cinta untuk Kartini	Azhar Kinoi Lubis	2016	MNC Pictures
『ガレージ』	Garasi	Agung Sentausa	2005	Investasi Film Indonesia, Miles Productions
『黄色いヤシの葉』	Janur Kuning	Alam Rengga Surawidjaja	1979	Metro 77
『汽車に乗り遅れた恋人』	Pacar Ketinggalan Kereta	Teguh Karya	1988	Perfini
『君こそ唯一の人』	Kamulah Satu-satunya	Hanung Bramantyo	2007	Oreima Film
『君に一度だけ口づけしたい』	Aku Ingin Menciummu Sekali Saja	Garin Nugroho	2002	SET Film Workshop, Prima Entertainment
『救急車のお化け』	Hantu Ambulance	Koya Pagayo	2008	Indika Entertainment
『禁じられた扉』	Pintu Terlarang	Joko Anwar	2009	Lifelike Pictures
『金の卵』	Golden Egg ／金蛋	Rius Suhendra	2008	
『クマラ』	Keumala	Andhy Pulung Waluyo	2012	Indirama Films

本書で取り上げた映像作品一覧（邦題五十音順）

※邦題五十音、数字、アルファベット順。
テ……テレビドラマ、**外**……外国映画、**連**……連続テレビドラマ、**短**……短篇を指す。

あ／ア

邦題	原題	監督	制作年	制作会社
『愛が祝福されるとき』	Ketika Cinta Bertasbih	Chaerul Umam	2009	SinemArt Pictures
『愛が祝福されるとき2』	Ketika Cinta Bertasbih 2	Chaerul Umam	2009	SinemArt Pictures
『アイシャ——私たちを姉妹に』	Aisyah: Biarkan Kami Bersaudara	Herwin Novianto	2016	Film One Production
『愛の逸脱』	Bid'ah Cinta	Nurman Hakim	2017	Kaninga Pictures
『愛の章』	Ayat-Ayat Cinta	Hanung Bramantyo	2008	MD Pictures
『愛を語るときに、語らないこと』	Yang Tidak Dibicarakan Ketika Membicarakan Cinta	Mouly Surya	2013	Cinesurya Production, Amalina Pictures
『青が空に戻る』	Langit Kembali Biru	Dimas Haring	1991	Bola Dunia Film
『紅いランタン』	Lentera Merah (Kebenaran Harus Terungkap)	Hanung Bramantyo	2006	Rapi Film
『アクト・オブ・キリング』	Jagal (The Act of Killing)	Joshua Oppenheimer	2012	Final Cut for Real, Piraya Film A/S, Novaya Zemlya
『悪魔の奴隷』	Pengabdi Setan	Joko Anwar	2017	Rapi Films, CJ Entertainment
『アサラムアライクム北京』	Assalamualaikum, Beijing	Guntur Soeharjanto	2014	Maxima Pictures
『アタンブア 39℃』	Atambua 39 Derajat Celcius	Riri Riza	2012	Miles Films
『アメリカの空に浮かぶ割れた月』	Bulan Terbelah di Langit Amerika	Rizal Mantovani	2015	Maxima Pictures
『アリサン！』	Arisan!	Nia Dinata	2003	Kalyana Shira Films
『ある男の顔』	Wadjah Seorang Laki-Laki	Teguh Karya	1971	Sarinande Films
『ある詩人』	Puisi Tak Terkuburkan	Garin Nugroho	1999	Kampain Multimedia, Yayasan Sains Estetika dan Teknologi
『いつか今日の日のことを話そう』	Nanti Kita Cerita tentang Hari Ini	Angga Dwimas Sasongko	2020	Visinema Pictures, IDN Media, Blibli.com, XRM Media
『インドネシア共産党の九月三〇日運動の裏切り』	Pengkhianatan G 30 S/PKI	Arifin C. Noer	1982	PPFN
『うちのおバカ社長』	My Stupid Boss	Upi	2016	Falcon Pictures
『うちのおバカ社長2』	My Stupid Boss 2	Upi	2019	Falcon Pictures
『宇宙が支えてくれる』	Semesta Mendukung	John de Rantau	2011	Mizan Productions, Falcon Pictures, Surya Institute
『海を駆ける』	The Man from the Sea	深田晃司	2018	日活
『ウンパン・ブルエ』	Eumpang Breuh	Imran Nyak Abeudo	2005-2019, 2020	Dhien Kramik Production
『エジプトに上る月』	Moonrise over Egypt	Pandu Adi Putra	2018	TVS Films

西 芳実（にし よしみ）

◉所属・職……京都大学東南アジア地域研究研究所准教授

◉専門…………インドネシア地域研究

◉研究テーマ…多言語・多宗教社会における災害対応、災厄体験の共有・語り直しと社会統合

◉主な著作

- 『災害復興で内戦を乗り越える――スマトラ島沖地震・津波とアチェ紛争』（災害対応の地域研究２、京都大学学術出版会、2014年）
- 『歴史としてのレジリエンス――戦争・独立・災害』（災害対応の地域研究４、京都大学学術出版会、2016年）〔共編著〕
- 『記憶と忘却のアジア』（相関地域研究１、青弓社、2015年）〔共編著〕
- 『被災地に寄り添う社会調査』（情報とフィールド科学４、京都大学学術出版会、2016年）

シリーズ 混成アジア映画の海２

夢みるインドネシア映画の挑戦

The Strength to Dream: Indonesian Cinema and Imagination

発行日 ——— 2021年12月26日

著　者 ——— **西 芳実**

発行者 ——— 松下貴弘
発行所 ——— 英明企画編集株式会社
〒604-8051 京都市中京区御幸町通船屋町367-208
電話 075-212-7235
https://www.eimei-information-design.com/

印刷・製本所 — モリモト印刷株式会社

Published by Eimei Information Design, Inc.
Printed in Japan　ISBN 978-4-909151-22-3